누적 1억 명이
선택한 비상교재

KB085763

핵심만 빠르게~ 단기간에
**내신 공부의 힘**을 키운다

# 내공의 힘

한국지리

# 구성과 특징

# STRUCTURE

## 내신 개념 정리

## 단계적 문제 풀이

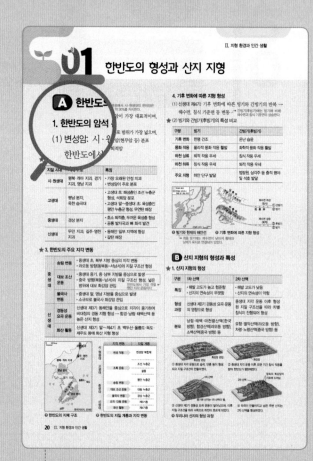

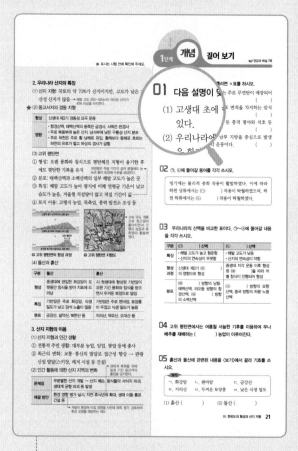

시험에 자주 나오는 주제를 선별하여 교과 내용을 정리하였습니다. 한눈에 들어오는 표, 흐름도, 자료 등으로 단원의 핵심 개념을 효율적으로 학습할 수 있습니다.

### 1단계 개념 짚어 보기

단원의 핵심 개념을 잘 이해했는지 단답형 문제를 통해 꼼꼼하게 체크할 수 있습니다.

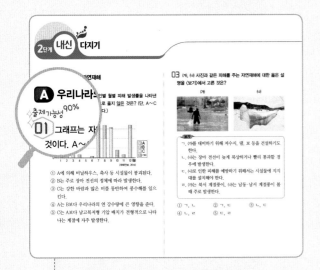

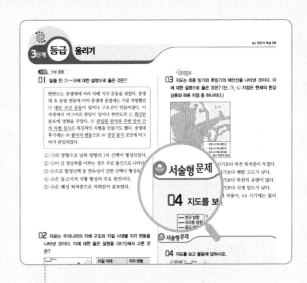

## 2단계 내신 다지기

교과서를 철저히 분석하여 학교 시험에 출제될 가능성이 높은 문제로만 구성하였습니다. 핵심 자료를 활용한 다양한 문제로 실전 감각을 키울 수 있습니다.

## 3단계 등급 올리기

내신 1등급 달성에 도움을 주는 통합형 문제와 서술형 문제를 구성하였습니다. 고난도 문제를 통해 사고력과 응용력을 향상시킬 수 있습니다.

## 내공 점검

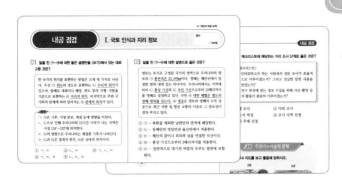

▶ 대단원별로 시험 대비 실전 문제를 구성하였습니다. 중간·기말 고사 직전에 자신의 실력을 최종 점검할 수 있습니다.

## 내공과 내 교과서
# 단원 비교하기

# 차례

# CONTENTS

# 생산과 소비의 공간

## V

# 인구 변화와 다문화 공간

## VI

# 우리나라의 지역 이해

## VII

# 내공 점검

# 우리나라의 위치 특성과 영토

## A 우리나라의 위치 특성

### ★ 1. 우리나라의 위치

(1) 수리적 위치: 위도와 경도로 표현하는 위치

| 위도 | • 기후, 식생 분포, 계절 등에 영향을 미침<br>• 범위: 북위 33°~43°에 위치<br>• 특성: 북반구 중위도에 위치하여 사계절의 변화가 뚜렷한 냉·온대 기후가 나타남 |
|---|---|
| 경도 | • 국가의 표준시 결정에 영향을 미침 ●우리나라의 표준 경선은 독도의 동쪽을 통과한다.<br>• 범위: 동경 124°~132°에 위치<br>• 특성: 동경 135°를 표준 경선으로 사용함 → 우리나라의 표준시는 본초 자오선이 지나는 영국보다 9시간 빠름 |

(2) 지리적 위치: 대륙이나 해양, 반도 등의 지형지물을 기준으로 표현하는 위치

① 유라시아 대륙 동안에 위치: 기온의 연교차가 큰 대륙성 기후, 대륙과 해양의 영향을 받는 계절풍 기후가 나타나 여름에는 고온 다습하고, 겨울에는 한랭 건조함

② 반도국: 대륙과 해양으로의 진출과 교류에 유리하며, 임해 공업과 국제 무역이 활발함

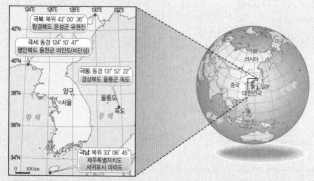

↑ 우리나라의 수리적·지리적 위치

(3) 관계적 위치: 주변 국가와의 관계 및 주변 정세에 따라 달라지는 상대적·가변적 위치

| 근대 이전 | 대륙 세력과 해양 세력의 각축장 |
|---|---|
| 광복 이후 | 민주주의 진영과 사회주의 진영이 대립하는 공간 |
| 오늘날 | 경제 성장과 정치적 역량 강화 등을 바탕으로 동북아시아 및 태평양 시대의 중심 국가로 도약 |

### 2. 동아시아의 중심지, 우리나라

(1) 지리적 요충지: 중국과 러시아를 거쳐 유럽으로 이어지는 대륙의 관문, 오세아니아와 아메리카로 이르는 간선 항로에 위치 아시아 32개국을 지나는 도로로, AH1, AH6 도로가 우리나라를 지나간다.

(2) 물류 중심지: 유라시아 횡단 철도와 아시안 하이웨이가 연결되면 북아메리카, 유럽, 동북아시아 등 세계 3대 경제축을 연결하는 물류 네트워크 중심지로 성장할 수 있음

## B 우리나라의 영역

### 1. 영역의 의미와 구성

(1) 영역: 한 국가의 주권이 미치는 공간 범위, 국민의 안전을 보장받을 수 있는 생활 터전으로 국가를 구성하는 기본 요소

(2) 구성: 영토, 영해, 영공으로 이루어짐

### ★ 2. 우리나라의 영역

(1) 영토

| 구성 | 헌법에 따라 '한반도와 그 부속 도서'로 규정 |
|---|---|
| 면적 | 총면적은 약 22.3만 ㎢, 남한 면적은 약 10만 ㎢ → 갯벌이 넓게 분포하는 서·남해안의 간척 사업으로 영토 면적이 증가하고 있음 |

(2) 영해: 최저 조위선으로부터 12해리까지의 바다, 해수면에서 해저에 이르는 곳 포함 ●바닷물이 가장 많이 빠진 썰물 때의 해안선으로, 저조선이라고도 한다.

| 동해안, 제주도, 울릉도, 독도 | 해안선이 단조롭고 섬이 적음 → 통상 기선에서부터 12해리까지 |
|---|---|
| 서해안, 남해안 | 해안선이 복잡하고 섬이 많음 → 직선 기선에서부터 12해리까지 |
| 대한 해협 | 우리나라와 일본 간 거리가 가까워 직선 기선에서부터 3해리까지 |

(3) 영공: 영토와 영해의 수직 상공, 일반적으로 수직적 범위는 대기권까지 인정 ●국력과 과학 기술력에 의해 영공의 통제 범위는 변할 수 있다. ●해안의 끝이나 최외곽의 섬을 연결한 직선이 영해의 기준선이 된다.

### 3. 배타적 경제 수역

(1) 범위: 영해 기선으로부터 200해리까지의 수역 중 영해를 제외한 수역

(2) 특징 ●마라도에서 약 149㎞ 떨어진 곳에 위치한 이어도는 바닷속에 있는 암초로, 2003년 우리 정부는 이곳에 종합 해양 과학 기지를 건설하여 주변 해역의 환경 및 기상 관련 자료를 수집한다.

① 연안국은 해양 자원의 탐사, 개발, 이용, 보전, 관리 등에 관한 주권적 권리가 보장됨

② 다른 국가의 선박과 항공기 등이 자유롭게 통행할 수 있음

(3) 우리나라의 배타적 경제 수역: 우리나라는 중국 및 일본과 배타적 경제 수역이 겹치기 때문에 어업 협정을 체결하여 공동 조업이 가능한 수역을 각각 설정함

↑ 우리나라의 영해와 배타적 경제 수역 ●울산만과 영일만은 예외적으로 직선 기선이 적용된다.

★ 표시는 시험 전에 확인해 주세요.

## C 독도의 주권과 동해 표기

★ **1. 우리 땅 독도** — ● 신생대 제3기 말, 약 460만~250만 년 전에 해저 약 2,000m에서 분출한 용암이 굳어져 형성되었다.

(1) **독도**: 경상북도 울릉군 울릉읍 독도리에 있는 섬, 동도와 서도 및 89개의 부속 도서로 구성 → 우리나라의 영토 중 가장 동쪽에 위치

(2) **독도의 자연환경**: 화산섬으로 대부분의 해안이 급경사를 이룸, 해양성 기후가 나타남 ┌ ● 동해의 영향을 받아 비슷한 위도의 내륙 지역보다 따뜻한 편이다.

(3) **독도 영유의 역사**: 신라가 우산국을 편입(512년)하면서 우리 영토가 됨, 이후 일본이 불법 편입(1905년)하였지만 광복 후 우리 영토로 반환

(4) **독도의 가치**

| 영역적 가치 | • 배타적 경제 수역 설정의 기준이 될 수 있음<br>• 동해의 교통 요지로 태평양을 향한 해상 전진 기지 역할을 할 수 있음 |
|---|---|
| 경제적 가치 | • 독도 주변 해역은 한류와 난류가 교차하는 조경 수역이 형성되어 어족 자원이 풍부함<br>• 주변 해저에는 메탄 하이드레이트와 해양 심층수 등의 자원이 풍부함 |
| 환경·생태적 가치 | • 해저 화산의 형성과 진화 과정을 살펴볼 수 있음<br>• 다양한 동식물이 서식하며, 철새들의 중간 휴식처 역할을 담당함 → 섬 전체가 천연 보호 구역으로 지정됨 |

**2. 우리 바다 동해**

(1) **동해 표기의 정당성**

① 우리는 한반도 동쪽의 바다를 2,000년 이상 동해라고 불러옴 → 『삼국사기』 고구려 본기, 광개토대왕릉비(414)의 비문 등에 동해 표기 기록이 있음

② 1929년 우리나라를 식민 지배하던 일본이 국제 수로 기구(IHO)에 우리나라의 합의 없이 '일본해'로 등록

(2) **동해 표기를 위한 노력**: 정부와 민간단체는 국제 사회에 동해 표기의 정당성을 주장하고, 동해 표기를 확산하기 위해 노력하고 있음

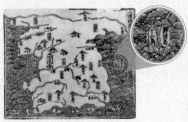
↑ **팔도총도(1531년)**

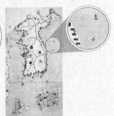
↑ **조선일본유구국도(18세기)**

「팔도총도」는 「신증동국여지승람」에 수록된 지도로 울릉도와 우산도(독도)가 표현되어 있다. 「조선일본유구국도」에는 조선, 일본, 유구국이 등장한다. 조선의 영토는 사실적으로 표현되어 있으며, 동해(東海)라는 명칭과 함께 울릉도(鬱陵島)가 분명하게 제시되어 있다.

---

**1단계 개념 짚어 보기**

●정답과 해설 2쪽

**01** 다음 설명이 맞으면 ○표, 틀리면 ×표를 하시오.

(1) 지리적 위치는 위도와 경도로 표현하는 위치이다.
( )

(2) 우리나라는 동경 135°를 표준 경선으로 정하여 우리나라의 표준시는 본초 자오선이 지나는 영국보다 9시간 빠르다.
( )

**02** ㉠~㉢에 들어갈 내용을 각각 쓰시오.

> 우리나라는 유라시아 대륙 (㉠    )에 위치하여 기온의 연교차가 큰 (㉡    ) 기후가 나타난다. 또한 대륙과 해양의 영향을 받는 (㉢    ) 기후가 나타나 여름에는 고온 다습하고, 겨울에는 한랭 건조하다.

**03** 다음 괄호 안의 내용 중 알맞은 말에 ○표를 하시오.

(1) 영해는 최저 조위선으로부터 (3해리, 12해리)까지의 바다이다.

(2) 해안선이 단조롭고 섬이 적은 동해안은 (직선, 통상) 기선을 적용하여 영해를 설정한다.

(3) 우리나라는 갯벌이 넓게 분포하는 서·남해안의 간척 사업으로 영토 면적이 (감소, 증가)하고 있다.

**04** 통상 기선과 직선 기선이 적용되는 지역을 〈보기〉에서 골라 기호를 쓰시오.

> **보기**
> ㄱ. 독도　　ㄴ. 울릉도　　ㄷ. 제주도
> ㄹ. 서·남해안　　ㅁ. 대한 해협　　ㅂ. 동해안의 대부분

(1) 통상 기선　　　　　　　( )
(2) 직선 기선　　　　　　　( )

**05** 다음 빈칸에 들어갈 알맞은 말을 쓰시오.

(1) 독도 주변 해역은 한류와 난류가 교차하는 (    )으로 어족 자원이 풍부하다.

(2) 독도는 다양한 동식물이 서식하며, 철새들의 중간 휴식처 역할을 담당하여 섬 전체가 (    )으로 지정되어 있다.

## A 우리나라의 위치 특성

**01** (가)~(다)에 해당하는 우리나라의 위치 특성을 〈보기〉에서 골라 옳게 연결한 것은?

> (가) 위도와 경도로 표현하는 위치이다.
> (나) 대륙, 해양, 반도 등으로 표현하는 위치이다.
> (다) 주변 국가와의 관계 및 주변 정세에 따라 달라지는 상대적 위치이다.

**보기**

> ㄱ. 기온의 연교차가 큰 대륙성 기후가 나타난다.
> ㄴ. 북위 33°~43°의 북반구 중위도에 위치하여 냉·온대 기후가 나타난다.
> ㄷ. 오늘날 우리나라는 동북아시아 및 태평양 시대의 중심 국가로 도약하고 있다.

|   | (가) | (나) | (다) |   | (가) | (나) | (다) |
|---|------|------|------|---|------|------|------|
| ① | ㄱ | ㄴ | ㄷ | ② | ㄴ | ㄱ | ㄷ |
| ③ | ㄴ | ㄷ | ㄱ | ④ | ㄷ | ㄱ | ㄴ |
| ⑤ | ㄷ | ㄴ | ㄱ |   |   |   |   |

출제가능성 90%

**02** 다음은 우리나라의 위치에 대한 학생들의 대화이다. ㉠~㉢에 대한 설명으로 옳지 않은 것은?

> 우리나라는 ㉠ 북위 33°~43°, ㉡ 동경 124°~132°에 위치해.

> 우리나라는 ㉢ 국토의 삼면이 바다로 둘러싸인 반도국이야.

> 오늘날 우리나라는 ( ㉣ ) 등을 바탕으로 ㉤ 세계 여러 국가와 교류하며 태평양 시대의 중심 국가로 성장하고 있어.

① ㉡의 영향으로 우리나라의 표준시는 본초 자오선이 지나는 영국보다 9시간 느리다.
② ㉢의 영향으로 대륙과 해양 양방향으로 진출하기 유리하여 임해 공업과 국제 무역이 발달하였다.
③ ㉣에는 '경제 성장과 정치적 역량 강화' 등이 들어갈 수 있다.
④ ㉠은 기후와 식생 분포, 계절 등에, ㉡은 해당 국가의 표준시 결정에 영향을 미친다.
⑤ ㉠, ㉡, ㉢은 변하지 않는 절대적 특징을, ㉤은 상대적이고 가변적인 특징을 갖는다.

**03** 지도를 통해 알 수 있는 우리나라의 위치 특성으로 옳지 않은 것은?

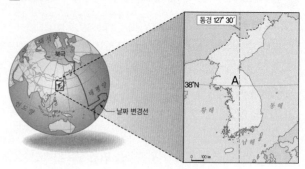

① 우리나라는 사계절의 변화가 뚜렷하다.
② 우리나라는 유라시아 대륙 동안에 위치한다.
③ 우리나라는 국토의 삼면이 바다로 둘러싸인 반도국으로 대륙과 해양으로 진출에 유리하다.
④ A 지점의 대척점은 남위 38°, 서경 52°30′이다.
⑤ A 지점은 우리나라의 표준 경선이 지나는 곳에 위치한다.

**04** (가)에 들어갈 내용으로 가장 적절한 것은?

> **수행 평가 보고서**
>
> • 주제: _____(가)_____
> • 사례 1: 국토가 통일되어 우리나라 철도가 중국 횡단 철도, 시베리아 횡단 철도 등 유라시아 횡단 철도와 연결된다면 유럽 진출이 더욱 수월해질 것이다.
> • 사례 2: 지구 온난화가 진행되면서 북극해가 해빙되는 시기가 늘어남에 따라 북극해 인접국들은 북극해 항로의 상용화에 대한 논의를 진행하고 있다. 북극해 항로가 상용화된다면 동해는 수에즈 항로의 믈라카 해협과 같은 핵심 항로 역할을 할 것으로 예상된다.

① 대륙 세력의 주변적 위치
② 세계화 시대의 국토 인식 변화
③ 동북아시아 및 태평양 시대의 중심지
④ 세계 정치의 중심지로 성장하는 우리나라
⑤ 자본주의 진영과 공산주의 진영이 대립하는 공간

**05** 지도와 같이 교통망이 완공될 때 우리나라에서 나타날 변화를 추론한 내용으로 옳은 것을 〈보기〉에서 고른 것은?

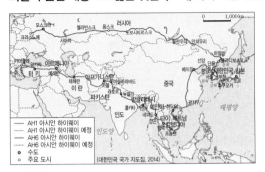

(대한민국 국가 지도집, 2014)

**보기**
ㄱ. 우리나라의 물류 중심지 역할이 강화될 것이다.
ㄴ. 미국까지 항공을 이용하는 여행객의 수가 줄어들 것이다.
ㄷ. 총 6개의 아시안 하이웨이 노선이 우리나라를 지나갈 것이다.
ㄹ. 유럽과 우리나라 간 육로를 이용한 화물 수송량이 증가할 것이다.

① ㄱ, ㄴ　　② ㄱ, ㄹ　　③ ㄴ, ㄷ
④ ㄴ, ㄹ　　⑤ ㄷ, ㄹ

**B 우리나라의 영역**

**06** 그림은 영역의 범위를 나타낸 것이다. A~E에 대한 설명으로 옳은 것은?

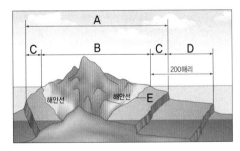

① A – 영토와 영해의 수직 상공으로, 그 범위는 일반적으로 대기권에 한정된다.
② B – 범위가 고정되어 있어 간척 사업에 의해 면적이 넓어질 수 없다.
③ C – 해안선으로부터 일정 범위에 해당하는 바다로, 해저는 포함되지 않는다.
④ D – 다른 국가의 자원 탐사선이 탐사 활동을 할 수 있다.
⑤ E – 밀물 때의 해안선을 기준으로 한다.

**출제가능성90%**
**07** 지도는 우리나라의 영해를 나타낸 것이다. 이에 대한 설명으로 옳지 않은 것은?

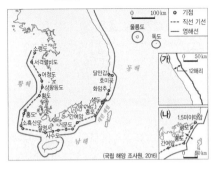

(국립 해양 조사원, 2016)

① 동해안의 영일만과 울산만은 직선 기선이 적용된다.
② 영해의 범위는 일반적으로 기선에서부터 12해리까지이다.
③ 해안선이 복잡하고 섬이 많은 해안에서는 직선 기선이 적용된다.
④ 울릉도, 독도에서는 (가)와 같은 방법으로 영해를 설정한다.
⑤ 일본과의 협정에 따라 (나)에서는 기선으로부터 5해리까지 영해를 설정하였다.

**08** 지도는 우리나라의 주변 수역을 나타낸 것이다. A~E 지점에서 이루어질 수 있는 행위로 적절하지 않은 것은? (단, 모든 행위는 국가 간 사전 허가가 없었음을 전제로 한다.)

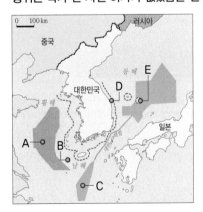

① A에서 중국 어선이 고기잡이를 한다.
② B에서 일본 여객선이 항해를 한다.
③ C에서 우리나라 어선이 고기잡이를 한다.
④ D의 수직 상공을 러시아의 비행기가 통과하였다.
⑤ E에서 우리나라 해양 경찰이 경비 활동을 하였다.

## C 독도의 주권과 동해 표기

**09** 지도의 A~C에 대한 설명으로 옳지 <u>않은</u> 것은?

① A는 영해 설정에 통상 기선이 적용된다.
② B는 512년 신라가 우산국을 정복한 이후 우리나라의 영토가 되었다.
③ C에는 종합 해양 과학 기지가 건설되어 있다.
④ 죽변항을 출발해 A를 거쳐 B로 이동하는 내내 우리나라 영해를 벗어나지 않는다.
⑤ 맑은 날에는 A에서 B가 육안으로 보인다.

출제가능성90%
**10** 다음은 답사 보고서의 일부이다. (가)에 들어갈 내용으로 적절하지 <u>않은</u> 것은?

### 지리 답사 보고서

| 위치 | 동경 131°52′E, 서경 37°14′N |
|---|---|
| 경관 사진 | |
| 특징 | (가) |

① 동도와 서도 및 89개의 부속 도서로 이루어져 있다.
② 약 460~250만 년 전 해저 용암의 분출로 형성된 화산섬이다.
③ 섬 전체가 세계 자연 유산으로 지정되어 특별하게 관리되고 있다.
④ 우리나라의 배타적 경제 수역 설정의 기준이 되는 대한민국의 영토이다.
⑤ 주변 바다에는 미래의 에너지로 주목받는 메탄하이드레이트가 분포한다.

**11** (가), (나)에 대한 옳은 설명만을 〈보기〉에서 있는 대로 고른 것은?

(가) (나)

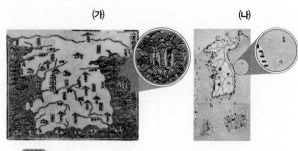

보기
ㄱ. (가)에는 울릉도와 독도의 위치가 서로 바뀌어 표현되어 있다.
ㄴ. (나)에는 조선 동쪽에 위치하는 바다가 동해로 표현되어 있다.
ㄷ. (가)는 (나)보다 조선의 영토가 사실적으로 표현되어 있다.
ㄹ. (가), (나)는 모두 조선에서 제작되었다.

① ㄱ, ㄷ  ② ㄴ, ㄹ  ③ ㄱ, ㄴ, ㄷ
④ ㄱ, ㄴ, ㄹ  ⑤ ㄴ, ㄷ, ㄹ

**12** 교사의 질문에 옳게 답변한 학생을 〈보기〉에서 고른 것은?

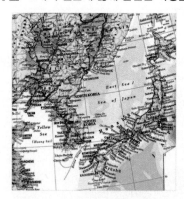

지도는 동해와 일본해를 병기한 것입니다. 동해 표기의 당위성 및 역사에 대해 발표해 봅시다.

보기
갑. 동해라는 명칭은 『삼국사기』를 비롯한 수많은 고문헌에 기록되어 있습니다.
을. 해방 이후 국제 수로 기구(IHO)의 해양 지명에 동해가 단독으로 등록되었습니다.
병. 오늘날 우리나라는 국제 사회에 동해와 일본해를 모두 표기해야 한다고 주장하고 있습니다.
정. 18세기까지 유럽에서 편찬된 세계 지도에는 대부분 일본해(Sea of Japan)로 표기되어 있습니다.

① 갑, 을  ② 갑, 병  ③ 을, 병
④ 을, 정  ⑤ 병, 정

2016 수능 응용

**01** 지도의 A~E 지역에 대한 설명으로 옳은 것은?

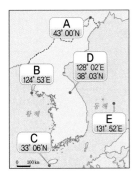

① B는 우리나라 영토의 최서단(극서)에 위치한다.

② D는 우리나라의 표준 경선이 지나는 곳이다.

③ A는 C보다 최한월 평균 기온이 낮다.

④ B는 D보다 일몰 시각이 이르다.

⑤ C와 E는 영해를 설정할 때 직선 기선을 적용한다.

---

**02** 다음은 영토 및 영해와 관련된 법 조항의 일부이다. ㉠~㉤에 대한 설명으로 옳지 <u>않은</u> 것은?

> [헌법]
> 제3조 대한민국의 영토는 한반도와 그 ㉠ <u>부속 도서</u>로 한다.
> [영해 및 접속 수역법]
> 제1조(영해의 범위) 대한민국의 영해는 기선(基線)으로부터 측정하여 그 바깥쪽 ( ㉡ )의 선까지에 이르는 수역으로 한다.
> 제2조(기선) ① 영해의 폭을 측정하기 위한 통상의 기선은 대한민국이 공식적으로 인정한 대축척 해도(海圖)에 표시된 ㉢ <u>해안의 저조선(低潮線)</u>으로 한다. ② ㉣ <u>지리적 특수 사정이 있는 수역</u>의 경우에는 대통령령으로 정하는 기점을 연결하는 직선을 기선으로 할 수 있다.
> 제3조(내수) 영해의 폭을 측정하기 위한 ㉤ <u>기선으로부터 육지 쪽에 있는 수역</u>은 내수(內水)로 한다.

① ㉠ - 유인도는 물론 무인도도 포함한다.

② ㉡ - '3해리'가 들어갈 수 있다.

③ ㉢ - 썰물로 바닷물이 빠져나가 해수면이 가장 낮을 때의 해안선을 의미한다.

④ ㉣ - 동해안의 영일만, 울산만 등에서도 적용되었다.

⑤ ㉤ - 타국 선박의 해저 자원 탐사 활동이 제한된다.

---

**03** (가) 지역과 비교한 (나) 지역의 상대적 특징을 그림의 A~E에서 고른 것은?

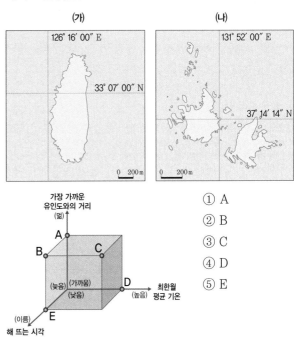

① A

② B

③ C

④ D

⑤ E

---

## 서술형 문제

**04** 다음은 우리나라의 위치를 다양하게 표현한 것이다. 이를 보고 물음에 답하시오.

> (가) 북위 33°~43°, 동경 124°~132°에 위치한다.
> (나) 아시아 대륙의 동쪽에 위치하며 태평양에 접하고 있다.
> (다) 중국과 일본, 러시아 등 주변의 강대국들과 협력 또는 대립 관계를 이루면서 성장과 위기의 기회를 동시에 맞고 있다.

(1) (가)~(다)와 같은 방법으로 표현되는 위치를 각각 무엇이라고 하는지 쓰시오.

(2) (가)~(다) 위치 표현 방법의 특징에 대해 각각 서술하시오.

# 02 국토 인식의 변화
# ~03 지리 정보와 지역 조사

## A 전통적인 국토 인식

### 1. 국토와 국토 인식

(1) 국토: 민족의 역사와 가치관, 생활양식이 담겨 있는 공간

(2) 국토 인식: 국토를 이해하는 태도나 방식
└ 시대와 환경에 따라 다양하게 나타난다.

### 2. 풍수지리 사상

(1) 의미: 산줄기의 흐름, 산의 모양, 바람과 물의 흐름을 파악하여 좋은 터(명당)를 찾는 사상

(2) 배경: 음양오행설과 지모(地母) 사상 등이 결합하여 발전

(3) 영향: 집터(배산임수), 묘지, 마을, 국가의 도읍지 선정 등
└ 마을 뒤에 산이 자리하고 앞으로는 하천이 흘러 일사량이 풍부하고 땔감과 농경지 확보에 유리하다.

### 3. 고지도에 나타난 국토 인식

(1) 조선 전기와 조선 후기 고지도 비교

| 구분 | 조선 전기 | 조선 후기 |
|---|---|---|
| 특징 | • 국가 통치 목적, 행정적·군사적 측면에서 지도 제작<br>• 북부 산악 지역은 왜곡 및 축소되어 표현 | • 실학사상의 영향으로 과학적이고 정교한 지도 제작<br>• 다양한 지도 제작, 실측을 토대로 지리 정보 표현 |
| 사례 | 「혼일강리역대국도지도」, 「팔도지도」, 「조선방역지도」 등 | 「동국지도」, 「대동여지도」, 「지구전후도」 등 |

(2) 주요 고지도의 특징

① 혼일강리역대국도지도: 국가 주도로 제작, 현존하는 우리나라의 가장 오래된 세계 지도, 중화사상 반영

② 천하도: 민간에서 제작된 관념적 세계 지도, 중화사상 및 도교적 세계관 반영 ┌→ 조선을 상대적으로 크게 표현해 주체적 국토 인식을 나타내고 있다.

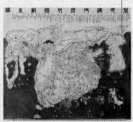

● 원형의 세계 지도로 상상의 지명이 다수 표현되어 있다.

⊙ 혼일강리역대국도지도(조선 전기)    ⊙ 천하도(조선 중기 이후)

③ 대동여지도: 목판본(대량 인쇄 가능), 분첩 절첩식(휴대 간편), 10리마다 방점 사용(거리 계산 가능) 등

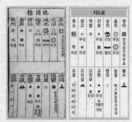

⊙ 대동여지도와 지도표(조선 후기) | 김정호가 제작한 「대동여지도」는 휴대와 열람이 편하도록 병풍처럼 접고 펼 수 있는 분첩 절첩식으로 제작되었으며, 지도표를 활용하여 각종 지리 정보를 효과적으로 표현하였다.

### 4. 고문헌에 나타난 국토 인식

(1) 조선 전기와 조선 후기 고문헌 비교

| 구분 | 조선 전기 | 조선 후기 |
|---|---|---|
| 특징 | • 효율적 국가 통치를 위해 국가 주도로 관찬 지리지 편찬<br>• 사회·경제·행정 등 각 분야를 상세하게 기록 → 백과사전식 기술 | • 국토의 실제 모습을 과학적으로 해석하려는 실학자들에 의해 사찬 지리지 편찬<br>• 특정 주제를 종합적·체계적으로 고찰 → 설명식 기술 |
| 사례 | 「세종실록지리지」, 「신증동국여지승람」 등 | 신경준의 「도로고」, 이중환의 「택리지」 등 |

(2) 택리지: 살기 좋은 곳의 입지 조건과 우리나라 각 지역의 특성을 기술한 종합적인 인문 지리서

① 구성: 사민총론, 팔도총론, 복거총론, 총론

② 가거지의 조건: 지리(풍수지리의 명당), 생리(경제적으로 유리한 곳), 인심(인심이 좋은 곳), 산수(경치가 좋은 곳)

### 5. 시대별 국토 인식의 변화

| 일제 강점기 | 식민 지배를 정당화하기 위해 부정적·소극적 국토 인식 강요 → 왜곡된 국토 인식 |
|---|---|

↓

| 산업화 시대 | • 경제적 효율성을 우선적으로 추구하는 적극적 국토 인식 → 국토의 잠재력 및 국민 소득 수준 향상<br>• 지역 불균형, 환경 문제 등 발생 |
|---|---|

↓

| 오늘날 | • 자연과 인간의 조화를 추구하는 생태 지향적 국토 인식<br>• 지속 가능한 발전 추구 → 생태 공원 조성, 하천 복원, 국립 공원 및 습지 보호 지역 지정 등 |
|---|---|

└ 성장 위주의 국토 개발에 따른 문제를 해결하는 과정에서 나타났다.

## B 지리 정보의 수집과 활용

### 1. 지리 정보의 의미와 유형

(1) 지리 정보: 지표상에 나타나는 다양한 지리 현상을 확인·분석하고 특성을 파악하는 데 필요한 모든 정보

(2) 지리 정보의 유형

| 공간 정보 | 어떤 장소나 현상의 위치나 형태를 나타내는 정보 →위도, 경도 등 |
|---|---|
| 속성 정보 | 장소나 현상의 인문·자연적 특성을 나타내는 정보 →인구, 면적 등 |
| 관계 정보 | 다른 장소나 지역과의 상호 작용 및 관계를 나타내는 정보 ┐ |

└ 통근, 통학 등 ●

### 2. 지리 정보의 수집과 표현

(1) 지리 정보의 수집 방법

① 전통적 방법: 지도나 문헌, 통계 자료 활용, 현지 답사 등

② 오늘날: 정보 통신 기술의 발달로 인터넷 활용 증가, 원격 탐사 기술의 발달로 인공위성이나 항공 사진 활용 활발
└ 접근하기 어려운 지역의 지리 정보를 쉽게 수집할 수 있게 되었다.

★ 표시는 시험 전에 확인해 주세요.

(2) 지리 정보의 표현: 도표, 그래프, 지도 등 다양한 방법으로 표현 예 통계 지도

↑ 점묘도

↑ 등치선도

↑ 단계 구분도

↑ 도형 표현도

↑ 유선도

- 점묘도: 통계 값을 일정한 크기의 점으로 표현
- 등치선도: 같은 값을 가진 지점을 선으로 연결하여 표현
- 단계 구분도: 통계 값을 몇 단계로 나누고 음영, 패턴 등을 달리하여 표현
- 도형 표현도: 통계 값을 막대, 원 등 도형을 이용하여 표현
- 유선도: 지역 간 이동을 화살표의 방향과 굵기로 표현

## 3. 지리 정보 시스템(GIS)

(1) 의미: 다양한 지리 정보를 수집·분석·종합·처리하여 이를 가공·활용하는 시스템

(2) 특징: 복잡한 지리 정보를 빠르고 정확하게 처리, 중첩 분석을 활용한 최적 입지 선정 가능 등

(3) 활용: 공간 정보 서비스(길 안내), 재해 관리(홍수나 산사태 예측), 국토 및 환경 관리 등 └ 서로 다른 정보를 담고 있는 데이터 층을 출력하고 이를 결합하여 분석하는 지리 정보 시스템의 작업 과정

## **C** 지역 조사

### 1. 지역 조사

(1) 의미: 지역에 대한 정보를 수집·분석·종합하여 지역성을 파악하는 활동

(2) 필요성: 지역이나 장소를 이해하고 지역의 변화나 문제점을 파악할 수 있어 합리적 의사 결정에 도움이 됨

### 2. 지역 조사 과정

| 조사 계획 수립 | 조사 목적을 결정하고 목적에 적합한 조사 주제와 지역을 선정함 ─ 경로 계획, 설문지 작성 등 |
| --- | --- |
| 지리 정보 수집 | • 실내 조사: 조사 지역과 관련된 자료를 지도, 문헌, 인터넷 등을 통해 수집, 야외 조사 준비<br>• 야외 조사: 조사 지역을 직접 방문하여 관찰, 측정, 면담, 설문, 촬영 등을 통해 지리 정보 수집 |
| 지리 정보 분석 | 수집된 지리 정보를 분류하고 분석한 후 지도나 그래프, 표 등의 통계 자료로 표현 |
| 보고서 작성 | 조사 목적과 방법, 결론이 명확하게 드러나도록 작성 |

---

**01** 다음 설명이 맞으면 ○표, 틀리면 ×표를 하시오.

(1) 「대동여지도」는 분첩 절첩식으로 제작되어 휴대와 열람이 편리하다. ( )

(2) 일제 강점기에는 경제적 효율성을 우선적으로 추구하는 적극적 국토 인식이 강요되었다. ( )

(3) 풍수지리 사상은 음양오행설과 지모 사상 등이 결합하여 우리나라의 상황에 맞게 체계화되었다. ( )

(4) 공간 정보는 장소나 현상의 위치나 형태를 나타내는 정보로 위도, 경도 등이 대표적인 사례이다. ( )

**02** ㉠, ㉡에 들어갈 용어를 각각 쓰시오.

( ㉠ )는 현존하는 우리나라의 가장 오래된 세계 지도이며, ( ㉡ )을 상대적으로 크게 표현해 주체적 국토 인식을 나타내고 있다.

**03** 다양한 지리 정보를 수집·분석·종합·처리하여 이를 가공·활용하는 시스템을 ( )이라고 한다.

**04** 표는 우리나라의 고지도와 지리지를 정리한 것이다. ㉠~㉣에 들어갈 내용을 각각 쓰시오.

| | | |
| --- | --- | --- |
| 조선 전기 | 고지도 | • 국가 ( ㉠ )를 위해 행정적·군사적 목적으로 제작, 북부 산악 지역 왜곡 및 축소<br>• 「조선방역지도」, 「팔도지도」 등 |
| | 지리지 | • 국가가 편찬한 ( ㉡ ) 지리지로 사회·경제·행정 각 분야를 ( ㉢ )식으로 기술<br>• 「세종실록지리지」, 「신증동국여지승람」 등 |
| 조선 후기 | 고지도 | • ( ㉣ )사상의 영향으로 과학적이고 정교한 지도 제작<br>• 「동국지도」, 「대동여지도」 등 |
| | 지리지 | • 개인이 편찬한 ( ㉤ ) 지리지로 특정 주제를 설명식으로 기술<br>• 신경준의 「도로고」, 이중환의 ( ㉥ ) 등 |

**05** 그림은 지역 조사 과정을 나타낸 것이다. ㉠~㉣에 들어갈 내용을 각각 쓰시오.

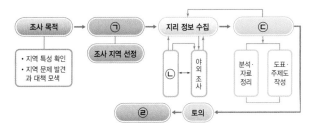

### A 전통적인 국토 인식

**01** 그림은 풍수지리 사상의 명당도를 나타낸 것이다. 이에 대한 옳은 설명을 〈보기〉에서 고른 것은?

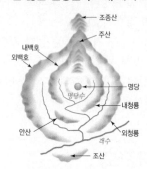

〈보기〉
ㄱ. 인간과 자연이 조화를 이루는 삶을 추구하였다.
ㄴ. 마을 입지 및 국가의 도읍지 선정에 영향을 주었다.
ㄷ. 오늘날의 행정 구역 구분에 직접적인 영향을 주었다.
ㄹ. 중국 중심의 중화사상을 반영한 전통적인 국토 인식이다.

① ㄱ, ㄴ ② ㄱ, ㄷ ③ ㄴ, ㄷ
④ ㄴ, ㄹ ⑤ ㄷ, ㄹ

**02** (가), (나) 지도에 대한 설명으로 옳은 것은?

(가)        (나)

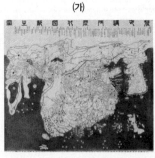

① (가)는 지도표를 활용하여 각종 지리 정보를 효과적으로 표현하였다.
② (나)는 세계가 구(救)라는 인식을 바탕으로 제작되었다.
③ (가)는 국가에서, (나)는 주로 민간에서 제작되었다.
④ (가)는 (나)보다 제작 시기가 늦다.
⑤ (가)는 실학사상, (나)는 중화사상의 영향을 받았다.

**03** (가), (나) 지도에 대한 설명으로 옳은 것은?

(가)        (나)

↑ 조선방역지도      ↑ 동국대지도

① (가)는 목판본으로 제작되어 대량 생산 및 보급에 유리하다.
② (나)는 백리척이라는 축척을 활용해 거리 계산이 가능하다.
③ (나)는 (가)보다 북부 지방이 간략하게 표현되었다.
④ (가)는 조선 후기, (나)는 조선 전기에 제작되었다.
⑤ (가), (나) 모두 공물 진상을 위해 관청에서 제작하였다.

출제가능성 90%
**04** 다음은 「대동여지도」의 일부와 지도표를 나타낸 것이다. A∼C에 대한 옳은 설명을 〈보기〉에서 고른 것은?

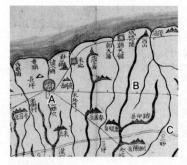

〈보기〉
ㄱ. A는 관아가 있는 행정 중심지이다.
ㄴ. A와 B의 거리는 약 40리 이상이다.
ㄷ. A에서 B로 이동할 때에는 고개를 두 번 이상 넘어야 한다.
ㄹ. C에 내린 빗물은 대부분 남서쪽으로 흘러가는 하천으로 유입한다.

① ㄱ, ㄴ ② ㄱ, ㄷ ③ ㄴ, ㄷ
④ ㄴ, ㄹ ⑤ ㄷ, ㄹ

**05** (가), (나) 지리지에 대한 설명으로 옳은 것은? (단, (가), (나)는 『신증동국여지승람』, 『택리지』 중 하나이다.)

> (가) [건치 연혁] 본래 신라의 옛 수도이다.
> [풍속] 번화하고 아름다움이 남쪽 지방에서 으뜸이다.
> [형승] 땅은 산이 험한 데가 많다.
> (나) 원주는 감사가 다스리던 곳인데, 서쪽으로 250리 거리에 한양이 있다. 동쪽은 고개와 산기슭으로 이어졌고, …… 두메에 가깝기 때문에 난리가 나도 숨어 피하기 쉽다.

① (가)는 실학사상의 영향을 받아 제작되었다.
② (나)는 국가 통치에 필요한 자료를 수집해 편찬하였다.
③ (가)는 (나)보다 지역에 대한 저자의 해석을 많이 담고 있다.
④ (나)는 (가)보다 제작된 시기가 이르다.
⑤ (가)는 관찬 지리지, (나)는 사찬 지리지이다.

**주관식**

**06** 다음은 『택리지』의 일부이다. (가), (나)에 해당하는 가거지의 조건을 쓰시오.

> (가) 땅이 기름진 것이 제일이고, 배와 수레와 사람과 물자가 모여들어서, 있는 것과 없는 것을 서로 바꿀 수 있는 곳이 그 다음이다.
> (나) 먼저 수구(水口)를 보고, 다음 들의 형세를 본다. 다음에 산의 모양을 보고, 다음에는 흙의 빛깔을, 다음은 조산(朝山)과 조수(朝水)를 본다.

**07** 다음은 국토 인식에 대해 두 학생이 스무 고개를 하고 있는 장면이다. (가)에 들어갈 내용으로 옳은 것은?

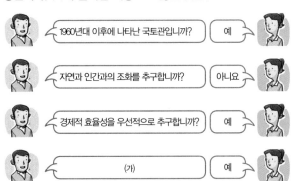

> 1960년대 이후에 나타난 국토관입니까? — 예
> 자연과 인간과의 조화를 추구합니까? — 아니요
> 경제적 효율성을 우선적으로 추구합니까? — 예
> (가) — 예

① 생태 지향적 국토 인식입니까?
② 부정적이고 소극적인 국토 인식입니까?
③ 수도권의 과도한 인구 집중이 나타났습니까?
④ 습지 보호 지역 지정이 대표적인 사례입니까?
⑤ 국토 개발의 결과 국토의 잠재력이 낮아졌습니까?

**08** (가)~(다)와 관련된 국토 인식에 대한 옳은 설명만을 〈보기〉에서 있는 대로 고른 것은?

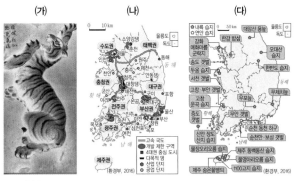

(가)  (나)  (다)

**보기**

> ㄱ. (가)는 일제 강점기의 왜곡된 국토 인식을 반영하고 있다.
> ㄴ. (나)는 경제적 효율성을 우선적으로 추구하고 있다.
> ㄷ. (다)는 현 세대뿐만 아니라 미래 세대까지 고려한 발전을 추구하고 있다.
> ㄹ. 인간과 자연과의 관계에 대해 (나)는 가능론, (다)는 생태학적 관점을 반영하고 있다.

① ㄱ, ㄷ
② ㄴ, ㄹ
③ ㄱ, ㄴ, ㄷ
④ ㄱ, ㄷ, ㄹ
⑤ ㄴ, ㄷ, ㄹ

**B** 지리 정보의 수집과 활용

**09** (가)~(다)는 강원도 양구군의 지리 정보이다. 각각의 지리 정보의 유형을 옳게 연결한 것은?

> (가) 2016년 8월을 기준으로 총 11,239세대가 거주하고 있으며, 순이동 인구는 176명이다. 지역의 고령 인구 비율은 16.9%로 총 경로당의 수는 89개소이다.
> (나) 경위도 극점은 해안면이 128°10′E, 방산면이 127°51′E, 남면이 37°59′E, 해안면이 38°19′이다. 지역 내 동서 간 거리는 27km이며, 남북 간 거리는 35.5km이다.
> (다) 교통 환경이 크게 개선되면서 지역 축제와 주요 관광지의 관광객 수가 증가하고 있으며, 주변 지역으로의 지역 농산물 수송도 원활해지고 있다.

|  | (가) | (나) | (다) |
|---|---|---|---|
| ① | 공간 정보 | 속성 정보 | 관계 정보 |
| ② | 공간 정보 | 관계 정보 | 속성 정보 |
| ③ | 속성 정보 | 관계 정보 | 공간 정보 |
| ④ | 속성 정보 | 공간 정보 | 관계 정보 |
| ⑤ | 관계 정보 | 속성 정보 | 공간 정보 |

**10** (가), (나) 통계 지도 유형으로 표현할 수 있는 가장 적절한 통계 자료를 〈보기〉에서 골라 옳게 연결한 것은?

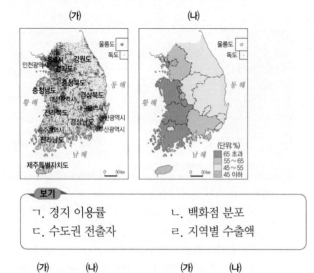

(가)     (나)

> **보기**
>
> ㄱ. 경지 이용률          ㄴ. 백화점 분포
> ㄷ. 수도권 전출자        ㄹ. 지역별 수출액

| | (가) | (나) | | (가) | (나) |
|---|---|---|---|---|---|
| ① | ㄱ | ㄴ | ② | ㄴ | ㄱ |
| ③ | ㄴ | ㄷ | ④ | ㄷ | ㄹ |
| ⑤ | ㄹ | ㄱ | | | |

**11** 자료는 지리 정보 시스템을 활용하여 상권을 분석한 것이다. 이에 대한 옳은 설명을 〈보기〉에서 고른 것은?

> **보기**
>
> ㄱ. 지역 정보가 변경될 경우 신속하게 반영하기 어렵다.
> ㄴ. 정보의 대부분을 종이에 기록해 수정하고 이를 축적한다.
> ㄷ. 이용자의 요구를 반영한 지리 정보의 분석이 가능하다.
> ㄹ. 여러 장의 지도를 중첩하여 최적 입지를 선정할 수 있다.

① ㄱ, ㄴ    ② ㄱ, ㄷ    ③ ㄴ, ㄷ
④ ㄴ, ㄹ    ⑤ ㄷ, ㄹ

### C 지역 조사

**12** 다음은 지역 조사와 관련된 학생들의 대화 내용이다. 지역 조사 과정을 순서대로 가장 적절하게 나열한 것은?

① 갑 – 을 – 정 – 병    ② 갑 – 정 – 을 – 병
③ 을 – 갑 – 정 – 병    ④ 을 – 정 – 갑 – 병
⑤ 정 – 을 – 갑 – 병

출제가능성 90%

**13** 그림은 지역 조사 과정을 간단하게 도식화한 것이다. (가), (나) 단계의 활동으로 적절한 것을 〈보기〉에서 골라 옳게 연결한 것은?

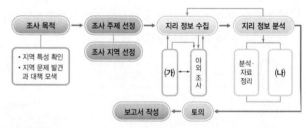

> **보기**
>
> ㄱ. 조사 지역을 방문해 관찰, 측정, 촬영한다.
> ㄴ. 주민들에게 배부할 설문지 문항을 작성한다.
> ㄷ. 지역의 특징을 그래프나 주제도 등으로 표현한다.
> ㄹ. 분석한 결론의 핵심 내용을 명확하고 체계적으로 기술한다.

| | (가) | (나) | | (가) | (나) |
|---|---|---|---|---|---|
| ① | ㄱ | ㄷ | ② | ㄱ | ㄹ |
| ③ | ㄴ | ㄱ | ④ | ㄴ | ㄷ |
| ⑤ | ㄷ | ㄹ | | | |

## 3단계 등급 올리기

2018 평가원 응용

**01** 조선 시대에 편찬된 (가), (나) 지리지에 대한 옳은 설명만을 〈보기〉에서 있는 대로 고른 것은? (단, (가), (나)는 『신증동국여지승람』, 『택리지』 중 하나이다.)

(가) [건치 연혁] 본래 백제의 한산성이다. 성종(成宗) 2년에 처음으로 12목(牧)을 두었는데 광주(廣州)는 그 하나이다.
[군명] 남한산·한산주·한주·회안(淮安)·봉국군(奉國軍)

(나) 여주 서쪽이 광주(廣州)이다. 석성산(石城山)에서 나온 한 가지가 북쪽으로 한강 남쪽에 가서 된 고을인데 읍은 만 길 산꼭대기에 있다. ㉠ 광주의 서편은 수리산이며 안산(安山) 동쪽에 있다.

**보기**

ㄱ. (가)는 백과사전식으로 서술되었다.
ㄴ. (가)는 조선 전기에 국가 주도로 제작되었다.
ㄷ. (나)에는 국토를 실용적으로 인식하는 관점이 반영되었다.
ㄹ. (나)의 ㉠은 가거지의 조건 중 생리(生利)에 해당된다.

① ㄱ, ㄴ　　　② ㄴ, ㄹ　　　③ ㄱ, ㄴ, ㄷ
④ ㄱ, ㄷ, ㄹ　　　⑤ ㄴ, ㄷ, ㄹ

**02** 『대동여지도』의 일부와 지도표를 보고 알 수 있는 내용으로 옳지 <u>않은</u> 것은?

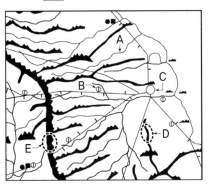

**지도표**
- 읍치(邑治)
- 창고(倉庫)
- 역참(驛站)
- 고현(古縣)

① A는 배가 다닐 수 없는 하천이다.
② B는 방어와 관련된 시설을 표현한 기호이다.
③ C에서 가장 가까운 교통·통신 기관은 20리 이내에 위치해 있다.
④ E는 하천 유역을 나누는 경계가 된다.
⑤ E는 D보다 규모가 큰 산지이다.

**★최고난도**

**03** 다음 조건을 고려하여 ○○ 시설의 입지를 결정하고자 할 때, A∼E 중 최적 입지를 고른 것은?

〈조건〉 평가 항목별 점수는 표와 같으며, 각 항목 점수의 합이 가장 큰 곳이 유리함

| 도로와의 거리(m) | 점수 | 지가 (만 원/㎡) | 점수 | 고도(m) | 점수 |
|---|---|---|---|---|---|
| 500 미만 | 3 | 50 미만 | 3 | 70 미만 | 3 |
| 500∼999 | 2 | 50∼59 | 2 | 70∼79 | 2 |
| 1,000 이상 | 1 | 60 이상 | 1 | 80 이상 | 1 |

* 평가 항목 점수의 합이 동일한 경우 지가가 저렴한 지역에 입지함

〈지가 정보〉

| 30 | 45 | 45 | 55 | 55 |
|---|---|---|---|---|
| 35 | 40 | 45 | 60 | 60 |
| 45 | 50 | 50 | 65 | 65 |
| 50 | 55 | 60 | 70 | 65 |
| 55 | 60 | 65 | 70 | 60 |

〈고도 정보〉

| 60 | 65 | 75 | 60 | 65 |
|---|---|---|---|---|
| 60 | 80 | 85 | 70 | 70 |
| 65 | 75 | 85 | 80 | 80 |
| 80 | 85 | 90 | 85 | 75 |
| 75 | 80 | 90 | 75 | 65 |

〈입지 후보지〉

| A |   |   |   |   |
|---|---|---|---|---|
|   |   |   |   | B |
|   |   | C |   |   |
|   |   |   |   | D |
|   |   |   |   | E |

━━ 도로

* 한 칸의 길이는 500m이며, 입지 후보지는 방안의 정 중앙에 위치함

① A　　② B　　③ C　　④ D　　⑤ E

### 📖 서술형문제

**04** 자료를 보고 물음에 답하시오.

(가) 　　(나)

(1) (가)와 (나)의 지리 정보 표현 방식을 각각 쓰시오.

(2) (가), (나)의 지리 정보 표현 방식의 상대적 특성을 제시된 단어를 사용하여 서술하시오.

- 주기적인 정보 수집
- 정보의 실시간 반영
- 행정 구역 경계 파악
- 접근이 어려운 지역

# 01 한반도의 형성과 산지 지형

## A 한반도의 형성 과정

### 1. 한반도의 암석 분포 ┌ 한반도의 암석 분포에서 시·원생대의 편마암은 약 40%, 화강암은 약 30%를 차지한다.

(1) 변성암: 시·원생대에 형성된 편마암이 가장 대표적이며, 한반도에서 분포 면적이 가장 넓음

(2) 화성암: 중생대에 관입한 화강암의 분포 범위가 가장 넓으며, 신생대 화산 활동으로 형성된 화산암(현무암 등) 분포

(3) 퇴적암: 대부분 고생대와 중생대 퇴적암

### ★ 2. 한반도의 지체 구조

| 지질 시대 | 지체 구조 | 특징 |
|---|---|---|
| 시·원생대 | 평북·개마 지괴, 경기 지괴, 영남 지괴 | • 가장 오래된 안정 지괴<br>• 변성암이 주로 분포 |
| 고생대 | 평남 분지, 옥천 습곡대 | • 고생대 초: 해성층인 조선 누층군 형성, 석회암 분포<br>• 고생대 말~중생대 초: 육성층인 평안 누층군 형성, 무연탄 매장 |
| 중생대 | 경상 분지 | • 호소 퇴적층, 두꺼운 육성층 형성<br>• 공룡 발자국과 뼈 화석 발견 |
| 신생대 | 두만 지괴, 길주·명천 지괴 | • 동해안 일부 지역에 형성<br>• 갈탄 매장 |

### ★ 3. 한반도의 주요 지각 변동

| | | |
|---|---|---|
| 중생대 | 송림 변동 | • 중생대 초, 북부 지방 중심의 지각 변동<br>• 라오둥 방향(동북동—서남서)의 지질 구조선 형성 |
| | 대보 조산 운동 | • 중생대 중기, 중·남부 지방을 중심으로 발생<br>• 중국 방향(북동—남서)의 지질 구조선 형성, 넓은 범위에 대보 화강암 관입 ┐ 한반도에서 가장 격렬했던 지각 운동이다. |
| | 불국사 변동 | • 중생대 말, 영남 지방을 중심으로 발생<br>• 소규모로 불국사 화강암 관입 |
| 신생대 | 경동성 요곡 운동 | 신생대 제3기 동해안을 중심으로 지각이 융기하여 비대칭의 경동 지형 형성 → 함경·낭림·태백산맥 등 높은 산지 형성 |
| | 화산 활동 | 신생대 제3기 말~제4기 초 백두산·울릉도·독도·제주도 등에 화산 지형 형성 |

**↑ 한반도의 지체 구조**

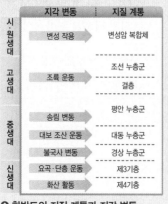

**↑ 한반도의 지질 계통과 지각 변동**

## 4. 기후 변화에 따른 지형 형성

(1) 신생대 제4기: 기후 변화에 따른 빙기와 간빙기의 반복 → 해수면, 침식 기준면 등 변동 ┌ 간빙기(후빙기)에는 빙기에 비해 해수면과 침식 기준면이 상승한다.

★ (2) 빙기와 간빙기(후빙기)의 특성 비교

| 구분 | 빙기 | 간빙기(후빙기) |
|---|---|---|
| 기후 변화 | 한랭 건조 | 온난 습윤 |
| 풍화 작용 | 물리적 풍화 작용 활발 | 화학적 풍화 작용 활발 |
| 하천 상류 | 퇴적 작용 우세 | 침식 작용 우세 |
| 하천 하류 | 침식 작용 우세 | 퇴적 작용 우세 |
| 주요 지형 | 하안 단구 발달 | 범람원, 삼각주 등 충적 평야 및 석호 발달 |

**↑ 빙기와 현재의 해안선** ┌ 최종 빙기에는 해수면이 낮아져 황해와 남해가 육지로 연결되어 있었다.

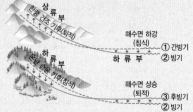

**↑ 기후 변화에 따른 지형 형성**

## B 산지 지형의 형성과 특성

### ★ 1. 산지 지형의 형성

| 구분 | 1차 산맥 | 2차 산맥 |
|---|---|---|
| 특징 | • 해발 고도가 높고 험준함<br>• 산지의 연속성이 뚜렷함 | • 해발 고도가 낮음<br>• 산지의 연속성이 약함 |
| 형성 과정 | 신생대 제3기 경동성 요곡 운동의 영향으로 형성 | 중생대 지각 운동 이후 형성된 지질 구조선을 따라 차별 침식이 진행되어 형성 |
| 분포 | 낭림·태백·마천령산맥(한국 방향), 함경산맥(라오둥 방향), 소백산맥(중국 방향) 등 | 묘향·멸악산맥(라오둥 방향), 차령·노령산맥(중국 방향) 등 |

① 중생대 지각 운동으로 습곡, 단층 등이 형성되고 지질 구조선이 만들어졌다.

② 중생대 지각 운동 이후 오랜 기간 침식 작용을 받아 한반도가 평탄해졌다.

③ 신생대 제3기 경동성 요곡 운동이 일어났으며, 이후 지질 구조선을 따라 서쪽으로 하천이 흐르게 되었다.

④ 하곡이 만들어지고 남은 주변 산지는 2차 산맥을 형성하였다.

**↑ 우리나라 산지의 형성 과정**

★ 표시는 시험 전에 확인해 주세요.

## 2. 우리나라 산지의 특징

(1) 산지 지형: 국토의 약 70%가 산지이지만, 고도가 낮은 저산성 산지가 많음 →• 해발 고도 200~500m의 저산성 산지가 40% 이상을 차지한다.

★ (2) 동고서저의 경동 지형

| 형성 | 신생대 제3기 경동성 요곡 운동 |
|---|---|
| 영향 | • 함경산맥, 태백산맥의 동쪽은 급경사, 서쪽은 완경사<br>• 주로 북동부에 높은 산지, 남서부에 낮은 구릉성 산지 분포<br>• 주요 하천은 주로 황·남해로 유입, 황해보다 동해로 흐르는 하천의 유로가 짧고 하상의 경사가 급함 |

(3) 고위 평탄면

① 형성: 오랜 풍화와 침식으로 평탄해진 지형이 융기한 후에도 평탄한 기복을 유지 — 대관령은 적설 기간이 길어 봄철에도 눈 녹은 물이 토양에 수분을 공급한다.

② 분포: 태백산맥과 소백산맥의 일부 해발 고도가 높은 곳

③ 특징: 해발 고도가 높아 평지에 비해 연평균 기온이 낮고 습도가 높음, 겨울철 적설량이 많고 적설 기간이 긺

④ 토지 이용: 고랭지 농업, 목축업, 풍력 발전소 조성 등

↑ 고위 평탄면의 형성 과정

↑ 고위 평탄면 지형도

• 고속 국도 개통으로 접근성이 좋아지면서 고랭지 농업과 목축업이 활발해졌다.

(4) 돌산과 흙산

| 구분 | 돌산 | 흙산 |
|---|---|---|
| 형성 | 중생대에 관입한 화강암이 오랫동안 침식을 받아 지표에 드러남 | 시·원생대에 형성된 기반암이 오랜 기간 풍화와 침식을 받으면서 두꺼운 토양으로 덮임 |
| 특징 | 기반암은 주로 화강암, 식생 밀도가 낮고 암석 노출이 많음 | 기반암은 주로 편마암, 토양층이 두껍고 식생 밀도가 높음 |
| 분포 | 금강산, 설악산, 북한산 등 | 지리산, 덕유산, 오대산 등 |

## 3. 산지 지형의 이용

(1) 산지 지형과 인간 생활

① 전통적 주민 생활: 대부분 농업, 임업, 광업 등에 종사

② 최근의 변화: 교통·통신의 발달로 접근성 향상 → 관광 산업 발달(스키장, 레저 시설 등 건설)

(2) 인간 활동에 의한 산지 지역의 변화

• 생태계 복원을 위해 일정 기간 등산객의 출입을 금지한다.

| 문제점 | 무분별한 산지 개발 → 산지 훼손, 동식물의 서식지 파괴, 생태계 균형 파괴 등 발생 |
|---|---|
| 해결 방안 | 환경 영향 평가 실시, 자연 휴식년제 확대, 생태 이동 통로 건설 등 |

• 개발이 환경에 미칠 영향을 사전에 예측, 평가, 검토하여 환경 오염을 예방하는 제도

---

# 1단계 개념 짚어 보기

🖊 정답과 해설 7쪽

**01** 다음 설명이 맞으면 ○표, 틀리면 ×표를 하시오.

(1) 고생대 초에 형성된 지층에는 주로 무연탄이 매장되어 있다. ( )

(2) 우리나라에서 가장 넓은 분포 면적을 차지하는 암석은 화강암이다. ( )

(3) 후빙기에는 범람원·삼각주 등 충적 평야와 석호 등의 지형이 발달한다. ( )

(4) 경동성 요곡 운동은 중·남부 지방을 중심으로 발생한 가장 격렬했던 지각 운동이다. ( )

**02** ㉠, ㉡에 들어갈 용어를 각각 쓰시오.

> 빙기에는 물리적 풍화 작용이 활발하였다. 이에 따라 하천 상류에서는 (㉠ ) 작용이 탁월하였으며, 하천 하류에서는 (㉡ ) 작용이 탁월하였다.

**03** 우리나라의 산맥을 비교한 표이다. ㉠~㉃에 들어갈 내용을 각각 쓰시오.

| 구분 | (㉠ ) 산맥 | (㉡ ) 산맥 |
|---|---|---|
| 특징 | • 해발 고도가 높고 험준함<br>• 산지의 연속성이 뚜렷함 | • 해발 고도가 낮음<br>• 산지의 연속성이 약함 |
| 형성<br>과정 | 신생대 제3기 (㉢ )의 영향으로 형성 | 중생대 지각 운동 이후 형성된 (㉣ )을 따라 차별 침식이 진행되어 형성 |
| 분포 | (㉤ ) 방향의 낭림·태백산맥, 랴오둥 방향의 함경산맥, (㉥ ) 방향의 소백산맥 | (㉦ ) 방향의 묘향산맥, 중국 방향의 차령·노령산맥 |

**04** 고위 평탄면에서는 여름철 서늘한 기후를 이용하여 무나 배추를 재배하는 ( ) 농업이 이루어진다.

**05** 흙산과 돌산에 관련된 내용을 〈보기〉에서 골라 기호를 쓰시오.

> **보기**
> ㄱ. 화강암　　ㄴ. 편마암　　ㄷ. 금강산
> ㄹ. 지리산　　ㅁ. 두꺼운 토양층　　ㅂ. 낮은 식생 밀도

(1) 흙산 ( )　　　　(2) 돌산 ( )

## A 한반도의 형성 과정

**01** 그래프는 한반도의 암석 분포를 나타낸 것이다. A∼C 암석에 대한 옳은 설명을 〈보기〉에서 고른 것은?

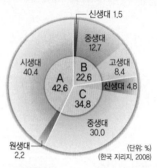

신생대 1.5
중생대 12.7
시생대 40.4
B 22.6
고생대 8.4
A 42.6
신생대 4.8
C 34.8
중생대 30.0
원생대 2.2
(단위: %)
(한국 지리지, 2008)

**보기**

ㄱ. A는 주로 공원이나 정원의 조경석 등으로 많이 활용된다.
ㄴ. B는 퇴적물들이 호수나 바다 밑에 쌓여 형성된다.
ㄷ. C는 주로 흙산의 기반암을 이룬다.
ㄹ. A는 편마암, B는 화강암, C는 석회암이 대표적인 암석이다.

① ㄱ, ㄴ    ② ㄱ, ㄷ    ③ ㄴ, ㄷ
④ ㄴ, ㄹ    ⑤ ㄷ, ㄹ

출제가능성 90%

**02** (가), (나)에 해당하는 지역을 지도의 A∼D에서 고른 것은?

(가) 편마암으로 구성되어 있으며 한반도에서 생성 시기가 가장 오래된 안정 지괴에 해당한다.
(나) 거대한 습지 또는 호수였으며 오랜 시간 퇴적물이 쌓인 이곳에서는 공룡 발자국 화석이 발견되기도 한다.

|   | (가) | (나) |
|---|---|---|
| ① | A | B |
| ② | B | C |
| ③ | B | D |
| ④ | C | D |
| ⑤ | D | A |

**03** (가)∼(라)는 지질 시대별 지층과 암석의 대략적인 분포를 나타낸 것이다. 이에 대한 설명으로 옳은 것은?

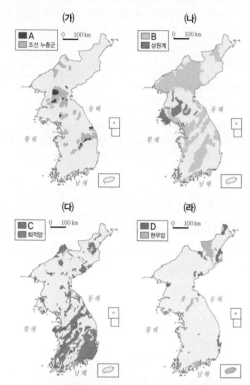

① A는 해성층으로 석회석이 매장되어 있다.
② B를 기반암으로 하는 산지는 대체로 돌산을 이룬다.
③ C에는 주로 갈탄이 매장되어 있다.
④ D는 마그마가 관입하여 형성된 암석이다.
⑤ 오래된 지질 시대부터 배열하면 (나) → (가) → (다) → (라) 순이다.

**04** 그림과 같은 지각 변동에 대한 설명으로 옳은 것은?

① 중생대 중기에 나타난 지각 변동이다.
② 함경산맥, 태백산맥 등 높은 산맥이 형성되었다.
③ 큰 규모의 하천이 대부분 동해로 흐르게 되었다.
④ 북동 – 남서 방향의 지질 구조선이 대규모로 형성되었다.
⑤ 지하 깊은 곳에 마그마가 관입하여 화강암이 형성되었다.

**[05~06]** 표는 한반도의 지질 계통과 지각 변동을 나타낸 것이다. 이를 보고 물음에 답하시오.

| 지질 시대 | 선캄브리아대 | | 고생대 | | | | | | 중생대 | | | 신생대 | |
|---|---|---|---|---|---|---|---|---|---|---|---|---|---|
| | 시생대 | 원생대 | 캄브리아기 | 오르도비스기 | 실루리아기 | 데본기 | 석탄기 | 페름기 | 트라이아스기 | 쥐라기 | 백악기 | 제3기 | 제4기 |
| 지층 | 변성암 복합체 (편마암) | | (가) | | | | 연천층군 | | (나) | | (다) | 경상 누층군 (불국사 화강암) | 제3계 | 제4계 |
| 지각 변동 | 변성 작용 | | 조륙 운동 | | | | | | | A | B | 불국사 변동 | C | 화산 활동 |

주관식

**05** (가)~(다) 지층의 명칭과 해당 지층에서 주로 발견되는 암석을 각각 구분하여 쓰시오.

**06** A~C의 지각 변동에 대한 옳은 설명을 〈보기〉에서 고른 것은?

> **보기**
> ㄱ. A로 랴오둥 방향의 지질 구조선이 형성되었다.
> ㄴ. B는 중·남부 지방을 중심으로 발생한 매우 격렬했던 지각 운동이다.
> ㄷ. C는 주로 영남 지방을 중심으로 소규모로 발생하였다.
> ㄹ. A와 B는 1차 산맥, C는 2차 산맥을 형성하였다.

① ㄱ, ㄴ　　② ㄱ, ㄷ　　③ ㄴ, ㄷ
④ ㄴ, ㄹ　　⑤ ㄷ, ㄹ

**출제가능성 90%**

**07** 그래프의 (가) 시기와 비교한 (나) 시기의 상대적 특징을 그림의 A~E에서 고른 것은?

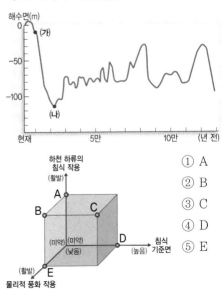

① A
② B
③ C
④ D
⑤ E

## B 산지 지형의 형성과 특성

**출제가능성 90%**

**08** 지도의 A~D 산맥에 대한 설명으로 옳은 것은?

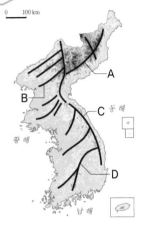

① A는 대보 조산 운동의 영향으로 형성되었다.
② B는 경동성 요곡 운동으로 융기한 산맥이다.
③ A는 B보다 산지의 평균 해발 고도가 높다.
④ B는 C보다 산맥의 연속성이 뚜렷하다.
⑤ B는 중국 방향, D는 한국 방향의 산맥이다.

**09** 그림은 우리나라의 산지 형성 과정을 나타낸 것이다. (가)~(라) 단계에 대한 옳은 설명을 〈보기〉에서 고른 것은?

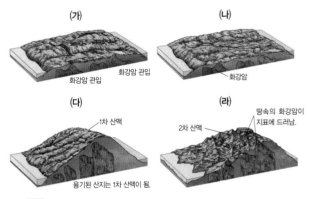

> **보기**
> ㄱ. (가) – 경동성 요곡 운동으로 화강암이 관입하였다.
> ㄴ. (나) – 오랜 기간 침식 작용을 받아 한반도가 평탄해졌다.
> ㄷ. (다) – 지질 구조선을 따라 황해 쪽으로 하곡이 발달하였다.
> ㄹ. (라) – 화강암이 풍화 작용을 받아 대체로 흙산을 형성하였다.

① ㄱ, ㄴ　　② ㄱ, ㄷ　　③ ㄴ, ㄷ
④ ㄴ, ㄹ　　⑤ ㄷ, ㄹ

**10** 그림은 우리나라 산지의 고도별 분포와 동서 단면도를 나타낸 것이다. 이에 대한 옳은 설명을 〈보기〉에서 고른 것은?

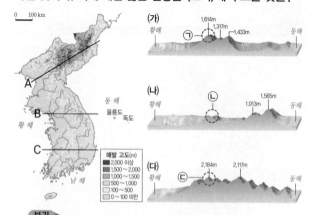

> **보기**
> ㄱ. (가)는 A, (나)는 B, (다)는 C의 동서 단면도이다.
> ㄴ. ㉠이 속한 산맥은 랴오둥 방향 산맥에 해당한다.
> ㄷ. ㉡ 산지의 주요 기반암은 중생대에 관입한 화강암이다.
> ㄹ. ㉢이 속한 산맥은 신생대 지각 운동으로 형성되었다.

① ㄱ, ㄴ  　② ㄱ, ㄷ  　③ ㄴ, ㄷ
④ ㄴ, ㄹ  　⑤ ㄷ, ㄹ

**11** 다음은 학생이 작성한 지리 조사 보고서의 일부이다. (가)~(마)에 들어갈 내용으로 옳은 것은?

**지리 조사 보고서**

| 조사 주제 | A 지형의 형성과 이용 |
|---|---|
| 분포 지역 | (가) |
| 형성 원인 | (나) |
| 지표 경관 | (다) |
| 기후 특성 | (라) |
| 토지 이용 | (마) |

① (가) - 차별 침식 작용으로 해발 고도가 낮아진 곳
② (나) - 지질 구조선을 따라 차별 침식을 받아 형성됨
③ (다) - 지표의 기복이 크고 경사가 급한 사면이 나타남
④ (라) - 같은 위도의 저지대에 비해 습도가 높은 편임
⑤ (마) - 주로 시설 재배로 여름 채소를 재배함

**12** (가), (나) 산지의 상대적인 특성을 그래프로 나타낼 때, A, B에 들어갈 항목으로 옳은 것은?

|(가)|(나)|
|---|---|
|||

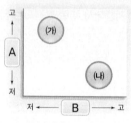

\* 단, 고(저)는 이름(늦음), 높음(낮음), 두꺼움(얇음)임

| | A | B |
|---|---|---|
| ① | 식생 밀도 | 토양층 두께 |
| ② | 식생 밀도 | 기반암 노출 정도 |
| ③ | 기반암 형성 시기 | 토양층 두께 |
| ④ | 기반암 형성 시기 | 식생 밀도 |
| ⑤ | 기반암 노출 정도 | 기반암 형성 시기 |

**13** (가), (나)에 해당하는 지역을 지도의 A~C에서 고른 것은?

| | |
|---|---|
|  | 벼가 익어가는 계절에 황금빛 계단이 물결처럼 출렁이는 것을 보았다. 산지에서 경작지를 마련하기 위해 노력한 주민들의 노고를 엿볼 수 있는 풍경이었다. |
|  | 남한강 수계에 산세를 이용하여 건설된 댐 주변을 여행하였다. 전력 생산, 용수 확보 등을 위해 이와 같은 다목적 댐을 건설하였다는 안내판을 보았다. |

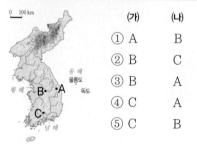

| | (가) | (나) |
|---|---|---|
| ① | A | B |
| ② | B | C |
| ③ | B | A |
| ④ | C | A |
| ⑤ | C | B |

# 3단계 등급 올리기

2018 수능 응용

**01** 밑줄 친 ㉠~㉤에 대한 설명으로 옳은 것은?

> 한반도는 중생대에 여러 차례 지각 운동을 겪었다. 중생대 초 송림 변동에 이어 중생대 중엽에는 가장 격렬했던 ㉠ 대보 조산 운동이 일어나 구조선이 만들어졌다. 이 과정에서 마그마의 관입이 일어나 한반도의 ㉡ 화강암 분포에 영향을 주었다. ㉢ 관입된 암석과 주변 암석 간의 차별 침식은 특징적인 지형을 만들기도 했다. 중생대 후기에는 ㉣ 불국사 변동으로 ㉤ 경상 분지 곳곳에 마그마가 관입되었다.

① ㉠의 영향으로 남북 방향의 1차 산맥이 형성되었다.
② ㉡이 산 정상부를 이루는 경우 주로 돌산으로 나타난다.
③ ㉢으로 함경산맥 등 연속성이 강한 산맥이 형성되었다.
④ ㉣은 동고서저 지형 형성의 주요 원인이다.
⑤ ㉤은 해성 퇴적층으로 석회암이 분포한다.

**02** 자료는 우리나라의 지체 구조와 지질 시대별 지각 변동을 나타낸 것이다. 이에 대한 옳은 설명을 〈보기〉에서 고른 것은?

| 지질 지대 | | 지각 변동 |
|---|---|---|
| 신생대 | 제4기 | |
| | 제3기 | ← 경동성 요곡 운동 |
| (가) | 백악기 | ← 불국사 변동 |
| | 쥐라기 | ← ㉠ |
| | 트라이아스기 | ← ㉡ |
| (나) | 페름기 | |
| | ⋮ | ← 조륙 운동 |
| | 캄브리아기 | |
| 원생대 | | |
| 시생대 | | |

(한국지리지, 2008)

**보기**

ㄱ. C는 대부분 육성층이며, 공룡 발자국 화석이 발견된다.
ㄴ. A는 (나), C는 (가) 시기에 형성된 지층이다.
ㄷ. B의 기반암은 ㉠으로 인해 관입하였다.
ㄹ. ㉠은 랴오둥 방향, ㉡은 중국 방향의 지질 구조선 형성에 영향을 주었다.

① ㄱ, ㄴ    ② ㄱ, ㄷ    ③ ㄴ, ㄷ
④ ㄴ, ㄹ    ⑤ ㄷ, ㄹ

**⭐최고난도**

**03** 지도는 최종 빙기와 후빙기의 해안선을 나타낸 것이다. 이에 대한 설명으로 옳은 것은? (단, ㉠, ㉡ 지점은 현재의 한강 상류와 하류 지점 중 하나이다.)

--- (가) 시기의 해안선
── (나) 시기의 해안선
〰 (나) 시기에 바다에 잠긴 하천의 유로

① (가) 시기 ㉠ 지점은 (나) 시기보다 하천 퇴적층이 두껍다.
② (가) 시기 ㉡ 지점은 (나) 시기보다 해발 고도가 낮다.
③ (나) 시기 ㉠ 지점은 (가) 시기보다 하천의 유량이 많다.
④ (나) 시기 ㉡ 지점은 (가) 시기보다 식생 밀도가 낮다.
⑤ (가) 시기에는 화학적 풍화 작용이, (나) 시기에는 물리적 풍화 작용이 활발하다.

## 🌱 서술형 문제

**04** 지도를 보고 물음에 답하시오.

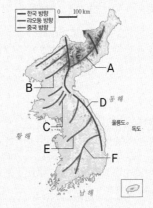

── 한국 방향
── 랴오둥 방향
── 중국 방향

(1) 지도의 A~F 산맥을 1차 산맥과 2차 산맥으로 구분하시오.

(2) 1차·2차 산맥의 형성 과정과 특징을 서술하시오.

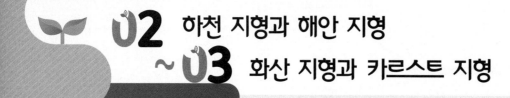

# 02 하천 지형과 해안 지형
# ~03 화산 지형과 카르스트 지형

## A 하천 지형의 형성과 인간 생활

### 1. 하천의 이해

(1) 하계망: 하천의 본류와 여러 지류를 통틀어 의미함

(2) 하천 상·하류의 특성 비교

└─● 하계망을 통해 물이 모여드는 전체 범위

| 구분 | 유량 | 유역 면적 및 하폭 | 하천 바닥의 경사 | 퇴적물의 평균 입자 크기 |
|------|------|------|------|------|
| 상류 | 적음 | 좁음 | 급함 | 큼 |
| 하류 | 많음 | 넓음 | 완만함 | 작음 |

### ★ 2. 우리나라 하천의 특성

┌─● 우리나라 하천은 하천의 최소 유량을 1로 했을 때의 최대 유량 비율인 하상계수가 큰 편이다.

| 황·남해로 흐르는 주요 하천 | • 주요 하천의 유로: 산맥과 지질 구조선의 영향을 받아 두만강을 제외한 대부분의 하천은 황·남해로 유입<br>• 특성: 동해보다 황·남해로 유입하는 하천의 유역 면적이 넓고 유량이 많으며, 유로가 길고 경사가 완만함 |
|------|------|
| 유량 변동이 큰 하천 | • 원인: 여름철 강수 집중, 좁은 유역 면적 등<br>• 영향: 여름철 잦은 홍수 발생, 겨울철 용수 부족 → 안정적 물 자원 공급, 수력 발전, 하천 교통 등에 불리<br>• 대책: 저수지·댐 등의 수리 시설 건설, 산림 녹화 등 |
| 감조 하천 | • 의미: 하천 하류에서 밀물과 썰물의 영향으로 수위가 주기적으로 변하는 하천<br>• 영향: 염해 발생, 홍수와 만조가 겹치면 홍수 피해 증가<br>• 대책: 하굿둑 건설 → 염해 방지, 용수 확보, 교통로 활용 |

└─● 주로 조차가 큰 황·남해로 유입하는 하천에 발달한다.

### 3. 하천 중·상류에 발달하는 지형

★ (1) 감입 곡류 하천과 하안 단구

| 감입 곡류 하천 | • 의미: 산지 사이를 곡류하는 하천<br>• 형성: 신생대 경동성 요곡 운동으로 지반이 융기하면서 하방 침식이 강화되어 형성<br>• 이용: 하천 주변 경관이 뛰어나 레포츠나 관광 산업 발달 |
|------|------|
| 하안 단구 | • 의미: 하천 주변에 분포하는 계단 모양의 지형<br>• 형성: 과거의 하상이나 범람원이 지반 융기 또는 해수면 변동과 하천의 침식을 받아 형성 → 둥근 자갈이나 모래 분포<br>• 이용: 단구면은 고도가 높아 홍수 위험성이 작음 → 마을이 형성되거나 농경지, 교통로 등으로 이용 |

(2) 침식 분지: 주위가 산지로 둘러싸인 평지로, 암석의 차별적인 풍화와 침식으로 형성

① 발달: 변성암이나 퇴적암이 화강암을 둘러싸고 있는 지역이나 하천의 합류 지역에 주로 발달

② 이용: 일찍부터 주거와 농경의 중심지로 발달 → ⑳ 춘천, 충주 등

(3) 선상지: 하천의 계곡 입구에 형성된 부채 모양의 퇴적 지형

| 선정 | 정상부 | 계곡 물을 얻을 수 있어 마을 입지(곡구 취락) |
|------|------|------|
| 선앙 | 중앙부 | 하천이 복류하여 지표수 부족 → 밭, 과수 농사 |
| 선단 | 말단부 | 용천이 분포 → 취락이 입지하거나 논으로 이용 |

### 4. 하천 중·하류에 발달하는 지형

(1) 자유 곡류 하천: 측방 침식이 활발하여 유로 변경이 심함

① 주요 지형: 범람원, 하중도, 우각호, 구하도 등 발달

② 변화: 최근 직강 공사로 자유 곡류 하천이 많이 사라짐

★ (2) 범람원: 하천의 범람에 의해 운반 물질이 퇴적되어 형성

| 구분 | 자연 제방 | 배후 습지 |
|------|------|------|
| 위치와 고도 | 하천 가까이에 위치하며, 해발 고도가 높음 | 자연 제방 뒤쪽에 위치하며, 해발 고도가 낮음 |
| 토양 | 모래질 토양 → 배수 양호 | 점토질 토양 → 배수 불량 |
| 토지 이용 | 밭, 과수원 등으로 이용, 취락 입지 | 배수 시설을 갖춘 후 논으로 이용 |

⬆ 하천의 유로 변경 　　⬆ 범람원 모식도

(3) 삼각주: 하천 하구에서 유속 감소로 토사가 쌓여 형성

① 발달: 조류에 의해 제거되는 토사의 양보다 하천이 공급한 토사의 양이 많은 곳이 발달에 유리

└─● 낙동강 하구의 김해 삼각주가 대표적이다.

② 이용: 농경지로 활용, 취락은 주로 자연 제방에 입지

### 5. 하천 지형과 인간 생활

| 인간 활동에 의한 변화 | 댐 건설로 수몰 지역 발생 및 안개 증가, 하천 직강화로 홍수 위험 증가, 방조제·하굿둑 건설로 물 오염 심화 등 |
|------|------|
| 대책 | 하천 주변 습지 보호, 생태 하천 복원 사업 진행 등 |

└─● 댐은 홍수·가뭄 예방, 방조제와 하굿둑은 용수 확보를 위해 건설하며, 하천 직강화는 도시화 과정에서 나타난다.

## B 해안 지형의 형성과 인간 생활

### 1. 동해안과 서·남해안 비교

┌─● 태백·함경산맥이 해안선과 나란히 분포한다.

| 동해안 | • 산맥과 해안선이 대체로 평행 → 해안선이 단조로움<br>• 지반 융기의 영향을 많이 받음 |
|------|------|
| 서·남해안 | • 산맥과 해안선이 대체로 교차 → 섬이 많고 해안선이 복잡한 리아스 해안 발달<br>• 후빙기 해수면 상승으로 낮은 부분이 침수되어 형성 |

### 2. 곶과 만에서의 지형 형성 작용

| 곶 | • 육지가 바다 쪽으로 돌출한 해안　┌─● 해식애, 시 스택, 해안 단구 등<br>• 파랑 에너지 집중 → 침식 작용 활발, 암석 해안 발달 |
|------|------|
| 만 | • 바다가 육지 쪽으로 들어간 해안<br>• 파랑 에너지 분산 → 퇴적 작용 활발, 갯벌·모래 해안 발달 |

└─● 사빈, 해안 사구, 사주, 석호 등

## ★ 3. 해안 침식 지형

| 해식애 | 파랑의 침식 작용으로 형성된 해안 절벽 |
|---|---|
| 해식동 | 해식애의 하단부 중 약한 부분이 깊게 파여 형성된 동굴 |
| 파식대 | • 해식애 전면에 파랑의 침식 작용으로 형성된 평탄한 지형<br>• 해식애가 육지 쪽으로 후퇴하면서 점차 넓어짐 |
| 시 스택 | 해식애가 후퇴하는 과정에서 침식을 견디고 남은 돌기둥 혹은<br>작은 바위섬 → 아치형을 이루면 시 아치라고 한다. |
| 해안<br>단구 | • 파식대가 지반의 융기나 해수면 하강으로 현재 해수면보다<br>높은 곳에 형성된 계단 모양의 지형<br>• 단구면은 농경지, 교통로 등으로 이용되거나 취락이 형성됨 |

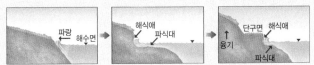

**↑ 해안 단구의 형성** | 해안 단구는 지반의 융기로 파식대가 육지로 드러난 지형으로, 서해안보다 융기량이 많았던 동해안에 많이 분포한다. 단구면은 과거 바닷물의 영향을 직접적으로 받은 곳으로 둥근 자갈이 발견되기도 한다.

## ★ 4. 해안 퇴적 지형

(1) 모래 해안 <sub>겨울철 북서풍의 영향을 많이 받는 서해안에서 잘 발달한다.</sub>

| 사빈 | 하천 또는 주변의 암석 해안으로부터 공급된 모래가 파랑이<br>나 연안류의 작용으로 퇴적되어 형성 |
|---|---|
| 사주 | 사빈의 모래가 연안류를 따라 이동하여 길게 퇴적되어 형성 |
| 해안<br>사구 | • 사빈의 모래가 바다로부터 불어오는 바람에 날려 사빈의 배후<br>에 퇴적되어 형성된 모래 언덕<br>• 농경지와 마을을 보호하기 위해 방풍림을 조성하기도 함 |
| 석호 | • 후빙기 해수면 상승으로 형성된 만의 입구에 사주가 발달하<br>여 형성된 호수<br>• 동해안에 주로 발달하며, 관광 자원으로 활용됨 |
| 육계도 | 사주에 의해 육지와 연결된 섬 |

<sub>육계도와 연결된 사주를 육계 사주라고 한다.</sub>

(2) 갯벌 해안

① 형성: 하천에 의해 운반된 점토 등이 조류에 의해 퇴적되어 형성

② 분포: 조차가 크고 파랑의 작용이 약하며, 하천에 의한 토사
공급량이 많은 곳 → 서·남해안에 발달

## 5. 해안 지형과 인간 생활

(1) **해안의 이용**: 무역항, 임해 공업 지대, 관광지 발달 및 조력·
풍력 에너지 활용, 서해안에 갑문이나 뜬다리 부두 설치

(2) **인간 활동에 따른 해안 지형의 변화** <sub>조차가 커 항구 발달에 불리한 지역에 설치되어 있다.</sub>

| 해안 지형<br>변화 | 간척 사업 실시, 하굿둑, 방조제 등 해안 시설물 건설 →<br>해양 생태계 파괴, 해양 오염, 해안 침식 문제 등 발생 |
|---|---|
| 해안 보존<br>노력 | 역간척 사업 실시, 해안 침식 방지를 위해 그로인·모래 포<br>집기 등 설치, 환경 영향 평가 실시 등 |

<sub>파랑과 연안류에 의해 쓸려나가는 모래를 잡기 위해<br>바다 쪽으로 일정한 간격으로 세운 인공 구조물</sub>

## C 화산 지형과 카르스트 지형

### 1. 화산 지형

(1) **형성**: 신생대 제3기 말에서 제4기 초 마그마 분출로 형성
→ 백두산, 제주도, 울릉도, 독도, 철원·평강 일대에 분포

★ (2) **우리나라의 주요 화산 지형**

① 백두산: 경사가 급한 산정부를 제외하고는 전체적으로 경사
가 완만함, 칼데라 호(천지) 분포

② 제주도 <sub>분화구 함몰로 형성된 칼데라에 물이 고인 호수</sub>

| 주요<br>지형 | • 한라산: 현무암질 용암이 분출하여 만들어진 방패 모양의 화<br>산, 정상부 일부는 종 모양의 화산으로 이루어져 있으며, 산<br>정상부에는 화구호인 백록담이 있음<br>• 기생 화산: 소규모 용암 분출이나 화산 쇄설물에 의해 형성,<br>제주도에서는 '오름'으로 불림<br>• 용암동굴: 점성이 작은 용암이 흘러내릴 때 표층부와 하층부<br>의 냉각 속도 차이로 형성 예 만장굴<br>• 주상 절리: 용암의 냉각 → 다각형 기둥 형태의 절리 형성 |
|---|---|
| 주민<br>생활 | • 현무암이 기반암으로 지표수 부족 → 밭농사 중심<br>• 지하수가 지표로 솟아 나오는 해안의 용천대에 취락 분포 |

③ 울릉도: 점성이 큰 조면암질 용암의 분출로 형성된 종 모
양의 화산섬, 북쪽 중앙부에 칼데라 분지(나리 분지)가 있
고, 분지 안에 중앙 화구구(알봉)가 분포하는 이중 화산체

④ 독도: 동해의 해저에서 용암이 분출하여 형성된 화산섬

⑤ 철원·평강: 점성이 작은 현무암질 용암의 열하 분출로 용암
대지 형성, 한탄강 주변에 주상 절리 발달 <sub>수리 시설을 설치하여 논농사가 이루어진다.</sub>

### 2. 카르스트 지형 <sub>고생대 조선 누층군</sub>

(1) **형성**: 석회암이 빗물이나 지하수의 용식 작용을 받아 형성
→ 강원 남부, 충북 북동부 등에 주로 분포

(2) **우리나라의 주요 카르스트 지형**

| 주요<br>지형 | • 돌리네: 석회암이 용식 작용을 받아 형성된 와지, 배수가 양호<br>하여 주로 밭으로 이용<br>• 석회동굴: 석회암이 지하수의 용식 작용을 받아 형성, 동굴 내<br>부에 종유석, 석순, 석주 등 발달 예 단양 고수동굴<br>• 석회암 풍화토: 석회암이 용식된 후 남은 철분 등이 산화되어<br>형성된 붉은색의 토양 |
|---|---|
| 주민<br>생활 | 석회동굴을 관광 자원으로 활용, 석회석을 시멘트 공업의 원료<br>로 이용, 밭농사 |

**↑ 카르스트 지형**

<sub>동굴 천장에서 아래로 자란 것이 종유석, 바닥에서 위로 자란 것이 석순, 석순과 종유석이 연결되어 기둥처럼 만들어진 것이 석주이다.</sub>

**01** 다음 설명이 맞으면 ○표, 틀리면 ×표를 하시오.

(1) 카르스트 지형은 조선 누층군에 발달한다. (    )

(2) 만은 파랑 에너지가 집중하여 침식 작용이 활발하다. (    )

(3) 하천 상류는 하천 하류보다 퇴적물의 평균 입자 크기가 크다. (    )

(4) 울릉도는 주로 점성이 작은 현무암질 용암의 분출로 형성되었다. (    )

(5) 감입 곡류 하천은 신생대 경동성 요곡 운동 이후 하방 침식이 강화되어 형성되었다. (    )

**02** 다음에서 설명하는 지형을 〈보기〉에서 골라 기호를 쓰시오.

> **보기**
> ㄱ. 삼각주      ㄴ. 선상지      ㄷ. 침식 분지

(1) 계곡 입구에 하천의 유속 감소로 형성된 부채 모양의 지형이다. (    )

(2) 하천 하구에서 유속 감소로 토사가 쌓여 형성되며 낙동강 하구에 발달하였다. (    )

(3) 주위가 산지로 둘러싸인 평지로 암석의 차별적 풍화·침식이나 하천의 침식으로 형성된다. (    )

**03** 표는 해안 침식 지형과 퇴적 지형을 정리한 것이다. ㄱ~ㄷ에 들어갈 내용을 각각 쓰시오.

| 해안 침식 지형 | (㉠       ) | 파랑의 침식 작용으로 형성된 해안 절벽 |
|---|---|---|
| | (㉡       ) | 파랑의 침식 작용으로 형성된 돌기둥 |
| | 해안 단구 | 지반의 (㉢       ) 또는 해수면 변동으로 형성된 계단 모양의 지형 |
| 해안 퇴적 지형 | (㉣       ) | 파랑이나 연안류의 퇴적 작용으로 형성된 모래사장 |
| | 석호 | 후빙기 해수면 상승으로 형성된 만의 입구에 (㉤       )가 발달하여 형성된 호수 |

**04** ㉠, ㉡에 들어갈 용어를 각각 쓰시오.

> 제주도에서는 소규모 용암 분출이나 화산 쇄설물에 의해 형성된 (㉠       )과 용암의 냉각에 의해 형성된 다각형 기둥 형태의 (㉡       )를 볼 수 있다.

**05** (       )는 석회암이 용식 작용을 받아 형성된 와지로 주로 밭으로 이용한다.

**A 하천 지형의 형성과 인간 생활**

**01** 그림은 하계망을 모식적으로 나타낸 것이다. ㉠ 지점과 비교한 ㉡ 지점의 상대적인 특성으로 옳은 것은?

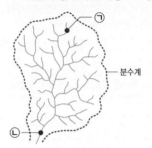

① 평균 유량이 적다.

② 평균 하폭이 좁다.

③ 퇴적물의 원마도가 낮다.

④ 하천 바닥의 경사가 완만하다.

⑤ 퇴적물의 평균 입자 크기가 크다.

**02** 다음은 우리나라 하천의 특색을 살펴보기 위한 지리 보고서이다. ㉠~㉤에 대한 설명으로 옳은 것은?

> **우리나라 하천의 특색**
> 작성자: ○○○
>
> 〈조사 항목〉
> • 우리나라 유역 분지의 특성을 조사한다. ·········· ㉠
> • 감조 구간이 나타나는 하천을 조사한다. ·········· ㉡
> • 우리나라 하천의 유로 특성에 대해 조사한다. ······ ㉢
> • 하천 중·상류에서 발달하는 지형을 살펴본다. ······ ㉣
> • 하천 중·하류에서 발달하는 지형을 살펴본다. ······ ㉤

① ㉠ – 산지가 많아 유역 분지가 좁은 편이다.

② ㉡ – 대부분 동해로 유입하는 하천에서 볼 수 있다.

③ ㉢ – 동해보다 황·남해로 흐르는 하천의 유로가 짧고 경사가 급하다.

④ ㉣ – 측방 침식이 활발하게 일어나 자유 곡류 하천이 발달한다.

⑤ ㉤ – 감입 곡류 하천과 선상지, 범람원, 삼각주 등의 충적 평야 지형을 볼 수 있다.

출제가능성 90%

**03** (가), (나) 하천에 대한 옳은 설명만을 〈보기〉에서 있는 대로 고른 것은?

(가)

(나)

**보기**

ㄱ. (가)는 지반 융기의 영향으로 형성되었다.
ㄴ. (나) 주변에서는 하안 단구와 침식 분지 등의 지형을 볼 수 있다.
ㄷ. (가)는 (나)보다 하방 침식이 탁월하다.
ㄹ. (나)는 (가)보다 유로 변경이 심하며 하천의 범람이 빈번하다.

① ㄱ, ㄷ　　② ㄴ, ㄹ　　③ ㄱ, ㄴ, ㄷ
④ ㄱ, ㄷ, ㄹ　　⑤ ㄴ, ㄷ, ㄹ

**05** 지도에 제시된 지형에 대한 설명으로 옳은 것은?

① 하천이 합류하는 지역에서 주로 발달한다.
② A의 기반암은 지하에서 마그마가 굳어서 형성되었다.
③ B 지역은 침수 위험이 커서 취락이 발달하기 어렵다.
④ A의 기반암은 B의 기반암보다 풍화와 침식에 약하다.
⑤ B의 기반암은 A의 기반암보다 형성 시기가 이르다.

**04** 지도에 나타난 지역에 대한 설명으로 옳지 <u>않은</u> 것은?

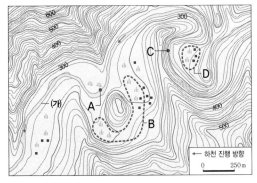

← 하천 진행 방향
0　250 m

① A는 유속이 느린 퇴적 사면, C는 유속이 빠른 공격 사면에 해당한다.
② B는 과거에 하천이 흘렀던 곳이다.
③ D는 홍수 위험성이 작아 마을이 형성되거나 농경지로 이용된다.
④ B와 D의 바닥에서는 둥근 자갈을 발견할 수 있다.
⑤ (가) 하천은 지반 융기 이후 주로 측방 침식이 탁월하게 진행되어 형성되었다.

출제가능성 90%

**06** 그림은 충적 평야를 모식적으로 나타낸 것이다. (가)~(다)에 대한 옳은 설명을 〈보기〉에서 고른 것은?

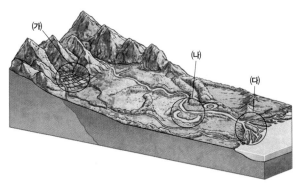

**보기**

ㄱ. (가)는 경사가 급변하는 곳에서 주로 발달한다.
ㄴ. (나)는 자유 곡류 하천보다 감입 곡류 하천 주변에서 발달한다.
ㄷ. (다)는 조차가 큰 서·남해안에서 잘 발달한다.
ㄹ. (가)에서 (다)로 갈수록 퇴적 물질의 평균 입자 크기가 작아진다.

① ㄱ, ㄴ　　② ㄱ, ㄹ　　③ ㄴ, ㄷ
④ ㄴ, ㄹ　　⑤ ㄷ, ㄹ

**07** A~C 지형에 대한 설명으로 옳은 것은?

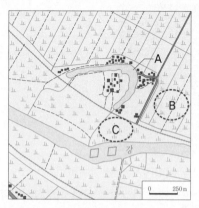

① A는 용수 확보를 위해 만든 인공호이다.
② B는 배수 시설을 갖춘 후 논으로 이용하고 있다.
③ C는 최후 빙기 이전에 퇴적되어 형성되었다.
④ B는 C보다 퇴적 물질의 평균 입자 크기가 크다.
⑤ C는 B보다 취락이 입지하기에 불리하다.

**08** (가), (나)는 우리나라의 하천 지형을 나타낸 것이다. 이에 대한 설명으로 옳은 것은?

① A에서 C로 갈수록 퇴적물의 평균 입자 크기가 작아진다.
② B에는 용천대가 위치해 논농사가 발달한다.
③ C는 토양의 투수성이 높아 취락이 분포하기 어렵다.
④ D는 자연 제방과 배후 습지로 구성되어 있다.
⑤ (가), (나) 지형은 모두 우리나라에서 잘 발달하는 지형이다.

**B** 해안 지형의 형성과 인간 생활

**09** (가), (나) 해안에 대한 설명으로 옳은 것은? (단, (가), (나) 해안은 동해안과 서·남해안 중 하나이다.)

(가) | (나)

① (가)는 산맥과 해안선의 방향이 대체로 교차한다.
② (나)는 후빙기 해수면 상승 이후 형성된 침수 해안이다.
③ (가)는 (나)보다 지반 융기의 영향을 많이 받았다.
④ (나)는 (가)보다 조류의 작용이 활발하다.
⑤ (가)에는 해안 단구, (나)에는 갯벌이 발달한다.

출제가능성 90%
**10** 사진의 A~D 지형에 대한 옳은 설명만을 〈보기〉에서 있는 대로 고른 것은?

보기
ㄱ. A는 파랑 에너지가 집중하는 곳에 잘 발달한다.
ㄴ. B는 지반 융기로 형성된 계단 모양의 지형이다.
ㄷ. C는 파랑이나 연안류에 의해 모래가 퇴적되어 형성되었다.
ㄹ. D는 C에 의해 육지와 연결된 섬이다.

① ㄱ, ㄷ    ② ㄴ, ㄹ    ③ ㄱ, ㄴ, ㄷ
④ ㄱ, ㄷ, ㄹ    ⑤ ㄴ, ㄷ, ㄹ

## 11 지도의 A~C에 대한 설명으로 옳지 <u>않은</u> 것은?

① A에서는 둥근 자갈이 발견된다.
② B 호수의 물은 농업용수 및 생활용수로 활용된다.
③ C는 연안류의 퇴적 작용에 의해 형성되었다.
④ A는 지반 융기, B는 해수면 상승의 영향을 받았다.
⑤ A와 B는 모두 동해안에서 주로 나타나는 지형이다.

## 12 A~C에 대한 옳은 설명을 〈보기〉에서 고른 것은?

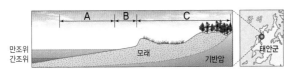

> **보기**
> ㄱ. A의 침식을 막기 위해 모래 포집기를 설치한다.
> ㄴ. B는 여름철에 주로 해수욕장으로 이용된다.
> ㄷ. C의 아래에는 지하수가 고여 있다.
> ㄹ. A에서 C로 갈수록 퇴적물의 입자 크기가 커진다.

① ㄱ, ㄴ    ② ㄱ, ㄷ    ③ ㄴ, ㄷ
④ ㄴ, ㄹ    ⑤ ㄷ, ㄹ

## ⓒ 화산 지형과 카르스트 지형

## 13 다음은 학생이 작성한 제주도 여행기의 일부이다. 밑줄 친 ㉠~㉤ 중 옳지 <u>않은</u> 것은?

| 1일차 | 해안에서 ㉠ 용암이 급속하게 식어 형성된 주상 절리를 보았다. …(중략)… 제주도에는 취락이 주로 해안에 위치하는데 그 이유는 ㉡ 해안에 용천대가 있기 때문이라고 한다. |
|---|---|
| 2일차 | 한라산을 등반하면서 ㉢ 점성이 큰 용암의 분출로 형성된 오름을 보았다. …(중략)… 한라산 정상에서는 ㉣ 분화구 함몰로 형성된 백록담을 볼 수 있었다. |
| 3일차 | 동굴 탐험을 시작했다. ㉤ 용암의 냉각 속도 차이로 형성된 동굴의 내부는 비교적 넓었다. |

① ㉠    ② ㉡    ③ ㉢    ④ ㉣    ⑤ ㉤

## ★출제가능성 90% 14 지도의 A~D에 대한 설명으로 옳은 것은?

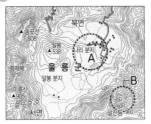 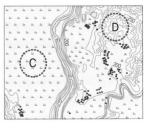

① A는 현무암질 용암의 열하 분출로 형성된 분지이다.
② B의 기반암은 유동성이 큰 용암이 굳어서 형성되었다.
③ C는 투수성이 낮은 기반암의 영향으로 논농사가 활발하다.
④ D에서는 용암이 냉각되는 과정에서 형성된 주상 절리가 나타난다.
⑤ C의 기반암은 D의 기반암보다 형성 시기가 늦다.

## 15 지도에 나타난 지역에 대한 설명으로 옳지 <u>않은</u> 것은?

① 기반암은 주로 고생대에 형성되었다.
② 여름철 기후가 서늘해 목축업이 발달하였다.
③ A는 암석의 화학적 풍화 작용으로 형성되었다.
④ 석회석 채굴로 인해 일부 지형이 훼손되기도 한다.
⑤ 주변에서 종유석과 석순이 발달한 자연 동굴을 볼 수 있다.

**01** 지도는 우리나라의 주요 하천 유역을 나타낸 것이다. 이에 대한 설명으로 옳은 것은?

① 금강 하구에는 삼각주가 형성되어 있다.
② 영산강 유역은 낙동강 유역보다 면적이 넓다.
③ 한강은 댐 건설로 하상계수가 작아졌을 것이다.
④ A와 B 지점에 떨어진 빗물은 모두 금강 유역으로 유입한다.
⑤ (가)는 바닷물의 역류를 방지하기 위해 건설한 다목적 댐이다.

2018 수능 응용

**02** (가), (나) 지역에 대한 설명으로 옳은 것은? (단, (가), (나)는 동일한 하계망에 속한다.)

(가)         (나)

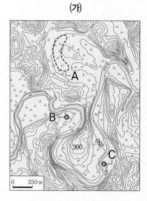 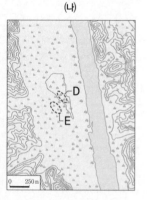

① 하천의 하방 침식은 (가)보다 (나)에서 활발하다.
② A는 지반의 융기로 형성된 하안 단구이다.
③ B는 C보다 인근 하상과의 고도 차가 작다.
④ C는 E보다 퇴적물의 평균 입자 크기가 작다.
⑤ E의 토양은 D의 토양보다 배수가 불량하다.

최고난도
**03** 그림은 두 지역의 단면도이다. (가), (나)에 대한 옳은 설명을 〈보기〉에서 고른 것은?

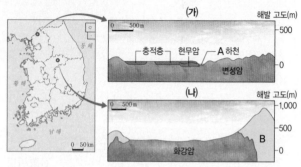

보기
ㄱ. (가)의 A 하천은 강수 시 일시적으로 흐르는 건천이다.
ㄴ. (나)의 B 암석으로 된 산의 정상부는 주로 흙산으로 분류된다.
ㄷ. (가)의 현무암은 (나)의 화강암보다 형성 시기가 이르다.
ㄹ. (가)는 용암의 열하 분출, (나)는 하천의 차별 침식의 영향을 많이 받았다.

① ㄱ, ㄴ     ② ㄱ, ㄷ     ③ ㄴ, ㄷ
④ ㄴ, ㄹ     ⑤ ㄷ, ㄹ

**04** A~D 지형에 대한 설명으로 옳지 않은 것은?

① B는 조차가 크고 토사 공급량이 많은 곳에서 발달한다.
② C 호수는 시간이 지날수록 면적이 점차 커진다.
③ A는 B보다 파랑 에너지가 집중되는 곳에 잘 발달한다.
④ B는 D보다 퇴적물의 평균 입자 크기가 작다.
⑤ A~D는 모두 후빙기 해수면 상승 이후 형성되었다.

2018 수능 응용

## 05 A~E 지형에 대한 옳은 설명을 〈보기〉에서 고른 것은?

보기

ㄱ. A의 바닥에서는 둥근 자갈이 발견된다.
ㄴ. B는 지반의 융기로 인해 형성된 지형이다.
ㄷ. C는 조류, D는 파랑에 의한 퇴적 지형이다.
ㄹ. C → D → E로 가면서 퇴적물의 평균 입자 크기가 커진다.

① ㄱ, ㄴ          ② ㄱ, ㄷ          ③ ㄴ, ㄷ
④ ㄴ, ㄹ          ⑤ ㄷ, ㄹ

2018 평가원 응용

## 06 (가), (나) 지역에 대한 설명으로 옳은 것은?

(가)                          (나)

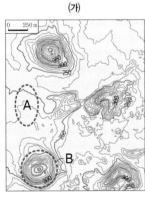

① A는 B보다 점성이 큰 용암이 굳어 형성되었다.
② B는 화구의 함몰로 형성된 칼데라이다.
③ C에서는 기반암의 풍화로 붉은색 토양이 발달한다.
④ (가) 지역의 기반암은 (나) 지역의 기반암보다 형성 시기가 이르다.
⑤ (가)와 (나) 지역에서는 밭농사보다 논농사가 주로 이루어진다.

## 🔖 서술형문제

## 07 (가), (나) 시설물의 명칭을 쓰고, 이러한 시설물을 설치한 이유를 각각 구분하여 서술하시오.

(가)                          (나)

## 08 그림을 보고 물음에 답하시오.

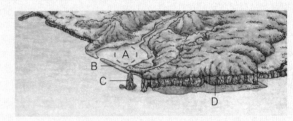

(1) A~D 지형의 명칭을 쓰고, 각각 해안 침식 지형과 퇴적 지형으로 구분하시오.

(2) A의 형성 과정을 해수면 변동을 포함하여 서술하시오.

## 09 자료는 동굴의 유형을 구분한 것이다. A, B 동굴의 주요 기반암을 쓰고, 동굴의 형성 과정을 구분하여 서술하시오.

⬆ A 동굴                                              ⬆ B 동굴

# 01 우리나라의 기후 특성
# ~02 기후와 주민 생활

## A 우리나라의 기후 특성

### 1. 기후 요소와 기후 요인
└─► 기후는 오랜 기간 반복해서 나타나는 대기의 평균적이고 종합적인 상태를 말한다.

| 기후 요소 | 특정 지역의 기후를 구성하는 요소 예 기온, 강수, 바람 등 |
|---|---|
| 기후 요인 | 기후 요소의 지역적 차이에 영향을 주는 요인 예 위도, 수륙 분포, 지형, 해발 고도, 해류 등 |

└─► 해발 고도가 100m 상승할 때마다 기온은 약 0.6℃씩 낮아진다.

### ★ 2. 우리나라의 기후 특성

| 냉·온대 기후 | 북반구 중위도에 위치하기 때문에 사계절의 변화가 뚜렷하게 나타남 |
|---|---|
| 계절풍 기후 | 유라시아 대륙의 동쪽에 위치하여 계절에 따라 풍향이 크게 달라짐 → 여름에는 남서·남동 계절풍의 영향으로 고온 다습하며, 겨울에는 북서 계절풍의 영향으로 한랭 건조함 |
| 대륙성 기후 | 중위도 대륙의 동쪽에 위치하여 비슷한 위도의 대륙 서안보다 기온의 연교차가 큼 |

바람은 고기압에서 저기압으로 불기 때문에 겨울에는 ●
대륙에서 바다로, 여름에는 바다에서 대륙으로 분다.

## B 기온, 강수, 바람의 특성

### ★ 1. 우리나라의 기온 특성

(1) 기온의 지역 차

① 위도의 영향으로 남쪽에서 북쪽으로 갈수록 기온이 낮아짐

② 수륙 분포의 영향으로 해안 지역에서 내륙 지역으로 갈수록 기온이 낮아짐 ┌─► 육지가 바다보다 쉽게 가열되고 냉각되기 때문이다.

③ 국토가 남북으로 길어서 동서 간보다 남북 간의 기온 차가 큼

(2) 기온의 연교차: 남해안에서 북부 내륙으로 갈수록 커짐, 내륙 지역이 해안 지역보다, 서해안 지역이 동해안 지역보다 연교차가 큼

(3) 기온의 일교차: 봄과 가을의 맑은 날에 크고, 장마철에 작음

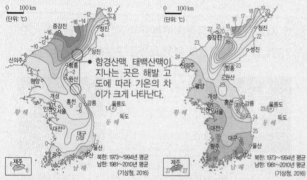

함경산맥, 태백산맥이 ●
지나는 곳은 해발 고
도에 따라 기온의 차
이가 크게 나타난다.

북한: 1973~1994년 평균
남한: 1981~2010년 평균
(기상청, 2016)

**↑ 1월 평균 기온**  **↑ 8월 평균 기온**

1월 평균 기온이 가장 낮은 곳은 북부 내륙 지방에 위치한 중강진 일대이고, 가장 높은 곳은 제주도로 지역에 따라 약 22℃의 기온 차가 발생한다. 인천보다 강릉의 1월 평균 기온이 높은데, 이는 수심이 깊고 난류가 흐르는 동해의 수온이 황해보다 높고, 태백산맥이 차가운 북서 계절풍을 막아주기 때문이다. 8월 평균 기온은 16~27℃ 정도로 지역에 따라 약 11℃의 기온 차가 발생하여, 겨울철에 비해 기온의 지역 차가 작은 것이 특징이다.

## ★ 2. 우리나라의 강수 특성
┌─► 우리나라 연평균 강수량은 약 1,300mm 정도로, 습윤 기후 지역에 속한다.

(1) 계절별 강수 분포

| 여름 | 고온 다습한 북태평양 기단과 장마 전선, 태풍 등의 영향으로 연 강수량의 50% 정도가 집중됨 |
|---|---|
| 겨울 | 건조한 시베리아 기단의 영향으로 강수량이 적은 편 |

(2) 지역별 강수 분포: 연 강수량은 남쪽에서 북쪽으로 갈수록 대체로 줄어듦
└─► 여름철 우리나라에 전선이나 저기압이 위치할 때 북태평양 고기압이 위치한 남쪽 바다에서 유입되는 기류

| 다우지 | 고온 다습한 남서 기류의 유입으로 바람받이 사면에서 지형성 강수 발생 → 남해안 일부, 대관령, 한강 및 청천강 중·상류 |
|---|---|
| 소우지 | • 바람그늘 지역 → 개마고원, 낙동강 중·상류 지역<br>• 해발 고도가 낮고 평탄한 지역 → 대동강 하류 지역 |
| 다설지 | • 북서 계절풍의 영향 → 울릉도, 소백산맥 서사면 지역<br>• 북동 기류의 영향 → 강원도 영동 산간 지역 |

## ★ 3. 우리나라의 바람 특성
┌─► 북반구 중위도에 위치한 우리나라는 서풍 계열의 바람이 많이 불어온다.

(1) 계절풍
┌─● 여름철보다 겨울철에 풍속이 강하며 바람의 방향도 더 일정하게 나타난다.

| 겨울 | 시베리아 고기압의 영향으로 한랭 건조한 북서풍이 탁월함 |
|---|---|
| 여름 | 북태평양 고기압의 영향으로 고온 다습한 남동·남서풍이 탁월함 |

(2) 높새바람: 늦봄에서 초여름 사이에 오호츠크해 기단이 확장할 때 부는 북동풍이 태백산맥을 넘으면서 푄 현상 발생 → 영서 지방에 고온 건조한 바람이 불어 가뭄 피해 발생

## C 계절의 변화

### 1. 우리나라 기후에 영향을 주는 기단

| 구분 | 시기 | 성질 | 영향 |
|---|---|---|---|
| 시베리아 기단 | 겨울 | 한랭 건조 | 삼한 사온, 꽃샘추위 |
| 오호츠크해 기단 | 늦봄 ~ 초여름, 가을 | 한랭 습윤 | 높새바람, 장마 전선 형성 |
| 북태평양 기단 | 여름 | 고온 다습 | 폭염, 장마 전선 형성 |
| 적도 기단 | 여름 | 고온 다습 | 태풍 |

고온 다습한 북태평양 기단과 냉량 습윤한 오호츠크해 ●
기단이 만나 장마 전선을 형성한다.

### 2. 계절별 기후 특성

| 봄 | • 이동성 고기압과 저기압이 교대로 통과 → 잦은 날씨 변화<br>• 시베리아 고기압의 일시적인 확장으로 꽃샘추위 발생 |
|---|---|
| 여름 | • 장마철: 초여름에 나타남, 장마 전선의 영향으로 강수량이 많음, 습도와 불쾌지수 높음<br>• 한여름: 남고북저형 기압 배치로 무더위 지속 → 소나기가 자주 내림, 열대야 현상 발생 |
| 가을 | 이동성 고기압의 영향으로 맑은 날이 많고 습도가 낮음 |
| 겨울 | • 서고동저형의 기압 배치로 한랭 건조한 날씨가 나타남<br>• 시베리아 고기압의 발달과 쇠퇴로 삼한 사온 현상 발생 |

강한 일사에 의해 공기가 상승하여 내리는 강수 ●

## D 기후와 주민 생활

### ★ 1. 기온과 주민 생활

| 구분 | 여름 | 겨울 |
|------|------|------|
| 의복 | 통풍이 잘 되는 삼베옷이나 모시옷을 입음 | 솜을 넣어 누빈 옷이나 가죽으로 만든 옷을 입음 |
| 음식 | • 고온 다습한 기후 환경에서 잘 자라는 벼 재배<br>• 음식이 상하는 것을 방지하는 염장 식품 발달 | • 추위에 잘 견디는 보리나 밀 재배<br>• 겨울을 나기 위한 김장 문화 발달 |
| 가옥 구조 | 바람이 잘 통하고 지면으로부터 습기를 차단하기 위해 대청마루 설치 | • 난방 시설인 온돌 설치<br>• 관북 지방은 정주간 발달 |

### 2. 강수와 주민 생활

> 서해안 지역은 일조 시간이 길어 바닷물을 증발시켜 소금을 만들기 유리하다.

(1) 다우지: 침수 피해를 대비하기 위한 터돋움집 및 피수대 축조, 범람원의 제방 및 저수지·보·다목적 댐 설치

(2) 소우지: 서해안 일대에서 풍부한 일조량을 이용한 천일제 염업 발달, 과수 재배 활발

(3) 다설지: 가옥 지붕의 경사가 급함, 울릉도의 우데기, 눈 축제 개최·스키장 건설 등 눈을 관광 자원으로 활용

⬆ 대청마루

⬆ 정주간

⬆ 우데기

중부 및 남부 지방에서 볼 수 있는 대청마루는 무더운 여름을 나기 위해 바닥과 사이를 띄고 나무판을 깔아 만든 공간이다. 관북 지방의 정주간은 부엌과 방 사이의 벽이 없는 공간으로, 부엌에서 발생하는 온기를 활용할 수 있다. 우데기는 울릉도의 전통 가옥에 설치된 외벽으로, 눈이 많이 쌓였을 때도 생활 공간을 확보할 수 있다.

### 3. 바람과 주민 생활

(1) 전통적 주민 생활: 겨울철의 북서 계절풍에 대비한 배산임수 촌락 발달, 제주도의 낮은 경사의 지붕·그물 지붕·돌담 등, 호남 지역은 까대기를 통해 강풍과 대설에 대비

(2) 오늘날 주민 생활: 바람이 강하게 부는 산지, 해안, 도서 지역에 풍력 발전 단지 조성

### 4. 기후와 경제생활

(1) 날씨와 경제생활: 기상 정보를 이용한 경영은 제조업, 서비스업 등 다양한 분야에서 이루어짐 ➎ 계절상품의 생산 및 출고량 조절, 날씨에 따라 편의점 진열 상품의 변화 등

(2) 기후와 경제생활: 기후의 지역 차는 농업 활동, 계절별 지역 축제 개최, 관광 등에 영향을 미침 ➎ 동남아시아 사람들의 우리나라 단풍 및 스키 관광

---

**01** 다음 설명이 맞으면 ○표, 틀리면 ✕표를 하시오.

(1) 우리나라는 남반구 중위도에 위치하여 냉·온대 기후가 나타난다. ( )

(2) 우리나라는 계절풍의 영향으로 겨울철에는 한랭 건조하고, 여름철에는 고온 다습하다. ( )

(3) 우리나라는 중위도 대륙의 동쪽에 위치하여 대륙 서안보다 기온의 연교차가 큰 대륙성 기후가 나타난다. ( )

**02** ㉠, ㉡에 들어갈 내용을 각각 쓰시오.

> 우리나라의 강릉은 인천보다 1월 평균 기온이 높은데, 이는 태백산맥이 차가운 (㉠      )을 막아주고, 동해의 (㉡      )이 황해보다 깊기 때문이다.

**03** 우리나라의 여름철 다우지만을 〈보기〉에서 있는 대로 골라 기호를 쓰시오.

> **보기**
>
> ㄱ. 울릉도          ㄴ. 개마고원
> ㄷ. 남해안 일부      ㄹ. 한강 중·상류
> ㅁ. 청천강 중·상류   ㅂ. 낙동강 중·상류

**04** 다음에서 설명하는 용어를 쓰시오.

> 늦봄에서 초여름 사이에 오호츠크해 기단이 확장할 때 부는 북동풍이 태백산맥을 넘으면서 푄 현상이 나타나 영서 지방에 부는 고온 건조한 바람이다.

**05** 다음 괄호 안의 내용 중 알맞은 말에 ○표를 하시오.

(1) 일조 시간이 (긴, 짧은) 서해안 일부 지역에서는 천일제염업이 발달하였다.

(2) 강수가 많은 지역에서는 침수 피해에 대비하기 위해 (정주간, 터돋움집)을 지었다.

(3) 울릉도에서는 전통 가옥에 (우데기, 까대기)를 설치하여 많은 눈이 쌓였을 때 생활 공간을 마련하였다.

## A 우리나라의 기후 특성

**01** 다음은 학생이 수업 시간에 학습한 내용을 정리한 것이다. 밑줄 친 ㉠~㉤ 중 옳지 <u>않은</u> 것은?

> **우리나라의 기후 특성**
>
> 1. 냉·온대 기후: ㉠ <u>북반구 중위도에 위치하여 계절의 변화가 뚜렷함</u>
> 2. 계절풍 기후: ㉡ <u>유라시아 대륙의 동쪽에 위치하여 계절에 따라 풍향이 크게 달라짐</u>
>   (1) 겨울: 시베리아 고기압의 영향으로 ㉢ <u>한랭 건조한 북서 계절풍이 불고 강수량이 적음</u>
>   (2) 여름: 북태평양 고기압의 영향으로 ㉣ <u>고온 다습한 남서·남동 계절풍이 불고 강수량이 많음</u>
> 3. 대륙성 기후: 대륙의 동쪽에 위치하여 ㉤ <u>비슷한 위도의 대륙 서안보다 기온의 연교차가 작음</u>

① ㉠   ② ㉡   ③ ㉢   ④ ㉣   ⑤ ㉤

## B 기온, 강수, 바람의 특성

**02** 지도는 우리나라 1월과 8월의 평균 기온 분포를 나타낸 것이다. 이에 대한 옳은 설명을 〈보기〉에서 고른 것은?

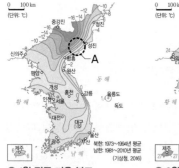

↑ 1월 평균 기온 분포    ↑ 8월 평균 기온 분포

> **보기**
> ㄱ. 남북 간의 기온 차가 동서 간의 차보다 크다.
> ㄴ. 1월 평균 기온의 지역 차는 최대 20℃ 미만이다.
> ㄷ. A 지역은 산맥의 영향으로 등온선이 해안을 따라 평행하게 나타난다.
> ㄹ. 비슷한 위도 상에서 내륙 지역은 해안 지역보다 기온의 연교차가 작다.

① ㄱ, ㄴ   ② ㄱ, ㄷ   ③ ㄴ, ㄷ
④ ㄴ, ㄹ   ⑤ ㄷ, ㄹ

☆출제가능성 90%

**03** 표는 네 지역의 기후 특성을 나타낸 것이다. (가)~(라)에 해당하는 지역을 지도에서 골라 옳게 연결한 것은?

(1981~2010년 평균, 기상청)

| 구분 | 최한월 평균 기온(℃) | 최난월 평균 기온(℃) | 1월 강수량(mm) |
|------|------|------|------|
| (가) | -7.7 | 19.1 | 62.6 |
| (나) | -5.5 | 24.2 | 20.4 |
| (다) | -2.1 | 25.2 | 20.6 |
| (라) | 1.4 | 23.6 | 116.2 |

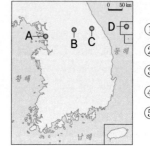

| | (가) | (나) | (다) | (라) |
|---|---|---|---|---|
| ① | A | B | C | D |
| ② | A | C | D | B |
| ③ | C | B | A | D |
| ④ | C | A | B | D |
| ⑤ | D | A | B | C |

**04** (가), (나)에 대한 옳은 설명 및 추론을 〈보기〉에서 고른 것은? (단, (가), (나)는 서리 첫날과 서리 마지막 날 중 하나이다.)

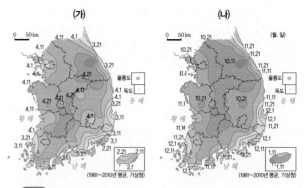

(1981~2010년 평균, 기상청)

> **보기**
> ㄱ. (가)가 가장 이른 지역은 (나)도 가장 이르다.
> ㄴ. (가)에서 (나)까지의 기간은 고위도로 갈수록 짧아진다.
> ㄷ. 단풍이 드는 시기는 (가), 봄꽃 개화 시기는 (나)와 분포 경향이 비슷할 것이다.
> ㄹ. (나)에서 (가)까지의 기간은 비슷한 위도에서 대체로 동해안 지역이 서해안 지역보다 짧다.

① ㄱ, ㄴ   ② ㄱ, ㄷ   ③ ㄴ, ㄷ
④ ㄴ, ㄹ   ⑤ ㄷ, ㄹ

**05** 밑줄 친 ㉠~㉢에 해당하는 지역을 지도의 A~E에서 골라 옳게 연결한 것은?

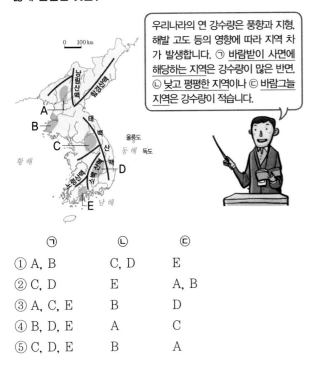

우리나라의 연 강수량은 풍향과 지형, 해발 고도 등의 영향에 따라 지역 차가 발생합니다. ㉠ 바람받이 사면에 해당하는 지역은 강수량이 많은 반면, ㉡ 낮고 평평한 지역이나 ㉢ 바람그늘 지역은 강수량이 적습니다.

| | ㉠ | ㉡ | ㉢ |
|---|---|---|---|
| ① | A, B | C, D | E |
| ② | C, D | E | A, B |
| ③ | A, C, E | B | D |
| ④ | B, D, E | A | C |
| ⑤ | C, D, E | B | A |

**06** 지도는 우리나라의 연 적설량 분포를 나타낸 것이다. 이에 대한 옳은 설명을 〈보기〉에서 고른 것은?

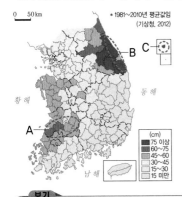

보기

ㄱ. 연 강수량과 지역별 분포가 유사하다.
ㄴ. 위도보다는 지형과 풍향의 영향으로 연 적설량의 지역 차가 발생한다.
ㄷ. B 지역은 북동 기류의 영향으로 많은 눈이 내린다.
ㄹ. A와 C 지역은 공통적으로 바다를 건너온 남동·남서 계절풍의 영향으로 많은 눈이 내린다.

① ㄱ, ㄴ      ② ㄱ, ㄷ      ③ ㄴ, ㄷ
④ ㄴ, ㄹ      ⑤ ㄷ, ㄹ

출제가능성 90%

**07** (가), (나)는 서로 다른 계절의 바람 특성을 나타낸 것이다. 이에 대한 설명으로 옳지 않은 것은?

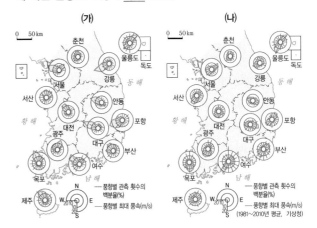

① (가) 시기에는 남고북저형의 기압 배치가 나타난다.
② (나) 시기에는 주로 남서·남동풍 계열의 바람이 분다.
③ (나) 시기는 (가) 시기보다 고온 다습한 성질의 바람이 분다.
④ (가) 시기에 부는 바람은 (나) 시기에 부는 바람에 비해 대체로 풍속이 강하다.
⑤ (가) 시기에는 대륙성 기단, (나) 시기에는 해양성 기단의 영향을 주로 받는다.

**C** 계절의 변화

**08** 지도는 우리나라에 영향을 주는 기단을 나타낸 것이다. A~D에 대한 설명으로 옳지 않은 것은?

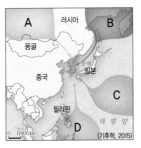

① 봄철에 A의 세력이 일시적으로 약해지면 꽃샘추위가 나타난다.
② B는 주로 늦봄에서 초여름에 우리나라에 영향을 미친다.
③ C의 영향으로 여름철에 남고북저형 기압 배치가 나타난다.
④ D의 영향으로 여름철에 태풍 피해를 겪는다.
⑤ B와 C가 만나 장마 전선을 형성한다.

### D 기후와 주민 생활

**09** 다음은 우리나라 어느 계절의 일기도이다. 이 시기의 생활 모습을 가장 적절하게 설명한 것은?

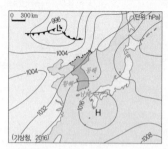

① 솜옷이나 가죽옷을 즐겨 입는다.
② 단풍을 즐기며 산행하는 사람들이 늘어난다.
③ 농촌 지역에서 모내기하는 모습을 볼 수 있다.
④ 자동차의 안전한 운행을 위해 스노 체인을 준비해야 한다.
⑤ 냉방 기기의 사용 증가로 전력 소비량이 최고치를 기록한다.

**출제가능성 90%**

**10** 그림은 두 지역의 전통 가옥 구조를 나타낸 것이다. (가), (나) 지역의 특징을 〈보기〉에서 고른 것은?

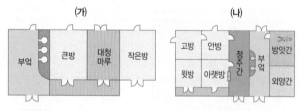

(가)　　　　　　　　(나)

**보기**
ㄱ. (가) 지역은 (나) 지역보다 기온의 연교차가 클 것이다.
ㄴ. (가) 지역은 (나) 지역보다 최한월 평균 기온이 높을 것이다.
ㄷ. (나) 지역은 (가) 지역보다 김치가 맵고 짤 것이다.
ㄹ. (나)는 (가)보다 고위도 지역에서 나타나는 가옥 구조일 것이다.

① ㄱ, ㄴ　　② ㄱ, ㄷ　　③ ㄴ, ㄷ
④ ㄴ, ㄹ　　⑤ ㄷ, ㄹ

**11** 사진과 관련된 산업이 발달한 지역의 공통적인 기후 특성으로 적절한 것은?

↑ 염전　　　　　　↑ 사과 재배

① 겨울철 강수량이 많다.
② 강한 바람이 자주 분다.
③ 연 강수량이 적어 일조 시수가 길다.
④ 태백산맥을 넘은 고온 건조한 바람이 분다.
⑤ 높은 산지의 바람받이 사면에 위치하여 연 강수량이 많다.

**12** 다음 신문 기사를 읽고 알 수 있는 내용으로 가장 적절한 것은?

기습적인 폭설로 ○○ 홈 쇼핑의 방한용 겨울 의류 매출이 크게 증가하였다. ○○ 홈 쇼핑은 폭설이 내린 날 기모 바지가 방송 40분 만에 무려 5만 장 이상 판매되었다고 밝혔다. 이날 방송에서는 기모 바지 외에도 니트, 외투, 롱 부츠 등의 매출 역시 기대치보다 약 85% 증가하여 2시간 동안 모두 30억 원의 매출을 올렸다.
－「연합뉴스」, 2013. 11. 28.

① 기후 지역에 따라 판매되는 의류의 종류가 다르다.
② 강수는 기온보다 상품 판매에 미치는 영향이 크다.
③ 날씨 및 기후 마케팅은 제품의 품질과 서비스에 영향을 미친다.
④ 날씨는 계절상품을 생산하고 판매하는 제조업에 많은 영향을 준다.
⑤ 장기간 축적된 기상 정보는 제품의 재고량과 매출액을 분석하는 데 도움이 될 수 없다.

## 3단계 등급 올리기

### ★★최고난도

**01** 그래프는 지도에 표시된 지역의 여름 강수량과 겨울 강수량을 나타낸 것이다. A~C 지역에 대한 옳은 설명을 〈보기〉에서 고른 것은?

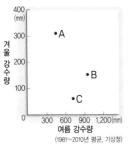

**보기**

ㄱ. B에서 볼 수 있는 전통 가옥에는 우데기가 설치되어 있다.

ㄴ. A는 B보다 여름 강수 집중률이 높다.

ㄷ. B는 C보다 해발 고도가 높다.

ㄹ. C는 A보다 기온의 연교차가 크다.

① ㄱ, ㄴ     ② ㄱ, ㄷ     ③ ㄴ, ㄷ

④ ㄴ, ㄹ     ⑤ ㄷ, ㄹ

---

**2019 평가원 응용**

**02** 다음은 우리나라의 시기별 기후 특징을 정리한 것이다. 밑줄 친 ㉠~㉤에 대한 설명으로 옳은 것은?

| 봄 | 이동성 고기압과 저기압이 교대로 통과하고 ㉠ 꽃샘추위가 나타난다. 대기가 건조하여 산불 발생 빈도가 높고, ㉡ 높새바람이 분다. |
| 장마철 | 6월 하순이 되면 남부 지방부터 장마가 시작되고 ㉢ 장마전선을 따라 다습한 남서 기류가 유입되면 집중 호우가 발생한다. |
| 한여름 | 고온 다습한 날씨가 지속되면서 열대야가 나타나고, 국지적으로 ㉣ 소나기가 내리기도 한다. |
| 겨울 | 시베리아 고기압의 발달과 쇠퇴로 기온 상승과 하강이 반복되며, ㉤ 북동 기류의 영향으로 일부 지역에 폭설이 내린다. |

① ㉠은 오호츠크해 기단이 우리나라에 영향을 미칠 때 잘 나타난다.

② ㉡이 지속되면 영동 지방에 가뭄이 발생할 수 있다.

③ ㉢은 한대 기단과 열대 기단이 만나 정체되어 형성된다.

④ ㉣은 바람받이 사면에 부딪혀 발생하는 지형성 강수에 해당한다.

⑤ ㉤은 주로 충청과 호남 서해안을 중심으로 발생한다.

---

**03** A~C 지역의 상대적인 기후 특성이 그림과 같을 때 (가), (나)에 들어갈 지표를 옳게 연결한 것은?

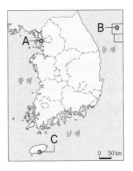
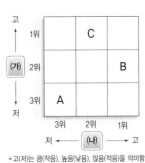

(가)               (나)

* 고(저)는 큼(작음), 높음(낮음), 많음(적음)을 의미함

| | (가) | (나) |
|---|---|---|
| ① | 기온의 연교차 | 1월 강수량 |
| ② | 기온의 연교차 | 8월 강수량 |
| ③ | 최한월 평균 기온 | 1월 강수량 |
| ④ | 최한월 평균 기온 | 8월 강수량 |
| ⑤ | 최난월 평균 기온 | 8월 강수량 |

---

### 🌱 서술형 문제

**04** 자료는 우리나라 어느 지역의 전통 가옥을 나타낸 것이다. 이를 보고 물음에 답하시오.

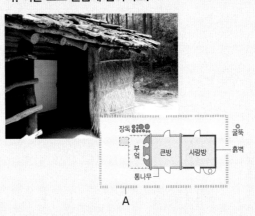

(1) 자료와 같은 전통 가옥을 볼 수 있는 지역을 쓰시오.

(2) A의 명칭을 쓰고, 이러한 가옥 구조가 발달하게 된 이유를 이 지역의 기후 특색과 관련하여 서술하시오.

# 03 자연재해와 기후 변화

## A 우리나라의 자연재해

### 1. 자연재해의 의미와 특징

(1) 자연재해: 자연환경 요소들이 인간 생활에 피해를 주는 현상

(2) 우리나라의 자연재해: 강수의 계절 차와 연 변동이 크고, 태풍이 통과하므로 기후적 요인의 자연재해가 잦은 편임

### ★ 2. 기후적 요인의 자연재해

> 기온이 너무 높으면 폭염, 너무 낮으면 한파가 발생한다. 폭염이 발생하면 일사병이나 열사병에 걸릴 위험이 있고, 한파가 지속되면 수도관이 얼어서 터질 수 있다.

| | |
|---|---|
| 홍수 | • 특징: 장마 전선과 태풍의 영향으로 집중 호우가 발생하는 여름철에 주로 발생, 최근 도시화의 영향으로 홍수 피해 증가<br>• 영향: 하천 범람으로 저지대의 농경지, 가옥 등 침수, 산사태 발생 등<br>• 대책: 댐·보·저수지 건설, 사방 공사 실시 등 |
| 가뭄 | • 특징: 장마 전선이 늦게 북상하거나 강수량이 적을 때 발생, 진행 속도가 느리지만 피해 범위가 넓음<br>• 영향: 농작물의 성장 저하, 산업 및 생활용수 부족 등<br>• 대책: 댐·보·저수지 건설 등 |
| 대설<br>(폭설) | • 특징: 겨울철 한랭 건조한 기류가 바다를 건너는 과정에서 눈구름이 형성되어 발생<br>• 영향: 도로·항공 교통 마비, 시설물 붕괴, 산간 마을 고립 등<br>• 대책: 신속한 제설 작업, 급경사의 지붕 설치 등 |
| 태풍 | • 특징: 주로 여름에서 초가을에 발생, 태풍이 통과하는 지역의 오른쪽인 위험 반원에서 피해가 더 크게 발생<br>• 영향: 강한 바람과 많은 비를 동반함, 해일 피해 발생 ↔ 물 부족 및 적조 현상 해소, 지구의 열평형 유지<br>• 대책: 태풍 진로에 대한 정확한 예보 시스템 구축 등 |
| 황사 | • 의미: 중국의 사막 등지에서 발생한 모래 먼지가 편서풍을 타고 우리나라로 날아오는 현상<br>• 특징: 과거에는 주로 봄에 나타났으나 최근 중국 내 사막화 현상이 확대되어 가을, 겨울에도 나타남<br>• 영향: 호흡기 질환, 안과 질환 발생 등 |

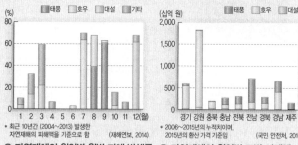

**⊙ 자연재해의 원인별 월별 피해 발생률**
• 최근 10년간 (2004~2013) 발생한 자연재해의 피해액을 기준으로 함 (재해연보, 2014)

**⊙ 자연재해의 원인별 도별 피해액**
• 2006~2015년의 누적치이며, 2015년의 환산 가격 기준임 (국민 안전처, 2016)

우리나라는 기상 재해의 빈도가 높은 편이며 해에 따라 발생 횟수와 피해 정도의 차이가 크다. 시기별로 대설은 12~3월, 호우는 7~10월, 태풍은 8~9월에 주로 발생하며, 지역별로 호우는 중부 지방, 태풍은 남부 지방, 대설은 강원, 전북, 전남 등지에서 상대적으로 많이 발생한다.

### 3. 지형적 요인의 자연재해

| | |
|---|---|
| 지진 | 2016년 경상북도 경주 지역을 중심으로 큰 규모의 지진 발생 → 건물의 내진 설계 강화, 지진 발생 시 행동 요령에 관한 교육 확대 등의 대책 필요 |
| 화산 활동 | 발생 가능성이 낮은 편 |

## B 우리나라의 기후 변화

### 1. 기후 변화의 원인

> 대기 중에 있는 온실 기체의 양이 증가하면 지구 대기 밖으로 방출되는 지구 복사 에너지가 감소하여 기온이 상승한다.

| | |
|---|---|
| 자연적 요인 | 태양 활동의 변화, 지구와 태양 간 주기적인 거리 변화, 화산 활동 등 |
| 인위적 요인 | • 산업 혁명 이후 화석 연료의 사용량 증가로 대기 중 온실 기체의 농도가 높아지면서 온실 효과를 가중시킴 → 지구 온난화 현상 심화<br>• 삼림 개발, 농경지 확보를 위한 열대림 파괴로 대기 중 온실 기체의 농도가 높아짐 → 기후 변화 가속화 |

### 2. 우리나라 기후 변화의 현황

(1) 기온 변화: 서울, 부산 등 6개 지점에서 관측한 값에 따르면 지난 100년간 연평균 기온 약 1.7℃ 상승

(2) 강수 변화: 연 강수 일수는 감소한 반면, 집중 호우의 발생 빈도는 증가함 → 연 강수량이 증가하고 있음

### ★ 3. 우리나라 기후 변화의 영향

| | |
|---|---|
| 식생 변화 | 냉대림 분포 면적 축소, 난대림 분포 면적 확대, 고산 식물의 분포 범위 감소 → 봄꽃 개화 시기는 빨라지고 가을철 단풍 시기는 늦어짐 |
| 계절 변화 | 여름이 길어지고 겨울이 짧아짐, 봄이 앞당겨지고 가을이 늦어짐 |
| 농업 활동 | 노지 작물의 생육 기간 연장, 농작물 재배 북한계선의 북상, 고랭지 채소의 재배 고도 상승 |
| 어업 활동 | 해수 온도 상승 → 한류성 어종(대구, 명태 등)의 어획량 감소, 난류성 어종(오징어, 멸치 등)의 어획량 증가 |

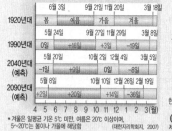

**⊙ 서울의 계절 변화**
• 겨울은 일평균 기온 5℃ 미만, 여름은 20℃ 이상이며, 5~20℃는 봄이나 가을에 해당함 (대한지리학회지, 2007)

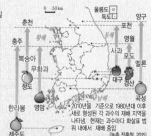

**⊙ 과일의 재배 지역 변화**
• 2010년을 기준으로 1980년대 이후 새로 형성된 각 과수의 재배 지역을 나타냄. 현재는 과수마다 화살표 범위 내에서 재배 중임 (농촌 진흥청, 2015)

1920년대와 비교하여 1990년대 서울은 여름이 16일 정도 길어졌고, 겨울은 반대로 19일 정도 짧아졌다. 이처럼 겨울철 지속 기간이 감소하고 여름철 지속 기간이 증가함에 따라 농작물의 재배 지역이 점차 북상하고 있다.

### 4. 기후 변화에 관한 대책

(1) 국제적 차원의 노력: 1992년 지구 온난화 방지를 위한 국제 연합 기후 변화 협약 체결 → 1997년 교토 의정서 의결 → 2015년 파리 협정 채택

> 국가나 기업 간 온실 기체 배출권을 판매하거나 구매할 수 있도록 하는 제도이다.

(2) 국가적 차원의 노력: 배출권 거래제 도입, 신·재생 에너지 개발, 자원 절약형 산업 육성, 기후 변화 감시 및 예보 시스템 구축 등

★ 표시는 시험 전에 확인해 주세요.

## C 식생과 토양 및 인간과 자연의 지속 가능성

★ **1. 식생의 특색과 분포** 기후의 영향을 크게 받음

(1) **식생의 수평적 분포**: 위도에 따른 기온 차이가 반영됨 → 남부 지방에서 북부 지방으로 가면서 난대림, 온대림, 냉대림이 나타남

| 난대림 | 남해안, 제주도, 울릉도의 저지대 등 → 동백나무, 후박나무 등의 상록 활엽수 분포 |
|---|---|
| 온대림 | 고산 지역을 제외한 대부분 지역 → 낙엽 활엽수와 침엽수가 섞인 혼합림 분포 |
| 냉대림 | 개마고원 및 고산 지역 → 전나무 등의 침엽수 분포 |

(2) **식생의 수직적 분포**: 해발 고도에 따른 기온 차이가 반영됨 → 남부 지방에서 북부 지방으로 가면서 냉대림이 나타나는 해발 고도가 낮아짐

### 2. 토양의 특색과 분포

(1) **성숙토**: 생성 기간이 길어 층리가 뚜렷하게 발달한 토양

| 구분 | 특징 | 종류 |
|---|---|---|
| 성대 토양 | 기후와 식생의 특성을 반영함 | • 회백색토: 개마고원 일대에 분포<br>• 갈색 삼림토: 중·남부 지방에 분포 |
| 간대 토양 | 기반암(모암)의 특성을 반영함 | • 석회암 풍화토: 고생대 지층의 석회암 지대(강원도 남부)에 분포<br>• 화산회토: 화산 지형(제주도)에 분포 |

(2) **미성숙토**: 생성 기간이 짧거나 운반·퇴적 작용을 받아 층리 발달이 미약한 토양

| 충적토 | 하천 주변에 분포, 비옥하여 농경지로 활용 |
|---|---|
| 염류토 | 간척지에 분포, 염분을 제거한 후 농경지로 활용 |

**↑ 우리나라의 식생 분포**

**↑ 우리나라의 토양 분포**
• 제주도의 한라산은 우리나라에서 식생의 수직적 분포를 가장 뚜렷하게 관찰할 수 있는 곳이다.

### 3. 지속 가능한 식생 및 토양 관리

| 식생 관리 | 국립 공원 지정, 숲 가꾸기 사업 전개 등 |
|---|---|
| 토양 관리 | 토양 유실을 막기 위해 계단식 경작, 등고선식 경작 등 |

**4. 인간과 자연의 공존** 자연 휴식년제 도입, 환경 영향 평가 제도 시행, 도시 농업 확대 등
└ 주택, 학교 등의 옥상 공간을 이용하여 농작물을 재배하는 농업으로, 이는 열섬 현상 완화, 상대 습도 상승의 효과가 있다.

---

**01** 기후적 요인의 자연재해만을 〈보기〉에서 있는 대로 골라 기호를 쓰시오.

> **보기**
> ㄱ. 가뭄  ㄴ. 대설  ㄷ. 지진
> ㄹ. 태풍  ㅁ. 홍수  ㅂ. 화산 활동

**02** 다음 설명이 맞으면 ○표, 틀리면 ×표를 하시오.

(1) 진행 속도는 느리지만 피해 범위가 넓은 자연재해는 홍수이다. ( )

(2) 지진과 화산 활동은 지형적 요인에 의해 발생하는 자연재해이다. ( )

**03** 자연재해의 피해를 줄이기 위한 대응 방안을 옳게 연결하시오.

(1) 가뭄 •　　　　　 • ㉠ 신속한 제설 작업

(2) 대설 •　　　　　 • ㉡ 댐·보·저수지 건설

(3) 지진 •　　　　　 • ㉢ 건물의 내진 설계 강화

**04** 다음 빈칸에 들어갈 내용을 쓰시오.

(1) 우리나라 주변의 해수 온도가 상승하면서 (　　　　) 어종의 어획량은 감소하고 있다.

(2) 2015년 지구 온난화에 따른 기후 변화를 줄이기 위해 국제 사회는 (　　　　)을 채택하였다.

**05** ㉠, ㉡에 들어갈 용어를 각각 쓰시오.

> 식생의 수평적 분포는 (㉠　　　　)에 따른 기온 차이를 반영하며, 우리나라 식생은 남부 지방에서 북부 지방으로 가면서 난대림, 온대림, (㉡　　　　)이 나타난다.

**06** 다음 괄호 안의 내용 중 알맞은 말에 ○표를 하시오.

(1) 미성숙토 중 하천 주변에 분포하는 (염류토, 충적토)는 비옥하여 농경지로 활용된다.

(2) (간대토양, 성대 토양)은 기후와 식생의 특성을 반영하는 토양으로, 회백색토가 대표적이다.

### A 우리나라의 자연재해

출제가능성 90%

**01** 그래프는 자연재해의 원인별 월별 피해 발생률을 나타낸 것이다. A~C에 대한 설명으로 옳지 <u>않은</u> 것은? (단, A~C 는 대설, 태풍, 호우 중 하나이다.)

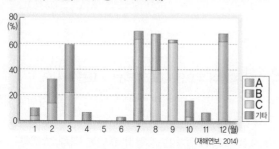

(재해연보, 2014)

① A에 의해 비닐하우스, 축사 등 시설물이 붕괴된다.
② B는 주로 장마 전선의 정체에 따라 발생한다.
③ C는 강한 바람과 많은 비를 동반하여 풍수해를 일으킨다.
④ A는 B보다 우리나라의 연 강수량에 큰 영향을 준다.
⑤ C는 A보다 남고북저형 기압 배치가 전형적으로 나타나는 계절에 자주 발생한다.

**02** 자료는 우리나라에 영향을 준 A 자연재해의 발생 횟수와 위성 영상을 나타낸 것이다. 이에 대한 설명으로 옳은 것은?

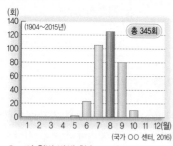

(국가 ○○ 센터, 2016)

↑ A의 월별 발생 횟수

↑ A의 위성 영상(2016. 10. 4)

① A가 발생하면 외출 시 마스크를 착용해야 한다.
② 진행 속도는 느리지만 피해 지역의 범위는 넓다.
③ A로 인한 피해는 서해안 지역보다 남동 해안 지역에서 크게 나타난다.
④ A로 인한 피해를 줄이기 위해서는 신속하게 제설 작업을 실시해야 한다.
⑤ 한랭 건조한 기류가 바다를 건너면서 눈구름을 형성하기 때문에 나타나는 현상이다.

**03** (가), (나) 사진과 같은 피해를 주는 자연재해에 대한 옳은 설명을 〈보기〉에서 고른 것은?

(가)

(나)

**보기**

ㄱ. (가)를 대비하기 위해 저수지, 댐, 보 등을 건설하기도 한다.
ㄴ. (나)는 장마 전선이 늦게 북상하거나 빨리 통과할 경우에 발생한다.
ㄷ. (나)로 인한 피해를 예방하기 위해서는 시설물에 지지대를 설치해야 한다.
ㄹ. (가)는 북서 계절풍이, (나)는 남동·남서 계절풍이 불 때 주로 발생한다.

① ㄱ, ㄴ    ② ㄱ, ㄷ    ③ ㄴ, ㄷ
④ ㄴ, ㄹ    ⑤ ㄷ, ㄹ

**04** 다음은 우리나라에서 발생하는 자연재해에 대한 국민 행동 요령을 나타낸 것이다. (가), (나)에 대한 설명으로 옳은 것은?

| | |
|---|---|
| (가) | • 가축을 축사 안으로 신속히 대피시킨다.<br>• 학교에서는 실외 활동을 금지하거나 수업을 단축한다.<br>• 외출 시 보호 안경과 마스크를 착용하고, 귀가 후 손과 발 등을 깨끗이 씻는다. |
| (나) | • 배를 단단하게 묶어 둔다.<br>• 유리창에 테이프를 붙여 파손을 방지한다.<br>• 논둑, 물꼬를 점검하여 농경지 침수를 예방한다. |

① (가)의 진행 방향은 편서풍의 영향을 받는다.
② (나)는 적조 현상을 심화시키는 주요 원인이다.
③ (나)는 이상 고온 현상을 일으켜 전력 사용량을 증가시킨다.
④ (가)는 여름철, (나)는 겨울철에 주로 발생한다.
⑤ 최근 (가)와 (나)의 발생 빈도는 감소하는 추세이다.

## B 우리나라의 기후 변화

**05** 지도는 과일의 재배 지역 변화를 나타낸 것이다. 이와 같은 변화의 원인으로 적절한 것만을 〈보기〉에서 있는 대로 고른 것은?

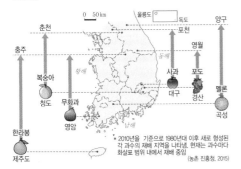

* 2010년을 기준으로 1980년대 이후 새로 형성된 각 과수의 재배 지역을 나타냄. 현재는 과수마다 화살표 범위 내에서 재배 중임 (농촌 진흥청, 2015)

〈보기〉

ㄱ. 열대림 파괴에 따른 대기 구성의 변화
ㄴ. 풍력, 태양광 등 신·재생 에너지 보급률의 증가
ㄷ. 지구 공전 궤도의 변화에 따른 지구와 태양 간 거리 변화
ㄹ. 화석 연료 사용량 증가에 따른 대기 중 온실 기체의 농도 증가

① ㄱ, ㄴ　　　② ㄴ, ㄷ　　　③ ㄷ, ㄹ
④ ㄱ, ㄷ, ㄹ　　　⑤ ㄴ, ㄷ, ㄹ

**06** 다음과 같은 변화가 한반도에서 지속될 경우 나타날 수 있는 변화를 그림의 A~E에서 고른 것은?

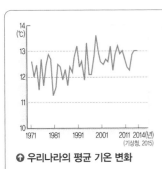

우리나라의 서울, 부산의 6개 지점에서 관측한 값에 따르면, 지난 100년 (1912~2011년) 동안 연평균 기온이 1.7℃ 상승했는데, 이는 세계 기온 상승 평균치인 0.74℃를 웃도는 수치이다.

● 우리나라의 평균 기온 변화

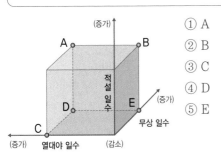

① A
② B
③ C
④ D
⑤ E

**07** 표는 서울의 계절 시작일 변화를 나타낸 것이다. 이에 대한 설명 및 추론으로 옳은 것은?

| 구분 | 봄 | 여름 | 가을 | 겨울 |
|---|---|---|---|---|
| 1920년대 | 3월 18일 | 6월 3일 | 9월 21일 | 11월 20일 |
| 1990년대 | 3월 8일 | 5월 24일 | 9월 27일 | 11월 29일 |
| 2040년대 (예측) | 3월 5일 | 5월 20일 | 10월 2일 | 12월 4일 |

* 각 계절은 구분 기준을 만족하는 첫날부터 시작함
* 겨울은 일평균 기온 5℃ 미만, 여름은 20℃ 이상이며, 5~20℃는 봄이나 가을에 해당함

① 여름의 길이가 줄어들었다.
② 가을의 마지막 일이 늦어졌다.
③ 봄꽃의 개화 시기가 늦어질 것이다.
④ 단풍이 드는 시기가 빨라질 것이다.
⑤ 서울의 평균 기온이 낮아졌을 것이다.

✨출제가능성 90%

**08** 지도는 우리나라의 사과 재배지 변화를 예측한 것이다. 이와 같은 변화가 현실화될 때 우리나라에서 나타날 현상에만 'V'를 표시한 학생은?

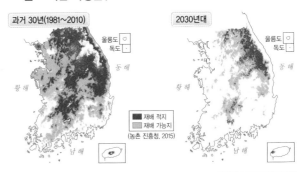

재배 적지
재배 가능지
(농촌 진흥청, 2015)

| 현상＼학생 | 갑 | 을 | 병 | 정 | 무 |
|---|---|---|---|---|---|
| 봄꽃의 개화 시기가 늦어질 것이다. | V | V | | | |
| 한류성 어종의 어획량이 감소할 것이다. | V | | V | V | V |
| 고산 식물의 분포 범위가 늘어날 것이다. | | | | V | V |
| 농작물의 재배 북한계선이 북상할 것이다. | | V | V | | V |

① 갑　　② 을　　③ 병　　④ 정　　⑤ 무

**09** 그래프는 우리나라의 온실 기체 감축 목표를 나타낸 것이다. 이를 실현하기 위한 정부의 정책으로 적절하지 <u>않은</u> 것은?

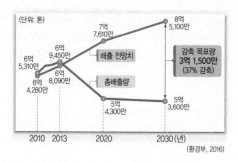

① 신·재생 에너지의 이용을 확대한다.
② 기후 변화 감시 및 예보 시스템을 구축한다.
③ 자원 절약형 산업을 육성하는 정책을 시행한다.
④ 석유, 석탄 등 해외 자원을 개발하기 위해 노력한다.
⑤ 배출권 거래제를 도입하여 온실 기체 배출량을 줄인다.

### C 식생과 토양 및 인간과 자연의 지속 가능성

☆출제가능성90%☆
**10** 지도는 우리나라 식생의 수평·수직적 분포를 나타낸 것이다. 이에 대한 설명으로 옳지 <u>않은</u> 것은?

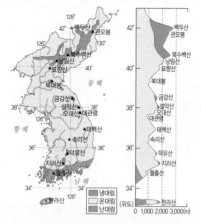

① 우리나라에서 가장 넓게 분포하는 식생은 온대림이다.
② 위도가 높아질수록 냉대림의 고도 하한선이 낮아진다.
③ 백두산은 한라산보다 식생의 수직적 분포가 다양하다.
④ 위도에 따른 기온 차이는 식생의 수직적 분포에 영향을 준다.
⑤ 남해안 일대와 제주도에는 동백나무와 같은 난대림이 분포한다.

**11** 지도는 우리나라의 토양 분포를 나타낸 것이다. A~E 토양의 특징으로 옳은 것은?

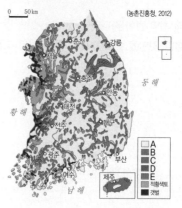

① A는 토양의 생성 기간이 짧아 층리 발달이 미약하다.
② B는 기반암(모암)의 특성을 반영하는 간대토양으로 주로 고생대 지층에 분포한다.
③ C는 하천이 운반·퇴적한 물질로 구성된 토양으로 비옥하다.
④ D는 주로 기후와 식생의 영향으로 형성된 토양으로 붉은색을 띤다.
⑤ E는 주로 간척지에 분포하며 토양 내 염분이 많이 포함되어 있다.

**12** 다음에 제시된 사업이 확산될 경우 기대할 수 있는 효과만을 〈보기〉에서 있는 대로 고른 것은?

> 도시 농업은 개인 소비, 여가 활용, 공동체 회복 등 다양한 목적에서 이루어진다. 도시 농업을 통해 주민들은 더욱 신선하고 안전한 농산물을 얻을 수 있으며, 이웃 주민들과의 교류도 확대할 수 있다.

↑ 학교 옥상 텃밭

보기
ㄱ. 열섬 현상이 완화될 것이다.
ㄴ. 대기 정화 효과가 나타날 것이다.
ㄷ. 열대야 발생 일수가 감소할 것이다.
ㄹ. 도시와 농촌 간의 기온 차가 증가할 것이다.

① ㄱ, ㄷ    ② ㄴ, ㄹ    ③ ㄱ, ㄴ, ㄷ
④ ㄱ, ㄴ, ㄹ    ⑤ ㄴ, ㄷ, ㄹ

# 3단계 등급 올리기

## 01 자료의 (가), (나) 자연재해에 대한 설명으로 옳은 것은?

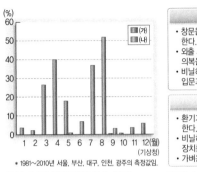

| | (가) |
|---|---|
| | • 창문을 닫고 공기 정화기를 사용한다.<br>• 외출 시 보호 안경, 마스크, 긴 소매 의복을 착용한다.<br>• 비닐하우스, 온실 등 시설물의 출입문과 환기창을 닫는다. |

| | (나) |
|---|---|
| | • 환기가 잘 되도록 출입문을 개방한다.<br>• 비닐하우스, 축사 천장 등에 분무 장치를 설치한다.<br>• 가벼운 옷차림을 한다. |

⬆ (가), (나)의 월별 발생 횟수 비중　　⬆ (가), (나)의 재해 대응 행동 요령

① (가)는 북동풍이 태백산맥을 넘으면서 발생한다.
② (가)를 대비한 전통 가옥 시설로 우데기가 있다.
③ (나)는 열대 해상에서 발생하여 고위도로 북상한다.
④ (나)는 남고북저형 기압 배치가 전형적으로 나타나는 계절에 주로 발생한다.
⑤ 최근 (가), (나)의 피해 규모가 점차 줄어들고 있다.

---

2019 평가원 응용　★최고난도

## 02 다음은 수업 시간의 한 장면이다. 교사의 질문에 옳게 답변한 학생을 〈보기〉에서 고른 것은?

| 기후 변화 전망 | | |
|---|---|---|
| 구분 | 결빙 일수(일) | 식물 성장 가능 기간(일) |
| 1981~2010년 | 21.0 | 245.2 |
| 2021~2040년 | 13.9 | 253.7 |
| 2041~2070년 | 8.8 | 257.3 |

한반도에 이와 같은 변화가 나타날 때 예상되는 현상에 대해 발표해 보세요.

*식물 성장 가능 기간: 일 평균 기온이 5℃보다 높은 날이 6일 이상 지속된 첫 날부터 일 평균 기온이 5℃ 미만인 날이 6일 이상 지속된 첫 날까지 사이의 연중 일수 (기상청, 2017)

보기
갑: 내장산에서 단풍이 드는 시기가 빨라질 것입니다.
을: 대도시 지역의 열대야 발생 일수가 늘어날 것입니다.
병: 남부 지방에서 난대림의 분포 면적이 확대될 것입니다.
정: 동해에서 한류성 어종의 어획량은 증가하고 난류성 어종의 어획량은 감소할 것입니다.

① 갑, 을　　② 갑, 병　　③ 을, 병
④ 을, 정　　⑤ 병, 정

---

## 03 다음은 어느 토양에 대한 스무고개 대화 내용을 나타낸 것이다. (가)에 들어갈 질문으로 가장 적절한 것은?

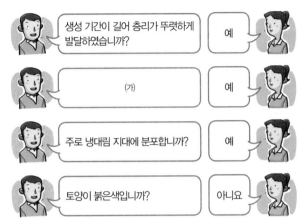

생성 기간이 길어 층리가 뚜렷하게 발달하였습니까?　예

(가)　예

주로 냉대림 지대에 분포합니까?　예

토양이 붉은색입니까?　아니요

① 기반암의 특성이 반영된 토양입니까?
② 서해안의 간척지에 주로 분포합니까?
③ 기후와 식생의 특성이 반영된 토양입니까?
④ 고생대 퇴적암 분포 지역에서 볼 수 있습니까?
⑤ 하천에 의해 운반된 물질이 퇴적된 토양입니까?

---

## 🌿 서술형 문제

## 04 다음 글을 읽고 물음에 답하시오.

• 경주에서 큰 ( ㉠ )(779년)이/가 일어나 가옥이 무너지고, 죽은 이가 100여 명이나 되었다.　- 「삼국사기」
• 울산 근처에서 큰 ( ㉠ )(1643년)이/가 발생하여 경상도, 전라도는 물론 한양에 이르기까지 전국적으로 ( ㉠ )이 이어졌다.　- 「조선왕조실록」
• 강원도에서 ( ㉠ )(1681년)이/가 일어났는데, 소리가 우레 같았고 담벼락이 무너졌으며 기와가 날아가 떨어졌다.　- 「조선왕조실록」

(1) ㉠에 공통으로 들어갈 용어를 쓰시오.

(2) ㉠으로 인한 피해를 줄이기 위한 대책을 두 가지 서술하시오.

# 01 촌락의 변화와 도시 발달

## A 촌락의 형성과 변화

### 1. 전통 촌락의 형성

(1) 전통 촌락의 특징: 주민의 대부분이 농업, 어업 등 1차 산업에 종사하며 식량 생산을 담당, 자연환경과 전통문화가 잘 보존된 지역

(2) 전통 촌락의 입지

① 주요 입지 요인 ┌─ 우리나라의 전통 촌락의 입지는 용수 확보, 농경지 분포 등 자연적 조건의 영향을 많이 받았다.

| 자연적 요인 | 지형, 기후, 물 등 |
| --- | --- |
| 사회·경제적 요인 | 교통, 산업, 방어 등 |

② 입지 특징: 풍수지리적 길지인 배산임수 조건을 갖춘 곳에 주로 입지함 → 최근 상업적 농업이 발달하면서 사회·경제적 조건의 중요성이 커지고 있음

③ 입지 요인에 따른 전통 촌락의 입지 유형

| 입지 요인 | | 사례 |
| --- | --- | --- |
| 물 | 용수 확보 | • 선상지의 선단에 마을 입지<br>• 제주도에는 해안의 용천대를 따라 취락 분포 |
| | 홍수 예방 | 범람원은 자연 제방에 취락 입지 |
| 교통 | 육상 | 육상 교통의 요지에 역원(驛院) 취락 형성 예 조치원, 역삼동, 이태원 등 |
| | 수상 | 하천이나 바다가 도로와 접하는 곳에 나루터 취락 형성 예 노량진, 삼랑진, 마포 등 |
| 방어 | | 지형적으로 방어에 유리한 지역이나 국경 및 해안 지역에 병영촌 발달 예 남한산성, 통영, 중강진 등 |

### 2. 전통 촌락의 기능과 경관

(1) 기능에 따른 분류

| 농촌 | • 농경지와 산지가 만나는 곳에 주로 위치함<br>• 주로 벼농사가 이루어지며, 집촌을 이루는 경우가 많음 |
| --- | --- |
| 어촌 | 항구 뒤쪽 산지에 마을이 위치하고 주거지 주변에 경지가 있어 반농 반어촌을 이룸 |
| 산지촌 | • 경사가 급하고 경지가 좁은 산간 지역에 주로 위치함<br>• 주로 밭농사, 임산물 채취, 목축업이 이루어지며, 산촌을 이루는 경우가 많음 |

(2) 형태에 따른 분류

| 집촌(集村) | 산촌(散村) |
| --- | --- |
| • 특정 장소에 가옥이 밀집하여 분포<br>• 집단 방어나 협동 작업의 필요성이 큰 지역에 분포, 혈연 중심의 동족촌 형성<br>• 가옥과 경지의 결합도가 낮음 | • 가옥이 흩어져 분포하여 밀집도가 낮음<br>• 집단 방어나 협동 작업의 필요성이 작은 지역에 분포(밭농사나 과수원 지대, 새로 개간한 지역 등)<br>• 가옥과 경지의 결합도가 높음 |

## ★ 3. 촌락의 변화

(1) 촌락의 변화 원인: 1960년대 이후 산업화와 도시화에 따른 이촌 향도 현상의 가속화

(2) 촌락의 인구 변화 ┌─ 낮은 소득, 일자리 부족, 교육·의료·문화 시설 부족 등이 원인이다.

① 청장년층 중심의 인구 유출: 유소년층 인구 감소 및 노년층 인구 증가 → 폐교 증가, 노동력 부족에 따른 외국인 근로자 유입 ┌─ 다문화 가정 비중 증가의 원인이다.

② 연령대별 성비 불균형: 청장년층은 남초, 노년층은 여초 현상이 나타남 → 결혼 적령기 남초 현상으로 국제결혼 증가

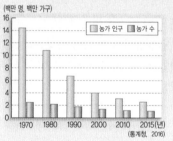

↟ 농가 인구 및 농가 수의 변화

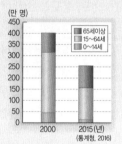

↟ 농가 인구 구조 변화

(3) 촌락의 기능 및 경관 변화

| 대도시에서 멀리 떨어진 촌락 | 농가 수 감소, 농가당 경지 면적 증가 → 영농의 기계화 확대, 소득 증대를 위한 친환경 농업 증가, 전자 상거래를 통한 도시와의 농산물 직거래 |
| --- | --- |
| 대도시와 인접한 근교 촌락 | 상업적 농업 확대, 2·3차 산업 비중 증가, 교통이 편리한 촌락에는 공장, 물류 창고, 아파트 등이 들어서 촌락과 도시 경관이 혼재 |

(4) 최근의 촌락 변화: 자연환경을 활용하여 여가 공간 및 체험 활동 기회 제공, 귀농·귀촌 시설 운영 등

## B 도시 발달과 도시 체계

### 1. 촌락과 도시의 관계

(1) 촌락과 도시의 특징

| 촌락 | 주민 대부분이 1차 산업에 종사하며, 도시에 비해 조방적 토지 이용이 나타남 |
| --- | --- |
| 도시 | 주민 대부분이 2·3차 산업에 종사하며, 집약적 토지 이용이 나타남(건물의 고층화 현상) |

(2) 촌락과 도시의 상호 보완성: 도시는 촌락에 재화와 서비스를 공급하며, 촌락은 도시에 농수산물과 축산물을 공급하고 도시민에게 휴식과 여가 공간을 제공함

(3) 최근의 변화: 인구 증가와 교통·통신의 발달로 도시와 촌락의 관계가 더욱 긴밀해지고 있음 → 도시와 촌락의 상호 의존적인 발전을 위해 도농 통합시 출범

└─ 생활권이 같은 도시와 농어촌이 하나로 합쳐져 광역 생활권을 갖춘 도시

★ 표시는 시험 전에 확인해 주세요.

## ★ 2. 우리나라의 도시 발달

| 일제<br>강점기 | • 초기: 쌀 수출항인 군산, 목포 등이 도시로 성장<br>• 후기: 병참 기지화 정책으로 중화학 공업과 광업이 발달한 관북 해안 지역 도시 성장 |
|---|---|
| 광복 후~<br>1950년대 | 귀국한 재외 동포와 전쟁으로 월남한 주민들이 도시에 정착하면서 도시 성장이 뚜렷해짐 |
| 1960년대 | 경제 개발 정책과 산업화에 따른 이촌 향도의 심화로 도시화가 급속하게 진행 → 도시로 인구가 집중되면서 서울, 부산, 대구 등 대도시가 빠르게 성장 |
| 1970년대 | • 도시 인구가 촌락 인구보다 많아지고 광주, 대전 등 지방 중심 도시 성장<br>• 수출 위주의 공업화 정책 추진 → 남동 임해 지역의 항구를 중심으로 포항, 울산, 창원, 여수 등 공업 도시 발달 |
| 1980년대<br>이후 | 대도시의 과밀 완화를 위해 인구 분산 정책 시행 → 서울, 부산 등 대도시 주변에 신도시와 위성 도시 성장 |

● 우리나라는 1960년대 산업화와 더불어 급속한 도시화가 진행되었다. 현재는 도시화율이 90%를 넘어서 도시화의 종착 단계에 있다.

◐ 우리나라의 도시화율 변화

### 3. 도시 체계

(1) 의미: 도시 간 상호 작용에 의해 나타나는 도시 간의 계층 질서┐ • 인구 규모별로 도시 순위를 배열하거나 도시 간 교통량, 인터넷망을 이용한 정보 유통 등을 통해 살펴볼 수 있다.

(2) 도시(중심지)와 계층 구조

| 구분 | 최소<br>요구치 | 재화의<br>도달 범위 | 중심지<br>기능 | 중심지<br>수 | 중심지 간<br>거리 |
|---|---|---|---|---|---|
| 고차 중심지 | 크다 | 넓다 | 많다 | 적다 | 멀다 |
| 저차 중심지 | 작다 | 좁다 | 적다 | 많다 | 가깝다 |

### ★ (3) 우리나라의 도시 체계

① 특징: 서울을 중심으로 한 수직적 도시 체계를 이루고 있음, 서울은 인구와 기능이 집중하여 종주 도시화 현상이 나타남

② 도시 체계 개선 노력: 수직적 도시 체계 완화, 균형 있는 도시 체계 조성 → 중추 도시 생활권 육성, 혁신 도시 건설

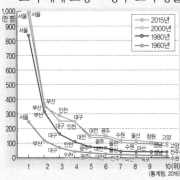

1위 도시의 인구 규모가 2위 도시 인구의 두 배 이상이 되는 현상

◐ 인구 증가에 따른 도시 순위 변화 | 2015년 도시 인구는 서울이 가장 많고 다음으로 부산이 많다. 과거 지방의 중심 도시였던 전주와 목포 등의 순위는 낮아졌고, 공업 도시인 울산과 창원, 위성 도시인 고양과 성남 등은 순위가 높아졌다.

---

## 1단계 개념 짚어 보기

🌱 정답과 해설 17쪽

**01** 다음 설명이 맞으면 ○표, 틀리면 ×표를 하시오.

(1) 범람원에서는 홍수의 피해를 줄일 수 있는 자연 제방에 마을이 입지하는 경우가 많다. (　　　)

(2) 촌락에서는 청장년층의 인구 유출이 많아지면서 폐교 증가, 노동력 부족 등의 문제가 나타났다. (　　　)

(3) 1980년대 이후 이촌 향도 현상이 나타나면서 대도시 주변에 대도시의 기능을 분담하는 도시들이 등장하였다. (　　　)

(4) 산촌(散村)은 농경지와 가옥의 결합도가 낮아 농경지를 관리하는 데 어려움이 있으며 협동 노동에도 불리하다. (　　　)

**02** 취락의 입지 요인에 따른 대표적인 취락 입지 사례를 〈보기〉에서 골라 기호를 쓰시오.

> **보기**
> ㄱ. 마포　　ㄴ. 통영　　ㄷ. 노량진
> ㄹ. 역삼동　ㅁ. 조치원　ㅂ. 중강진

(1) 방어(병영촌) (　　　)
(2) 육상 교통(역원 취락) (　　　)
(3) 수상 교통(나루터 취락) (　　　)

**03** 다음 빈칸에 들어갈 내용을 쓰시오.

(1) 협동 노동이 필요한 벼농사 지대는 가옥이 밀집하여 분포하는 (　　　　)이 형성되는 경우가 많다.

(2) 우리나라는 1960년대부터 급속한 도시화가 진행되었으며, 현재는 도시화의 (　　　　) 단계에 있다.

(3) 서울은 우리나라의 최상위 계층 도시로, 인구와 기능이 집중하여 (　　　　) 현상이 나타나고 있다.

(4) 생활권이 같은 도시와 농어촌이 하나로 합쳐져 하나의 광역 생활권을 이루는 도시를 (　　　　)라고 한다.

**04** ㉠, ㉡에 들어갈 내용을 각각 쓰시오.

> 우리나라는 1970년대 이후에 (㉠　　　) 위주의 공업화 정책이 추진되면서 (㉡　　　) 지역의 항구를 중심으로 포항, 울산, 창원, 광양, 여수 등의 공업 도시가 발달하였다.

## A 촌락의 형성과 변화

**01** 지도에 표시된 (가) 마을의 특징으로 옳지 <u>않은</u> 것은?

① 집촌의 형태를 띠고 있다.
② 용수 및 땔감 확보에 유리하다.
③ 배산임수의 지형에 입지하고 있다.
④ 범람원의 자연 제방에 촌락이 자리하고 있다.
⑤ 육로를 통한 외부와의 소통이 원활한 곳에 입지해 있다.

**02** 다음은 전통 촌락의 입지를 주제로 한 지리 학습 과제의 일부이다. ㉠~㉢에 대한 설명으로 옳은 것은?

### 전통 촌락의 입지

| 구분 | | | 입지 요인 |
|---|---|---|---|
| 자연적 조건 | ㉠ | | 배수가 양호하고 홍수의 위험이 적음 |
| | ㉡ | | 물을 얻기 쉬움 |
| | 하안 단구 | | 평탄하여 농경에 유리함 |
| 사회·경제적 조건 | 교통 | ㉢ | 관리와 여행자에게 숙식 제공 |
| | | ㉣ | 선착장 주변에 마을이 형성됨 |
| | ㉤ | | 군대가 주둔했던 지역에 발달함 |

① ㉠은 범람원의 배후 습지이다.
② ㉡은 제주도의 내륙 지역에서 주로 볼 수 있다.
③ ㉢의 사례로는 역삼동, 이태원, 조치원 등이 있다.
④ ㉣의 사례로는 중강진, 통영 등이 있다.
⑤ ㉤은 주로 혈연 중심의 동족촌을 이루고 있다.

출제가능성 90%
**03** 다음은 촌락의 인구 변화에 관한 자료이다. 이를 통해 추론할 수 있는 내용으로 옳은 것을 〈보기〉에서 고른 것은?

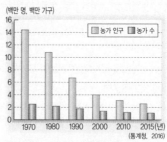
↑ 농가 인구 및 농가 수의 변화

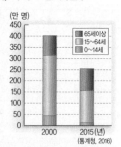
↑ 농가 인구 구조 변화

> **보기**
> ㄱ. 노령화 지수가 증가했을 것이다.
> ㄴ. 노동력 부족 문제가 심각해졌을 것이다.
> ㄷ. 농가당 경지 면적이 줄어들었을 것이다.
> ㄹ. 농가의 가구당 인구수가 증가했을 것이다.

① ㄱ, ㄴ      ② ㄱ, ㄷ      ③ ㄴ, ㄷ
④ ㄴ, ㄹ      ⑤ ㄷ, ㄹ

**04** (가)~(다)와 같은 농촌 체험 프로그램을 경험할 수 있는 지역을 지도의 A~D에서 골라 옳게 연결한 것은?

| (가) | 산지촌으로 여름 기온이 평지에 비해 낮은 자연적 조건을 갖추고 있어 고랭지 채소 수확 체험을 할 수 있다. |
|---|---|
| (나) | 지역 특화 농산물인 치즈를 활용하여 피자 만들기 등 다양한 체험 활동을 할 수 있으며 각종 유제품도 맛볼 수 있다. |
| (다) | 유네스코 세계 문화유산으로 등재된 지역으로 전통 마을 경관이 잘 보존되어 있어 고택과 전통문화 체험 등을 즐길 수 있다. |

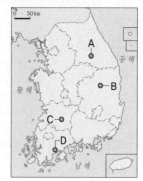

| | (가) | (나) | (다) |
|---|---|---|---|
| ① | A | B | D |
| ② | A | C | B |
| ③ | B | A | C |
| ④ | C | D | A |
| ⑤ | C | D | B |

**05** 밑줄 친 ㉠~㉣에 대한 설명으로 옳지 <u>않은</u> 것은?

> 촌락은 기능에 따라 그 특성과 경관이 다르게 나타난다. 농업 활동을 주로 하는 ㉠ <u>농촌</u>은 협동 노동의 필요성이 커 가옥이 밀집하여 분포하는 ㉡ <u>집촌(集村)</u>을 이루는 경우가 많다. ㉢ <u>어촌</u>은 주로 해안 지역에서 항구를 중심으로 밀집해 있다. 산지촌은 경사가 급하고 경지가 좁아서 주민의 상당수는 밭농사, 임산물 채취, 목축업 등을 하며 생활한다. 산지촌은 가옥이 드문드문 흩어져 분포하는 ㉣ <u>산촌(散村)</u>인 경우가 많다.

① ㉠은 주로 농경지와 배후 산지가 만나는 산록면에 입지한다.
② ㉡은 용수 확보가 제한된 지역에서도 볼 수 있다.
③ ㉢은 순수 어촌보다는 반농 반어촌의 비율이 높다.
④ ㉣은 주로 산간 지대나 새롭게 개간한 지역에서 볼 수 있다.
⑤ ㉡은 ㉣보다 가옥과 경지 간의 거리가 더 가깝다.

## B 도시 발달과 도시 체계

**06** 그래프는 우리나라의 도시화율 변화를 나타낸 것이다. 이에 대한 분석 및 추론으로 옳은 것을 〈보기〉에서 고른 것은?

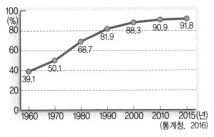

> **보기**
> ㄱ. 1970년~1990년의 기간은 가속화 단계에 해당한다.
> ㄴ. 1960년대에는 농촌 인구가 도시 인구보다 많았을 것이다.
> ㄷ. 1970년대보다 2000년 이후에 이촌 향도 현상이 더 심했을 것이다.
> ㄹ. 2000년 이후의 도시화율이 정체된 것은 교외화 현상이 가장 주된 원인이다.

① ㄱ, ㄴ    ② ㄱ, ㄹ    ③ ㄴ, ㄷ
④ ㄴ, ㄹ    ⑤ ㄷ, ㄹ

**07** 다음은 우리나라 도시 발달 과정을 정리한 것이다. ㉠~㉤에 대한 설명으로 옳은 것은?

> 구한말과 일제 강점기에는 철도가 부설되면서 철도역을 중심으로 ( ㉠ ) 등이 새롭게 도시로 성장하였다. 일제 강점기 후기에는 병참 기지화 정책으로 ( ㉡ )이/가 발달한 흥남, 청진, 원산 등이 도시로 성장하였다. 광복 이후에는 귀국한 동포와 6.25 전쟁으로 월남한 주민들이 도시에 정착하면서 도시가 성장했으며, 1960년대 이후 ㉢ <u>이촌 향도</u> 현상이 가속화되면서 서울, 부산, 대구 등의 대도시의 성장이 두드러졌다. 또한 포항, 울산, 창원 등 ㉣ <u>남동 임해</u> 지역의 공업 도시들도 성장하였다. 1990년대 이후에는 대도시 주변에 대도시의 기능을 분담하는 위성 도시와 ㉤ <u>신도시</u>들이 급성장하기 시작하였다.

① ㉠에는 군산, 목포 등의 도시가 들어갈 수 있다.
② ㉡에 들어갈 말은 '노동 집약적 경공업'이다.
③ ㉢은 교외화 현상으로 인해 나타났다.
④ ㉣의 성장은 정책적 투자가 영향을 주었다.
⑤ ㉤은 대부분 자족 기능이 강한 도시들이다.

출제가능성90%
**08** 지도는 우리나라의 도시 발달과 도시 인구의 변화를 나타낸 것이다. 이에 대한 옳은 분석을 〈보기〉에서 고른 것은?

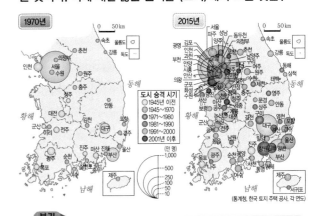

> **보기**
> ㄱ. 지방 중소도시의 성장이 두드러졌다.
> ㄴ. 도시 인구 분포의 지역 차가 완화되었다.
> ㄷ. 대도시 주변에 신도시의 성장이 두드러졌다.
> ㄹ. 경부축을 중심으로 도시 성장이 진행되었다.

① ㄱ, ㄴ    ② ㄱ, ㄷ    ③ ㄴ, ㄷ
④ ㄴ, ㄹ    ⑤ ㄷ, ㄹ

**09** 그림은 중심지 이론에 따른 도시 계층 구조를 나타낸 것이다. A~C 중심지에 대한 설명으로 옳은 것은?

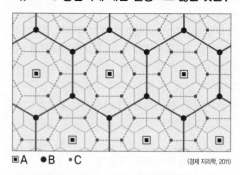

■A　●B　·C

(경제 지리학, 2011)

① 중심지의 수는 A가 가장 많다.

② 중심지 간의 거리는 A가 B보다 멀다.

③ B는 A보다 다양한 중심지 기능을 보유하고 있다.

④ 고급 서비스 기능은 A보다 C에 더 많이 입지한다.

⑤ 최소 요구치는 C > B > A 순으로 크게 나타난다.

**10** (가)에 들어갈 내용으로 적절하지 <u>않은</u> 것은?

우리나라는 1995년 32개 통합시가 탄생한 이후 지금까지 56개의 도농 통합시가 만들어졌다. 도농 통합시는 생활권이 같은 도시와 농어촌이 하나로 합쳐져 광역 생활권을 갖춘 도시이다. 이와 같은 행정 구역의 통합으로 _____(가)_____ 등의 효과를 기대할 수 있다.

↑ 도농 통합시 분포

① 농촌 생활 수준 향상

② 도시의 과밀 문제 해소

③ 도시의 무질서한 팽창 억제

④ 주민 생활권과 행정 구역의 일치

⑤ 지방 도시와 배후 농촌의 경쟁력 강화

출제가능성 90%

**11** 자료의 (가)~(다) 도시를 비교한 설명으로 옳은 것은?

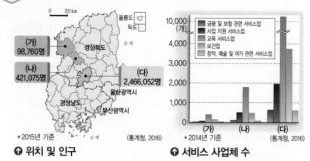

↑ 위치 및 인구　　↑ 서비스 사업체 수

① 인구 밀도는 (가)가 (나)보다 더 높다.

② 종합병원과 대학 등의 고차 기능은 (가)가 (나)보다 더 많이 보유하고 있다.

③ (가) 규모의 도시보다 (다) 규모의 도시 수가 더 많다.

④ (나)가 (다)보다 배후지의 면적이 더 좁다.

⑤ (나) 규모의 도시 간의 거리가 (다) 규모의 도시 간의 거리보다 멀다.

**12** 그래프는 도시별 인구 증가 추이를 나타낸 것이다. 이에 대한 설명으로 옳지 <u>않은</u> 것은?

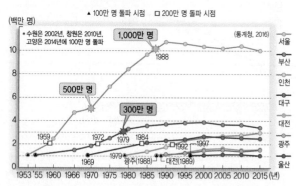

① 2000년 이후 주요 대도시의 인구는 정체되고 있다.

② 1955년부터 종주 도시화 현상이 나타나기 시작하였다.

③ 최근 서울의 인구 감소는 신도시의 성장과 관계가 있다.

④ 1990년 이후 인천의 인구 성장은 행정 구역 개편의 영향을 받았다.

⑤ 1970~1990년 사이에 부산의 인구 성장은 이촌 향도 현상이 주 원인이다.

# 3단계 등급 올리기

**01** 그래프는 ○○군의 연령별 인구 변화를 나타낸 것이다. 1990년과 비교한 2015년의 상대적 인구 특성을 그림의 A~E에서 고른 것은?

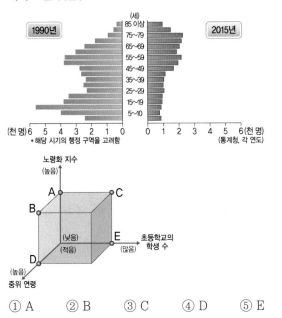

① A  ② B  ③ C  ④ D  ⑤ E

★★★
최고난도

**02** 그래프는 인구 성장에 따른 도시 순위 변화를 나타낸 것이다. 이에 대한 설명으로 옳은 것은?

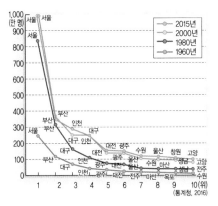

① 1960년에는 종주 도시화 현상이 나타나지 않았다.
② 2015년에는 수도권 도시가 10대 도시의 절반을 차지하고 있다.
③ 2015년 서울의 인구는 광역시의 인구를 모두 합한 것보다 많다.
④ 1960년과 2000년 모두 수도권 신도시가 10대 도시에 포함되어 있다.
⑤ 1980년~2015년 사이 인천의 인구 증가율이 광주의 인구 증가율보다 높다.

2017 수능 응용

**03** 그래프는 우리나라의 인구 규모별 도시 수와 도시 인구 비중 변화를 나타낸 것이다. 이에 대한 분석으로 옳지 않은 것은?

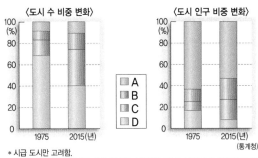

\* 시급 도시만 고려함.
\*\* A~D는 20만 명 미만, 20~50만 명, 50~100만 명, 100만 명 이상 도시군 중 하나임

① 20만 명 미만 도시군의 도시 수 비중은 감소하였다.
② 100만 명 이상 도시군의 도시 인구 비중은 증가하였다.
③ 도시 인구 비중의 증가 폭은 C 도시군이 가장 크다.
④ A는 100만 명 이상, D는 20만 명 미만 도시군에 해당한다.
⑤ B 도시군의 도시들은 D 도시군의 도시들보다 다양한 중심지 기능을 보유하고 있다.

## 🌸 서술형 문제

**04** (가), (나)는 가옥의 밀집도에 따라 촌락을 구분한 것이다. 이를 보고 물음에 답하시오.

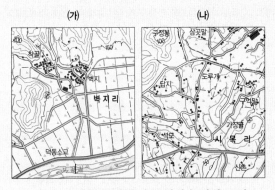

(1) (가), (나) 촌락의 형태에 따른 명칭을 각각 쓰시오.

(2) (가) 촌락과 비교한 (나) 촌락의 분포 특징을 자연적 조건과 연결지어 서술하시오.

# 02 도시 구조와 대도시권

## A 도시 지역 분화와 도시 내부 구조

### 1. 도시 지역 분화의 원인과 과정

(1) **도시 내부의 지역 분화**: 도시가 성장하고 기능이 다양해지면서 비슷한 종류의 기능이 집적되거나 분산되어 도시 내부가 각기 다른 지역으로 나뉘는 현상 ┘ 소도시보다 대도시에서 뚜렷하게 나타난다.

(2) **지역 분화의 원인**: 접근성과 지대의 차이

| 접근성 | 여러 지역에서 특정 지역이나 시설에 도달하기 쉬운 정도 → 교통이 편리한 지역일수록, 도시의 중심부일수록 접근성이 높음 |
|---|---|
| 지대 | 건물이나 토지를 이용하여 얻을 수 있는 수익이나 대가 → 접근성이 높은 지역일수록 지가와 지대가 높음 |

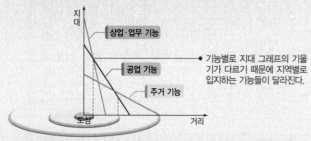

• 기능별로 지대 그래프의 기울기가 다르기 때문에 지역별로 입지하는 기능들이 달라진다.

⬆ **도시 내 기능별 지대 변화** | 도심에서 주변 지역으로 갈수록 접근성과 지대가 낮아지며 지대 지불 능력에 따라 상업·업무 기능, 공업 기능, 주거 기능 등이 적절한 위치에 입지하는 공간적 분화가 이루어진다.

(3) **지역 분화 과정**: 비슷한 종류의 기능이 특정 공간에 집적되면서 기능 지역으로 분화됨 → 집심 현상과 이심 현상 발생

| 집심 현상 | 지대 지불 능력이 높은 상업·업무 기능이 접근성이 높은 도심으로 집중하는 현상 ⑩ 대기업 본사, 은행 본점, 호텔, 백화점, 관공서, 언론사 등의 도심 집중 |
|---|---|
| 이심 현상 | 상대적으로 지대 지불 능력이 낮은 주거 기능이나 공업 기능이 도심을 떠나 주변 지역으로 분산되는 현상 ⑩ 주거 단지, 학교, 공장 등의 외곽 이동 |

### ★ 2. 도시 내부 구조

(1) **도심과 부도심**

| 도심 | • 접근성이 가장 좋은 곳으로 지대와 지가가 매우 높음 → 토지 이용이 집약적으로 이루어짐(건물의 고층화)<br>• 중추 관리 기능, 고급 서비스업 및 전문 상업 기능이 집중 → 중심 업무 지구(CBD) 형성<br>• 도심의 주거 기능 약화로 상주인구 밀도가 감소하여 인구 공동화 현상 발생 → 출퇴근시 교통 혼잡<br>• 서울의 중구와 종로구, 부산의 중구 등 |
|---|---|
| 부도심 | • 도심과 주변 지역을 연결하는 교통의 결절점에 형성됨<br>• 도심에 집중된 상업 및 서비스 기능을 일부 분담하여 도심의 과밀화와 교통 혼잡을 완화함<br>• 백화점, 금융 기관, 각종 편의 시설이 들어서 상업 및 유흥·오락 기능을 분산 수용함<br>• 서울의 신촌, 잠실, 강남, 영등포 등과 부산의 해운대, 동래 등 |

(2) **중간 지역과 주변 지역**

두 지역의 사이에 두 지역의 특성이 모두 나타나는 지역 •

| 중간 지역 | • 도심과 주변 지역 사이에 위치한 지역으로 주택과 상가, 공장 등이 혼재되어 있음<br>• 도시 팽창 과정에서 도심으로부터 빠져 나온 구시가지의 기능이 분화되지 않아 점이 지대를 이룸<br>• 주거 환경이 열악한 곳은 도시 미관을 개선하고 토지 이용의 효율성을 높이기 위해 재개발이 이루어지기도 함 |
|---|---|
| 주변 지역 | • 신흥 주거 지역(고급 주택, 대규모 아파트 단지)이 형성되는 경우가 많으며, 도심으로부터 이전해 온 공업 지역이 나타나기도 함<br>• 일부 지역은 도시 경관과 농촌 경관이 혼재되어 나타남 |
| 개발 제한 구역 | • 도시의 무질서한 팽창을 억제하고 녹지 공간을 보전하기 위해 설정함<br>• 개인의 사유 재산권 행사가 제한됨 |

⬆ **도시 내부 구조**

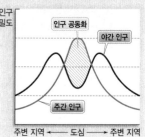

⬆ **인구 공동화 현상**

┗ 주간에는 도심의 유동 인구가 급증하지만 야간에는 상주인구가 감소하여 주야간 인구 밀도 차이가 나타난다.

### 3. 도시의 확장과 다핵 도시로의 변화

| 소도시 | 도시 내부의 기능별 지역 분화가 이루어지지 않아 도심이 뚜렷하지 않고 배후지가 좁음 |
|---|---|

↓

| 중도시 | 도심 형성, 배후지 확장, 새로운 교통수단 등장 및 교통로 추가로 시가지 확대 |
|---|---|

↓

| 대도시 | 도시 과밀화로 인한 도시 문제 발생, 부도심이 형성되면서 도시 내부 구조의 다핵화, 새로운 중심지 등장으로 과거의 도심이 쇠퇴하기도 함 |
|---|---|

## B 대도시권의 형성과 확대

### 1. 대도시권의 형성

(1) **대도시권의 의미**: 기능적으로 밀접한 관계를 갖는 대도시와 그 주변 지역으로, 중심 도시에서 통근·통학이 가능한 범위

(2) **대도시권의 형성 과정**

| 급속한 산업화·도시화로 인구와 기능이 집중하여 집적 불이익이 발생함 | → | 주거와 공업 기능 등이 도시 외곽으로 분산되는 교외화 현상이 나타남 | → | 대도시와 주변 지역이 기능적으로 연결되어 일일생활권을 형성함 |
|---|---|---|---|---|

┗ 집값 상승, 교통 체증, 환경 오염 등

★ 표시는 시험 전에 확인해 주세요.

## ★ 2. 대도시권의 공간 구조

겸업농가의 비중이 높고 주민들이 도시로 통근하는 경우가 많다.

| 중심 도시 | | 대도시권의 중심 지역으로 주변 지역에 재화나 서비스를 제공함 |
|---|---|---|
| 통근 가능권 | 교외 지역 | 중심 도시와 연속된 지역으로 주거·공업·상업 기능을 수행하며, 도시적 토지 이용이 나타남 |
| | 대도시 영향권 | 도시 경관과 농촌 경관이 혼재하며 대도시와 기능적으로 밀접한 관련을 맺고 있음 |
| | 배후 농촌 지역 | 중심 도시로의 최대 통근 가능 지역, 근교 농촌으로 상업적 농업이 이루어짐 |
| 주말 생활권 | | 대도시권에 거주하는 사람들이 여가를 즐기기 위해 방문하는 농촌 지역 |

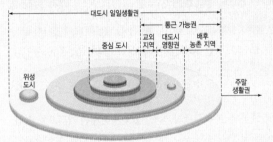

❶ **대도시권의 공간 구조** | 대도시권의 범위는 중심 도시로 통근할 수 있는 최대 통근권까지이며, 중심 도시를 둘러싼 교외 지역과 대도시 영향권, 배후 농촌 지역 등으로 구분된다. 교통이 발달하고 대도시가 성장하면 대도시권의 범위는 확대된다.

## 3. 대도시권의 확대와 변화

★ (1) 대도시권의 확대

① 배경: 교통수단의 발달과 교통망의 확충 → 대도시로의 이동이 편리해져 대도시 주변 지역으로 거주지가 확대

② 우리나라의 대도시권 확대: 1980년대 이후 서울의 과밀화를 해결하기 위해 주거와 공업 기능이 인천, 경기 일대로 분산됨 → 주택 문제 해결을 위해 신도시 건설, 주민들의 통근 편의를 위해 지하철·고속 국도 등 광역 교통망 확충

(2) 대도시권의 변화

| 토지 이용의 변화 | • 2·3차 산업 비중 증가로 대도시 주변의 경지 면적 감소 및 비농업적 토지 이용 확대<br>• 집약적 토지 이용으로 시설 재배 확대<br>• 대도시와의 접근성을 바탕으로 화훼·양계·낙농 등 상업적 영농 증가<br>• 대도시의 공업·상업·주거 시설이 주변으로 분산되면서 생활 편의 시설 증가<br>• 자연환경이 쾌적한 곳은 주말 농장, 숙박 시설 등 도시민들의 여가 공간으로 활용 |
|---|---|
| 주민 생활의 변화 | • 겸업농가 비율 증가<br>• 외지 인구 유입으로 주민 구성이 다양해지면서 공동체 의식 약화<br>• 대도시권의 급속한 개발로 지역의 전통 경관 및 자연환경 훼손 문제 발생 |

---

**01** 다음 설명이 맞으면 ○표, 틀리면 ×표를 하시오.

(1) 대도시권은 일반적으로 중심 도시에서 통근·통학이 가능한 범위를 말한다. ( )

(2) 대도시권이 형성되는 과정에서 도시 주변의 농촌 지역은 집약적 토지 이용이 이루어진다. ( )

(3) 도시 내부가 상업·업무 기능, 공업 기능, 주거 기능 등으로 분화되는 현상은 도시의 규모가 작을수록 뚜렷하게 나타난다. ( )

**02** ㉠, ㉡에 들어갈 내용을 각각 쓰시오.

> 지대 지불 능력이 높은 상업·업무 기능은 접근성이 높은 지역에 모여드는 (㉠ ) 현상이 나타나지만, 지대 지불 능력이 낮고 넓은 토지가 필요한 주거 및 공업 기능은 도시 외곽으로 빠져나가는 (㉡ ) 현상이 나타난다.

**03** 도시 내부를 구성하는 지역의 특징을 〈보기〉에서 골라 기호를 쓰시오.

> **보기**
> ㄱ. 도심           ㄴ. 부도심
> ㄷ. 중간 지역      ㄹ. 주변 지역

(1) 인구 공동화 현상이 나타난다. ( )

(2) 주택, 상가, 공장 등이 혼재하며, 점이 지대를 이룬다. ( )

(3) 도심과 주변 지역을 연결하는 교통의 결절점에 형성된다. ( )

(4) 대규모 주거 지역이 형성되는 경우가 많으며 주간 인구 지수가 낮다. ( )

**04** 표는 대도시권의 공간 구조를 정리한 것이다. ㉠~㉢에 들어갈 내용을 각각 쓰시오.

| (㉠ ) | 대도시권의 중심 지역, 주변에 재화나 서비스를 제공 |
|---|---|
| 교외 지역 | 주거·공업·상업 기능, 도시적 토지 이용이 나타남 |
| (㉡ ) | 도시 경관과 농촌 경관이 혼재, 대도시와 기능적으로 밀접한 관련을 맺고 있음 |
| 배후 농촌 지역 | 중심 도시로의 최대 (㉢ ) 가능 지역, 상업적 농업이 이루어짐 |
| 주말 생활권 | 도시 주민들이 여가를 즐기기 위해 방문함 |

## A 도시 지역 분화와 도시 내부 구조

**01** 지도는 부산시의 평균 지가 분포를 나타낸 것이다. (나) 지역과 비교한 (가) 지역의 상대적 특징을 그림의 A～E에서 고른 것은?

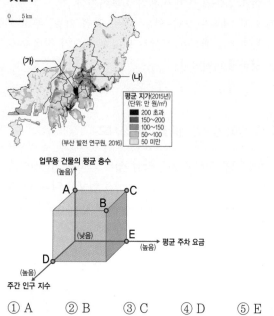

① A        ② B        ③ C        ④ D        ⑤ E

**02** 그래프는 도시 내부의 기능별 지대 변화를 나타낸 것이다. A～C에 대한 설명으로 옳은 것은? (단, A～C는 상업·업무, 주거, 공업 중 하나이다.)

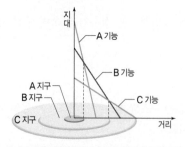

① 도시의 규모가 커지면 외곽에도 A 기능 지역이 발생한다.
② 탈공업화 사회로 가면서 B 지구의 면적은 넓어진다.
③ 접근성은 A 지구보다 B 지구가 더 높다.
④ A 기능이 B 기능에 비해 지대 지불 능력이 작다.
⑤ B와 C는 집심 현상이 나타나는 기능이다.

[03~04] 그림은 도시 내부 구조를 나타낸 것이다. 이를 보고 물음에 답하시오.

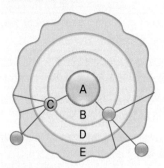

**03** <sub>출제가능성 90%</sub> (가)～(다)에서 설명하는 지역을 그림의 A～D에서 골라 옳게 연결한 것은?

| (가) | 도심과 주변 지역을 연결하는 교통의 결절점에 형성되며 도심의 역할을 분담한다. |
|---|---|
| (나) | 상대적으로 지대(지가)가 낮은 도시 외곽에 주거, 학교, 공장 등이 입지한다. |
| (다) | 도심 주변에 주택과 상가, 공장이 혼재된 지역으로 불량 주거 지역을 형성하기도 한다. |

|   | (가) | (나) | (다) |
|---|---|---|---|
| ① | A | C | D |
| ② | B | A | D |
| ③ | B | D | A |
| ④ | C | A | B |
| ⑤ | C | D | B |

**04** 위 그림의 E 지역에 대한 옳은 설명만을 〈보기〉에서 있는 대로 고른 것은?

〈보기〉
ㄱ. 녹지 공간을 보전하는 역할을 한다.
ㄴ. 최근 들어 면적이 점차 확대되고 있다.
ㄷ. 주민의 재산권 행사가 제한되는 문제가 있다.
ㄹ. 도시의 무질서한 팽창을 막기 위해 설정되었다.

① ㄱ, ㄷ        ② ㄴ, ㄹ        ③ ㄱ, ㄴ, ㄷ
④ ㄱ, ㄷ, ㄹ        ⑤ ㄴ, ㄷ, ㄹ

**05** 다음은 한국지리 수행평가 보고서의 일부이다. (가)에 들어갈 조사 주제로 가장 적절한 것은?

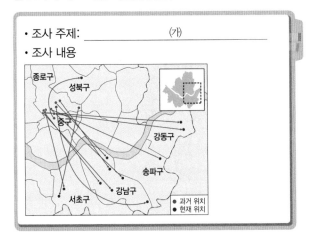

- 조사 주제: _____(가)_____
- 조사 내용

① 지가 상승으로 인한 대형 마트의 이전
② 주거 기능의 분산으로 인한 학교의 이전
③ 접근성 향상에 따른 상업·업무 기능의 확대
④ 도심의 상업·업무 기능 집중으로 인한 공장의 이전
⑤ 도심의 상업·업무 기능 집중으로 인한 금융 기관의 이전

---

## B 대도시권의 형성과 확대

☆출제가능성 90%

**07** 표는 대도시권의 공간 구조를 정리한 것이다. ㉠~㉤에 대한 설명으로 옳지 않은 것은?

| ㉠ 중심 도시 | 주변 지역에 재화와 서비스 제공 |
|---|---|
| 교외 지역 | 대도시에 인접한 지역 → ㉢ 주거, 상업, 공업 기능을 수행하며 도시적 토지 이용이 나타남 |
| ㉡ 대도시 영향권 | 도시 경관과 농촌 경관이 혼재, 대도시와 기능적으로 밀접한 관련을 맺고 있음 |
| ㉣ 배후 농촌 지역 | 중심 도시로의 최대 통근 가능 지역, 근교 농촌으로 상업적 농업이 이루어짐 |
| ㉤ | 도시 사람들의 별장이나 농장 등의 여가 공간으로 이용 |

① ㉠은 도심과 부도심이 발달한 다핵 구조를 이루고 있다.
② ㉡은 통근 가능권에 해당한다.
③ ㉢은 상업·업무 기능에 비해 지대 지불 능력이 낮다.
④ ㉣은 작물 재배시 노지 재배의 비중이 높다.
⑤ ㉤은 주말 생활권에 해당한다.

---

**06** 그래프는 도시 내부의 주·야간 인구 밀도를 나타낸 것이다. A 지역에 대한 옳은 설명을 〈보기〉에서 고른 것은?

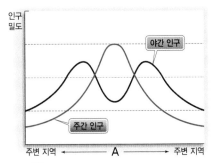

**보기**
ㄱ. 인구 공동화 현상이 나타난다.
ㄴ. 주간 인구 지수가 주변 지역보다 낮다.
ㄷ. 상주인구로 등록된 인구수가 주변 지역에 비해 많다.
ㄹ. 출퇴근 시간대에 이곳으로 진출·입하는 차량의 정체가 심하다.

① ㄱ, ㄴ　　② ㄱ, ㄹ　　③ ㄴ, ㄷ
④ ㄴ, ㄹ　　⑤ ㄷ, ㄹ

---

**08** 지도는 서울 주변에 건설된 신도시를 나타낸 것이다. 이에 대한 설명으로 옳지 않은 것은?

① 쾌적한 주거 환경을 갖추고 있다.
② 서울의 교외화 과정에서 등장하였다.
③ 대규모 아파트 단지가 건설되어 있다.
④ 대중교통을 이용해 서울로 출퇴근이 가능하다.
⑤ 주민의 대부분은 신도시 내에 직장을 두고 있다.

**09** (가)~(다)에서 설명하는 지역을 지도의 A~E에서 골라 옳게 연결한 것은?

| (가) | 저렴하고 넓은 부지와 편리한 교통 조건을 바탕으로 전자, 자동차, 제약 등의 공업이 발달하였다. |
|---|---|
| (나) | 수도권 1기 신도시로 인구 100만 명이 넘는 도시로 발전하였으며 대규모 아파트 단지가 조성되어 있다. |
| (다) | 농촌 경관이 많이 나타나는 곳으로 간선 도로를 따라 대형 쇼핑센터와 물류 센터 등도 입지하고 있다. |

| | (가) | (나) | (다) |
|---|---|---|---|
| ① | A | C | D |
| ② | B | D | E |
| ③ | C | B | A |
| ④ | D | A | E |
| ⑤ | E | B | C |

**10** 지도는 수도권의 주간 인구 지수를 나타낸 것이다. A 지역에 비해 B 지역의 수치가 상대적으로 높거나 많은 것을 〈보기〉에서 고른 것은?

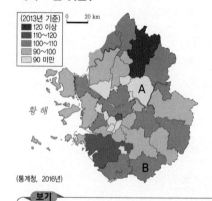

> **보기**
> ㄱ. 중위 연령　　　　ㄴ. 초등학교 학생 수
> ㄷ. 서울로의 통근자 수　　ㄹ. 1차 산업 종사자 비율

① ㄱ, ㄴ　　② ㄱ, ㄹ　　③ ㄴ, ㄷ
④ ㄴ, ㄹ　　⑤ ㄷ, ㄹ

출제가능성 90%

**11** 지도는 수도권 지하철 노선의 변화를 나타낸 것이다. 이러한 변화로 나타난 결과에 대한 추론으로 옳은 것은?

① 서울의 인구가 증가했을 것이다.
② 서울의 영향력이 축소되었을 것이다.
③ 서울 주변 지역의 지가가 하락했을 것이다.
④ 서울로 집중되는 교통량이 분산되었을 것이다.
⑤ 서울 주변 농촌의 겸업농가의 비중이 높아졌을 것이다.

**12** 다음은 대도시 인근의 ○○시의 변화를 나타낸 것이다. 1995년과 비교한 2015년의 상대적 특징으로 옳은 것은?

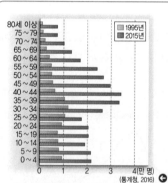

○ ○○시의 인구 변화

비옥한 평야와 질 좋은 쌀로 유명한 ○○는 1998년 도농 통합시로 승격되었다. ○○시는 수도권 서북부의 균형 발전을 위한 개발 거점으로 성장해 왔으며, 기반 시설 확충 및 주택 공급을 목적으로 한 대단위 택지 개발로 인구가 급증하였다.

① 지가가 더 낮다.
② 주민들의 직업이 더 다양하다.
③ 대기 환경의 질이 더 양호하다.
④ 농업 종사자의 비중이 더 높다.
⑤ 주민들 간의 공동체 의식이 더 강하다.

# 3단계 등급 올리기

**01** 그래프는 서울의 구(區)별 주간 인구와 상주인구를 나타낸 것이다. (개)구와 비교한 (내)구의 상대적 특성으로 옳은 것은?

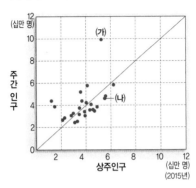

① 상업 용지의 평균 지가가 높다.
② 거주자의 평균 통근 거리가 짧다.
③ 생산자 서비스 사업체 수가 많다.
④ 출근 시간대 순 유출 인구가 많다.
⑤ 인구 공동화 현상이 뚜렷하게 나타난다.

**03** 지도는 대도시 주변의 통근·통학률을 나타낸 것이다. A∼C에 해당하는 지역에 대한 설명으로 옳은 것은?

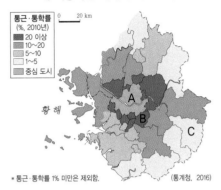

\* 통근·통학률 1% 미만은 제외함. (통계청, 2016)

① 최근 10년간 인구 증가율은 A가 B보다 높다.
② 주간 인구 지수는 B가 A보다 높다.
③ 전업농가의 비율은 B가 C보다 높다.
④ 초등학교의 수는 B가 C보다 많다.
⑤ 단위 면적당 상업 시설의 수는 C가 B보다 많다.

---

**2018 평가원 응용** ★최고난도

**02** 그래프는 지도에 표시된 세 지역의 용도별 토지 이용 비중을 나타낸 것이다. (개)∼(대) 지역에 대한 추론으로 적절한 것을 〈보기〉에서 고른 것은?

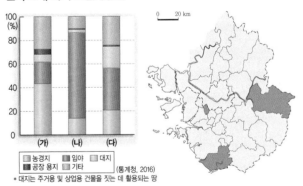

\* 대지는 주거용 및 상업용 건물을 짓는 데 활용되는 땅

**보기**
ㄱ. (개)는 (내)보다 2차 산업 종사자 비율이 높을 것이다.
ㄴ. (개)는 (대)보다 서울로의 통근·통학률이 높을 것이다.
ㄷ. (내)는 (대)보다 도시적 경관이 뚜렷할 것이다.
ㄹ. (대)는 (내)보다 녹지 공간 비율이 낮을 것이다.

① ㄱ, ㄴ     ② ㄱ, ㄹ     ③ ㄴ, ㄷ
④ ㄴ, ㄹ     ⑤ ㄷ, ㄹ

## 서술형 문제

**04** 그림은 대도시권의 공간 구조를 나타낸 것이다. 이를 보고 물음에 답하시오.

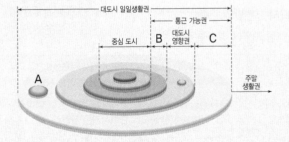

(1) A∼C의 명칭을 각각 쓰시오.

(2) A∼C 지역의 특징을 구분하여 서술하시오.

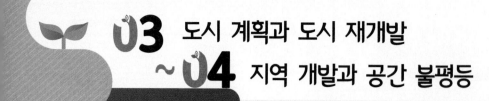

# 03 도시 계획과 도시 재개발
# ~04 지역 개발과 공간 불평등

## A 도시 계획

### 1. 도시 계획의 의미와 목적
(1) **도시 계획**: 도시의 주거 환경을 개선하고 여러 기능을 합리적으로 배치하기 위한 계획안을 수립하여 시행하는 것
(2) **도시 계획의 목적**: 급속한 산업화·도시화로 발생한 도시 문제의 완화 및 해소, 난개발을 방지하고 도시 경관을 정비하여 주민의 삶의 질 향상

### 2. 우리나라의 도시 계획

> 토지와 건물의 용도에 일정한 제한을 가하여 각 지역에 적합한 용도로 쓰이도록 지정된 지역

| 1970년대 | 도시 계획법에서 용도 지역의 종류를 세분화하고 개발 제한 구역을 설정함 |
|---|---|
| 1980년대 | 도시 문제에 장기적으로 대처하기 위해 20년 단위의 도시 기본 계획을 제도화함(1981년) |
| 1990년대 이후 | 지역 간 균형, 삶의 질, 환경 등을 도시 계획에 반영, 최근 지역 주민이 참여하는 지속 가능한 도시 계획으로 변화 |

## B 도시 재개발

### 1. 도시 재개발의 의미와 목적
(1) **도시 재개발**: 환경이 열악한 지역의 건물을 철거·수리·개조 등의 과정을 거쳐 도시 환경을 개선하는 사업
(2) **도시 재개발의 배경**: 인구 급증에 따른 주택 부족 문제 발생, 불량 주택 및 건물 노후화로 인한 생활 환경 악화 → 새로운 시가지나 주거지의 건설 필요
(3) **도시 재개발의 목적**: 도시 환경 개선, 토지 이용의 효율성 증대, 지역 경제 활성화를 이루는 <u>도시 재생</u>

> 낙후된 도시에 새로운 기능을 부여함으로써 사회·경제·환경적으로 부흥시키는 것

### ★ 2. 도시 재개발의 구분
(1) 대상 지역에 따른 분류

| 도심 재개발 | 도시의 노후화된 건물이나 불량 주거 지역을 상업 및 업무 지역으로 변화시켜 토지의 효율성을 높이는 사업 |
|---|---|
| 산업 지역 재개발 | 도시 내의 노후화된 산업 단지, 전통시장 등을 아파트형 공장, 현대식 시장 등으로 변화시키는 사업 |
| 주거지 재개발 | 주거지의 환경을 개선하고 생활 기반 시설을 확충하는 사업 |

(2) 시행 방법에 따른 분류

| 철거 재개발 | 기존 건물과 시설을 완전히 철거하고 새로운 시설을 조성하는 방식 → 대규모 자본이 투여된다. |
|---|---|
| 보전 재개발 | 역사 및 문화적으로 보전 가치가 있는 지역의 환경을 유지·관리하는 방식 |
| 수복 재개발 | 기존 골격을 유지하면서 필요한 부분을 수리 및 개조하여 보완하는 방식 |

---

> **인천 ○○동의 주거지 재개발 사례**
> '달동네'는 1960년대 경제 개발 과정에서 인구가 늘어나고 주택이 부족해지자 저소득층이 한곳에 모여 살면서 형성된 곳이다. 대표적인 달동네였던 인천 ○○동은 1990년대 후반 '○○ 지구 주거 환경 개선 사업'으로 대규모 아파트 단지가 조성되고 공원, 박물관 등이 들어서면서 달동네가 사라지게 되었다.

주거지 재개발은 노후화된 불량 주거 지역의 주택을 재건축하거나 재개발하는 사업이다. 저층 건물이나 낡은 주택 대신 고층 아파트를 건설함으로써 주택 공급을 늘리고 쾌적한 주거 환경을 조성할 수 있다.

### 3. 도시 재개발의 영향과 바람직한 방향
(1) 도시 재개발의 영향

> 토지 이용의 효율성이 높아지고 도시 경관이 정비된다.

| 긍정적 측면 | • 도심 재개발로 고층 건물이 들어서고 낡은 주택이 아파트로 변모하면서 지역의 경제적 가치 상승 <br> • 도로, 주차 공간, 수도 시설, 정보 통신망 등이 개선되어 주민의 삶의 질 향상 |
|---|---|
| 부정적 측면 | • 개발 과정에서 보상비와 이주비, 일조권 등을 둘러싸고 갈등 발생 <br> • 재개발 이후 나아진 거주 환경에 상위 계층이 들어오면서 원거주민이 다른 지역으로 빠져나가는 젠트리피케이션 발생 |

(2) **도시 재개발의 바람직한 방향**: 주민 참여를 통해 민주적 절차에 따라 개발 추진, 주민들의 재정착 방안을 마련하고 적절한 이주 대책을 제시하여 사회적 갈등 최소화

## C 지역 개발

### ★ 1. 지역 개발의 의미와 방법
(1) **지역 개발**: 지역의 잠재력을 살려 지역 주민의 삶의 질을 높이기 위한 다양한 활동
(2) 지역 개발 방법

| 구분 | 성장 거점 개발 | 균형 개발 |
|---|---|---|
| 추진 방식 | 하향식 개발 | 상향식 개발 |
| 개발 주체 | 중앙 정부 | 지역 주민과 지방 자치 단체 |
| 개발 방법 | 투자 효과가 큰 곳을 성장 거점으로 지정하여 집중 투자 | 낙후된 지역에 우선적으로 투자 |
| 개발 목표 | 경제 성장의 극대화, 경제적 효율성 추구 | 지역 간 균형 발전, 경제적 형평성 추구 |
| 장점 | 자원의 효율적 투자, 짧은 시간에 개발 효과가 나타남 | 지역 특성에 맞는 개발, 주민의 의사 결정 존중 |
| 단점 | 역류 효과가 클 경우 지역 격차 심화, 지역 주민의 참여도가 낮음 | 투자의 효율성이 낮음, 지역 이기주의를 초래할 수 있음 |
| 채택 국가 | 주로 개발 도상국 | 주로 선진국 |

> 개발에 따른 이익이 주변으로 파급되지 못하고, 오히려 주변 지역에서 거점 지역으로 인구 및 자본이 집중하는 효과

## 2. 우리나라의 국토 개발

(1) 제1차~제4차 국토 개발 계획

| 제1차 국토 종합 개발 계획(1972~1981) | • 경제 성장을 위한 거점 개발<br>• 공업 기반 구축, 사회 간접 자본 확충 |
|---|---|
| 제2차 국토 종합 개발 계획(1982~1991) | • 국토의 다핵 구조 형성에 중점, 광역 개발<br>• 국토의 균형 발전과 복지 향상 추구 |
| 제3차 국토 종합 개발 계획(1992~1999) | • 지방 분산형 국토 골격 형성<br>• 수도권 집중을 억제하고 지방 도시 육성 |
| 제4차 국토 종합 계획(2000~2020) | • 개발과 환경의 조화 강조<br>• 지역 균형 발전 촉진, 개방형 통합 국토축 형성 |

(2) 제4차 국토 종합 계획 수정 계획(2011~2020): 지역별 특화 발전 추구, 자연 친화적·안전한 국토 공간 조성

### D 지역 격차와 공간 불평등

★ **1. 국토 개발로 인한 공간 및 환경 불평등**

| 공간<br>불평등 | • 수도권과 비수도권의 격차: 수도권에 다양한 기능과 인구의 과도한 집중으로 집값 상승, 교통 혼잡 등 문제 발생, 비수도권은 인구와 자본 유출, 경기 침체 등<br>• 도시와 농촌의 격차: 도시에 인구와 산업 집중 → 농촌 지역에서 노동력 부족, 생활 기반 시설 부족 등의 문제 발생 |
|---|---|
| 환경<br>불평등 | 환경을 이용함으로써 발생하는 혜택, 피해, 책임 등이 균등하게 배분되지 않는 것 → 환경 오염에 대한 지역 간·계층 간 대처 능력이 달라 발생 |

### 2. 바람직한 국토 개발을 위한 노력

(1) **균형 발전 전략 추진**: 지역 격차 해소를 위해 지방 중소 도시에 대한 재정 지원 강화, 행정 및 공공 기관 지방 이전, 혁신 도시 및 기업 도시 건설, 민간 투자 유치 등을 추진

(2) **지속 가능한 국토 공간 조성**: 국토 공간에 관한 사회적·경제적 요구와 환경 및 생태적 기능이 조화를 이룰 수 있도록 함

| 강원 원주시<br>건강·생명·관광 도시형 클러스터 구축 |
|---|
| 충북 진천군, 음성군<br>태양광 산업 허브 육성 |
| 전북 전주시 완주군<br>농·생명 클러스터 구축 |
| 광주·전남 나주시<br>녹색 건강 식품 개발 및 녹색 전력 연구 개발 기반 육성 |
| 제주 서귀포시<br>국제 교류·관광·교육 연수 기능 집중 육성 |

| 경북 김천시<br>그린 에너지 정보 통신 기술(IT) 융·복합 산업 육성 |
|---|
| 대구 동구<br>교육·비지니스·그린 에너지 중심 네트워크 구축 |
| 울산 중구<br>에너지 환경 산업 연구 및 생산 클러스터 구축 |
| 부산 영도구, 남구, 해운대구<br>해양 수산·금융·영화 영상 특화 클러스터 구축 |
| 경남 진주시<br>동남권 산업·물류·관광 벨트 조성 |

*2016년 6월 30일 기준, 이전 대상 공공 기관 154개 중 139개 이전 완료 (국토 교통부, 2016)

🔼 우리나라의 혁신 도시 분포

└ 공공 기관의 지방 이전과 기업, 학교, 연구소의 협력으로 지역의 성장 거점으로 조성되는 미래형 도시

---

**01** 다음 설명이 맞으면 ○표, 틀리면 ×표를 하시오.

(1) 우리나라는 1980년대 도시 계획법에서 용도 지역을 세분화하고 개발 제한 구역을 설정하였다. (　　　)

(2) 혁신 도시와 기업 도시는 공간 불평등을 해소하고 지역 간 격차를 완화하기 위한 목적으로 건설되었다.

(　　　)

(3) 도심을 재개발하면 고층 건물이 들어서고 노후화된 기반 시설이 정비되면서 지역의 경제적 가치가 상승한다. (　　　)

**02** 표는 시행 방법에 따른 도시 재개발 유형을 정리한 것이다. ㉠~㉢에 들어갈 내용을 각각 쓰시오.

| (㉠　　　)<br>재개발 | 기존 건물과 시설을 완전히 철거하고 새로운 시설을 조성하는 방식 |
|---|---|
| (㉡　　　)<br>재개발 | 역사 및 문화적으로 보전 가치가 있는 지역의 환경을 유지·관리하는 방식 |
| (㉢　　　)<br>재개발 | 기존 골격을 유지하면서 필요한 부분을 수리 및 개조하여 보완하는 방식 |

**03** 성장 거점 개발 방식과 균형 개발 방식의 특징을 〈보기〉에서 골라 기호를 쓰시오.

> **보기**
> ㄱ. 상향식 개발　　　ㄴ. 하향식 개발
> ㄷ. 효율성 추구　　　ㄹ. 형평성 추구
> ㅁ. 중앙 정부 주도　　ㅂ. 지역 주민 참여

(1) 균형 개발 방식　　　　　　　(　　　)
(2) 성장 거점 개발 방식　　　　　(　　　)

**04** 다음 빈칸에 들어갈 내용을 쓰시오.

(1) (　　　　)은 환경 오염에 대한 지역 간·계층 간 대처 능력이 달라 발생한다.

(2) 성장 거점 개발 방식은 자원의 효율적 투자가 가능하여 경제적 효율성은 높지만, (　　　)가 클 경우 지역 격차가 심화되는 단점이 있다.

(3) 도시 재개발 과정에서 원거주민의 삶터가 파괴되고 나아진 거주 환경에 상위 계층이 거주하는 (　　　)이 발생하기도 한다.

## A 도시 계획

**01** 표는 서울시의 도시 계획에 따른 시기별 주요 내용을 정리한 것이다. (가)~(다) 시기의 도시 계획에 대한 설명으로 옳지 않은 것은?

| 시기 | 주요 내용 |
|---|---|
| (가) | • 청계천 복개 및 고가도로 건설<br>• 여의도 종합 개발 계획<br>• 난지도 쓰레기 매립지 지정 |
| (나) | • 잠실 지구 개발 계획<br>• 올림픽대로 및 남산 1호 터널 개통<br>• 난지도 생태 공원 조성 |
| (다) | • 청계천 복원<br>• 서울 도심 역사 문화 보존<br>• 상암 디지털 미디어 시티 조성 |

① (가) 시기에는 기반 시설 확충에 주력하였다.
② (나) 시기의 도시 계획은 부도심 개발을 포함하고 있다.
③ (다) 시기의 도시 계획은 삶의 질 향상을 강조하고 있다.
④ (나) 시기가 (가) 시기에 비해 환경 친화적이다.
⑤ (다) 시기는 (나) 시기보다 도시의 양적 성장을 추구하고 있다.

**02** 다음은 도시 계획에 대한 한국지리 수업 장면이다. 교사의 질문에 옳게 답한 학생을 고른 것은?

교사: 우리나라의 도시 계획이 어떻게 진행되었는지 발표해 볼까요?

을: 1990년대부터 삶의 질이나 환경에 대한 관심이 높아져 도시 계획에도 이를 반영하게 되었어요.

갑: 1980년대에는 도시의 무질서한 팽창을 막기 위해서 개발 제한 구역을 설정했어요.

병: 우리나라는 1960년대에 난개발 등의 도시 문제 해결을 위해 도시 계획을 수립했습니다.

정: 최근에는 주민이 참여하는 지속 가능한 도시 계획으로 변화하고 있습니다.

① 갑, 을　　② 갑, 병　　③ 을, 병
④ 을, 정　　⑤ 병, 정

**03** 사진은 청계천 복원 사업 전후의 모습이다. 이러한 도시 계획 시행 이후 나타날 것으로 예상되는 변화로 옳은 것을 〈보기〉에서 고른 것은?

↑ 복원 전

↑ 복원 후

보기
ㄱ. 도시 열섬 현상이 심화되었을 것이다.
ㄴ. 주민들의 여가 공간이 확대되었을 것이다.
ㄷ. 이곳을 통과하는 교통량이 증가했을 것이다.
ㄹ. 이곳을 방문하는 관광객 수가 증가했을 것이다.

① ㄱ, ㄴ　　② ㄱ, ㄷ　　③ ㄴ, ㄷ
④ ㄴ, ㄹ　　⑤ ㄷ, ㄹ

## B 도시 재개발

출제가능성 90%

**04** 밑줄 친 ㉠, ㉡에 대한 설명으로 옳은 것은?

우리나라는 1970년대부터 도시 재개발과 관련된 법령을 제정하여 도시 재개발이 이루어지고 있다. 도시 재개발은 시행 방법에 따라 ㉠ <u>기존의 건물을 완전히 철거하여 새로운 시설을 조성하는 방식</u>과 ㉡ <u>기존 골격을 최대한 유지하면서 필요한 부분을 수리 및 개조하여 보완하는 방식</u> 등으로 구분할 수 있다.

① ㉠은 역사적으로 보전 가치가 있는 건축물이 많은 지역에서 시행된다.
② ㉠을 추진하여 지역을 활성화한 사례로 부산 감천 마을의 재개발을 들 수 있다.
③ ㉡은 지역의 변형을 최소화함으로써 거주민이 안정적으로 생활할 수 있다.
④ ㉡은 원거주민의 낮은 재정착률과 자원 낭비 등의 부작용이 발생하기도 한다.
⑤ ㉠은 수복 재개발, ㉡은 보전 재개발에 해당한다.

**05** 자료와 같은 도시 재개발로 인해 ○○ 지역에 나타났을 것으로 예상되는 변화에 대한 추론으로 옳은 것은?

서울의 대표적인 달동네였던 ○○ 지역은 1968년에 이촌동과 청계천, 왕십리 일대의 철거민들이 집단으로 이주하면서 형성된 마을이었다. 2001년 6월부터 재개발 사업이 진행되어 낡은 집을 철거하고 대규모 고층 아파트 지구가 조성되었다.

↑ 재개발 전

↑ 재개발 후

① 평균 지가가 하락했을 것이다.
② 불량 주거 지역이 늘어났을 것이다.
③ 건물의 평균 층수가 감소했을 것이다.
④ 상업 시설의 평균 임대료가 상승했을 것이다.
⑤ 대다수의 원거주민이 개발 이후에도 재정착하였을 것이다.

**06** 다음 글의 ㉠에 대한 설명으로 가장 적절한 것은?

전라북도 군산은 1899년 개항 이후 일제 강점기에 건립된 많은 근대적 건물을 보유하고 있다. 산업화 과정에서 소외된 군산은 이러한 특성을 살려서 근대 문화유산을 활용한 ( ㉠ ) 사업을 진행하고 있다. 주체성을 지켜온 저항의 역사를 강조하여 근대 역사 박물관을 건립하고, 근대 건축물을 문화 예술 공간으로 탈바꿈함으로써 침체되었던 군산이 다시 활력을 찾고 있다.

① 개발 이익보다는 지역 활성화에 중점을 둔다.
② 주거 등의 물리적 환경의 정비가 주 목적이다.
③ 수익성을 갖춘 토지를 대상으로 개발이 진행된다.
④ 거주자보다는 건물 소유자 중심의 개발이 진행된다.
⑤ 공공 자본의 지원 없이 순수 민간 자본만을 활용한다.

**07** ㉠에 대한 옳은 설명을 〈보기〉에서 고른 것은?

서울의 대학로, 인사동, 성수동 등은 오래 전부터 고유한 골목 문화를 형성한 지역이었다. 그러나 최근 많은 상점이 들어서면서 유동 인구가 늘어났고, 지가 및 임대료가 크게 상승하면서 소규모 상점 및 주택 대신 대규모 상업 시설이 입지하였다. 이처럼 지역이 활성화된 이후 대규모 상업 자본이 들어오면서 임대료를 지불할 능력이 안 되는 원거주민이 다른 지역으로 떠나게 되는 ( ㉠ ) 현상이 발생하게 되었다. - 「아시아 경제」, 2016. 3. 14.

**보기**

ㄱ. 지역 경제가 침체되는 원인이 된다.
ㄴ. 원거주민의 주거권을 침해하기도 한다.
ㄷ. 해당 지역의 고유한 특성을 살리는 데 도움이 된다.
ㄹ. 철거 재개발이 이루어진 주거 지역에서 발생하기도 한다.

① ㄱ, ㄴ    ② ㄱ, ㄷ    ③ ㄴ, ㄷ
④ ㄴ, ㄹ    ⑤ ㄷ, ㄹ

## 🅒 지역 개발

출제가능성 90%

**08** 표는 (가), (나) 지역 개발 방식을 비교한 것이다. 이에 대한 설명으로 옳은 것은?

| 구분 | (가) | (나) |
|------|------|------|
| 개발 주체 | 중앙 정부 | 지방 자치 단체 및 지역 주민 |
| 개발 방법 | ㉠ 투자 효과가 큰 곳을 성장 거점으로 지정하여 집중 투자 | ㉡ 낙후된 지역에 우선적으로 투자 |
| 특징 | ( ㉢ )이/가 발생하면 지역 격차가 생길 수 있음 | 주민 의사가 존중되지만 지역 이기주의를 초래할 수 있음 |

① (가)는 상향식, (나)는 하향식 개발 방식으로 추진된다.
② 1970년대 우리나라는 (나)와 같은 개발을 시도하였다.
③ ㉠은 주로 개발 도상국에서 많이 시행하는 방법이다.
④ ㉡과 같은 개발 방법은 경제적 효율성을 강조한 것이다.
⑤ ㉢은 개발에 따른 이익이 주변으로 파급되는 효과이다.

출제가능성 90%

**09** 그래프는 지역 개발 전과 후, 중심지와 주변 지역의 발전 수준을 나타낸 것이다. (가), (나)에 대한 설명으로 옳은 것은?

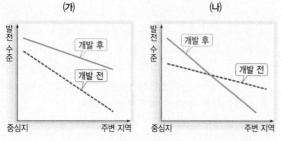

① (가) 현상으로 인해 지역 간 격차는 더욱 심화된다.
② (가) 현상은 중심지로 인구가 집중될 때 잘 나타난다.
③ (나) 현상은 균형 개발의 결과로 잘 나타난다.
④ 1970년대에 시행된 지역 개발의 결과 (가) 현상이 (나) 현상보다 더 두드러졌다.
⑤ (가)는 파급 효과, (나)는 역류 효과를 보여 주고 있다.

**10** 표는 우리나라의 국토 개발 과정을 정리한 것이다. (가)~(다)에 대한 설명으로 옳은 것은?

| 구분 | 시기 | 개발 전략 및 특징 |
| --- | --- | --- |
| (가) | 1972~1981 | • 경제 성장을 위한 거점 개발<br>• 공업 기반 구축, 사회 간접 자본 확충 |
| (나) | 1982~1991 | • 국토의 다핵 구조 형성에 중점<br>• 국토의 균형 발전과 복지 향상 추구 |
| (다) | 1992~1999 | • 지방 분산형 국토 골격 형성<br>• 수도권 집중을 억제하고 지방 도시 육성 |

① (가) – 서해안 개발이 시작되었다.
② (가) – 여러 하천에 다목적 댐이 건설되었다.
③ (나) – 도농 통합시가 등장하였다.
④ (나) – 개발 제한 구역이 설정되었다.
⑤ (다) – 남동 임해 공업 지역이 조성되었다.

**D 지역 격차와 공간 불평등**

**11** 지도에 표시된 도시들에 대한 설명으로 옳지 않은 것은?

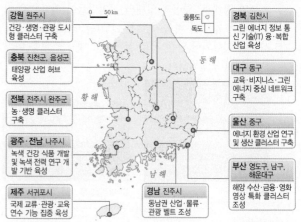

**강원 원주시** 건강·생명·관광 도시형 클러스터 구축
**충북 진천군, 음성군** 태양광 산업 허브 육성
**전북 전주시 완주군** 농·생명 클러스터 구축
**광주·전남 나주시** 녹색 건강 식품 개발 및 녹색 전력 연구 개발 기반 육성
**제주 서귀포시** 국제 교류·관광·교육 연수 기능 집중 육성
**경남 진주시** 동남권 산업·물류·관광 벨트 조성
**경북 김천시** 그린 에너지 정보 통신 기술(IT) 융·복합 산업 육성
**대구 동구** 교육·비지니스·그린 에너지 중심 네트워크 구축
**울산 중구** 에너지 환경 산업 연구 및 생산 클러스터 구축
**부산 영도구, 남구, 해운대구** 해양 수산·금융·영화 영상 특화 클러스터 조성

*2016년 6월 30일 기준, 이전 대상 공공 기관 154개 중 139개 이전 완료
(국토 교통부, 2016)

① 공공 기관의 지방 이전을 계기로 조성되었다.
② 민간 기업이 주체적으로 개발한 자급자족형 도시이다.
③ 중소 도시에 대한 지원을 강화하여 지방 경제 활성화 효과를 기대한다.
④ 수도권 집중에 따른 공간 불평등을 해소하기 위한 목적으로 건설되었다.
⑤ 기업, 학교, 연구소의 협력으로 지역의 성장 거점에 조성되는 미래형 도시이다.

**12** 교사의 질문에 대한 학생의 답변으로 적절하지 않은 것은?

교사: 사진은 슬로시티로 지정된 전라남도 완도군에서 촬영한 것입니다. 푸른 바다와 산, 논, 돌담 등이 어우러져 한 폭의 산수화를 떠올리게 합니다. 이곳에서 추구하는 지역 발전의 방향에 대해 이야기해 볼까요?

① 갑: 이 지역만의 독창성을 강조하고 있어요.
② 을: 지역 주민 중심으로 발전을 추구하고 있어요.
③ 병: 자연 친화적이고 지속 가능한 발전을 추구해요.
④ 정: 인간다움의 회복을 위한 환경 조성을 추구하고 있어요.
⑤ 무: 대규모 자본을 투입해 외부와의 원활한 교류를 추진하고 있어요.

📖 정답과 해설 22쪽

# 3단계 등급 올리기

**01** 다음은 우리나라 도시 계획에 관한 내용이다. ㉠~㉤에 대한 설명으로 옳지 <u>않은</u> 것은?

> 우리나라의 급속한 도시화는 기반 시설 부족 등 여러 도시 문제의 원인이 되었다. 이에 따라 1970년대 도시 계획법에서는 ㉠ 용도 지역의 종류를 세분화하고 도시의 무질서한 확산을 방지하기 위해 ( ㉡ )을/를 설정하였다. 또한, ㉢ 급격한 인구 증가에 대응하여 기존의 주거지를 철거하고 신규 주택을 공급하는 개발을 활발히 진행하였다. 1981년부터는 20년 단위의 도시 기본 계획을 제도화하여 ㉣ 도시 문제에 장기적으로 대처하고자 하였고, 1990년대 이후에는 지역 간 균형, ㉤ 삶의 질, 환경 등에 대한 관심이 높아지면서 도시 계획도 이러한 변화에 맞추어 전개되었다.

① ㉠은 정부에서 미리 정한 토지의 용도이다.
② ㉡에는 '개발 제한 구역'이 들어가는 것이 적절하다.
③ ㉢은 주로 자연적 증가로 인한 것이다.
④ ㉣에는 교통 정체, 주택 가격 상승 등이 포함된다.
⑤ ㉤을 높이기 위해 녹지 및 여가 공간을 확대하고 있다.

**2016 평가원 응용**

**02** (가), (나)는 도시 재개발 사업의 사례이다. (가)와 비교한 (나)의 상대적 특성을 그림의 A~E에서 고른 것은?

> (가) 부산 ○○동은 낡은 집과 복잡한 골목을 철거하고 아파트를 조성하는 대신 기존 건물에 문화라는 테마를 입혀 마을을 재생하는 방법을 선택했다. 그 결과 담벼락과 외벽에 그림을 그리고 조형물을 설치하면서 대표적인 문화 마을로 자리매김하게 되었다.
> (나) '달동네'는 1960년대 경제 개발 과정에서 인구가 늘어나고 주택이 부족해지자 저소득층이 한곳에 모여 살면서 형성된 곳으로, 오늘날 도시 재개발 사업이 진행되면서 대부분 사라졌다. 인천 □□동은 1990년대 후반 '□□ 지구 주거 환경 개선 사업'으로 대규모 아파트 단지가 조성되고 공원, 박물관 등이 들어서면서 달동네가 사라지게 되었다.

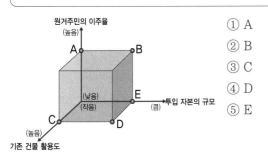

① A
② B
③ C
④ D
⑤ E

**★★최고난도**

**03** 표는 우리나라의 국토 개발 과정을 정리한 것이다. ㉠~㉤에 대한 설명으로 옳은 것은?

| 구분 | 제1차 국토 종합 개발 계획 (1972~1981) | 제2차 국토 종합 개발 계획 (1982~1991) | 제3차 국토 종합 개발 계획 (1992~1999) | 제4차 국토 종합 개발 계획 (2000~2020) |
|---|---|---|---|---|
| 개발 방식 | ㉠ | 광역 개발 | | ㉡ |
| 기본 목표 | 사회 간접 자본 확충 | 인구의 지방 정착 유도 | 지방 분산형 국토 골격 형성 | 균형, 녹색, 개방, 통일 국토 |
| 개발 전략 | ㉢ | ㉣ | ㉤ | 개방형 통합 국토축 형성 |

① ㉠ – 발전 지역보다 낙후 지역에 우선 투자하는 방식이다.
② ㉡ – 투자 효과가 큰 지역을 선정해 집중 투자하는 방식이다.
③ ㉢ – 교통, 통신, 수자원 및 에너지 공급망을 정비한다.
④ ㉣ – 서해안 산업 지대와 지방 도시를 육성한다.
⑤ ㉤ – 수도권 집중을 억제하기 위해 권역별로 개발을 진행한다.

## 🎯 서술형 문제

**04** 그림은 지역 개발 방식을 모식도로 나타낸 것이다. 이를 보고 물음에 답하시오.

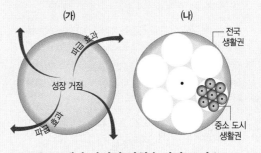

(1) (가), (나) 개발 방식의 명칭을 각각 쓰시오.

(2) (가), (나) 개발 방식의 장점과 단점을 한 가지씩 서술하시오.

# 01 자원의 특성과 지속 가능한 이용
# ~02 농업 구조의 변화와 농촌 문제

## A 자원의 분류와 특성

### 1. 자원의 분류
└→ 자원은 자연물 중에서 일상생활과 경제 활동에 쓸모가 있으며 기술적·경제적으로 이용 가능한 것을 의미한다.

(1) 의미에 따른 자원의 분류

| 좁은 의미의 자원 | 식량 자원, 광물 자원, 에너지 자원 등의 천연자원 |
|---|---|
| 넓은 의미의 자원 | 천연자원 + 인적 자원 + 문화적 자원 |

(2) 재생 가능성에 따른 자원의 분류 ┌→ 예 노동력, 기술 등 ┌→ 예 사회 제도, 전통 등

| 재생 자원 | 지속적으로 이용할 수 있는 순환 자원 |
|---|---|
| 비재생 자원 | 사용할수록 양이 줄어들어 언젠가는 사라지는 고갈 자원 |

└→ 금속 광물은 사용량과 재활용 수준에 따라 고갈 시기가 달라질 수 있다.

### 2. 자원의 특성

| 유한성 | 자원의 매장량이 한정되어 있어 언젠가는 고갈 가능성이 있음 |
|---|---|
| 편재성 | 특정 자원이 일부 지역에 편중되어 분포함 |
| 가변성 | 자원의 가치는 과학 기술의 발달 정도, 경제적 조건, 문화적 배경 등에 따라 달라짐 |

## B 자원의 공간 분포와 이용

### 1. 광물 자원의 분포와 이용
┌→ 석회석, 고령토 등 비금속 광물은 철광석, 구리, 텅스텐 등 금속 광물보다 매장량이 비교적 풍부하고 매장 상태도 양호한 편이다.

| 철광석 | • 분포: 대부분 북한 지역에 매장, 남한에는 강원도 양양 등<br>• 특징: 제철 및 철강 공업의 원료로 이용, 매장량이 적어 주로 오스트레일리아, 브라질 등지에서 수입 |
|---|---|
| 텅스텐 | • 분포: 강원도 영월(상동) 등<br>• 특징: 특수강 및 합금용 원료로 이용, 매장량은 많지만 값싼 중국산이 수입되면서 생산 중단 |
| 석회석 | • 분포: 고생대 조선 누층군이 분포하는 강원도 남부 등<br>• 특징: 시멘트 공업의 원료로 이용, 매장량이 풍부한 편 |
| 고령토 | • 분포: 강원도와 하동, 산청 등 경상남도 서부 지역 등<br>• 특징: 도자기 공업 및 종이, 화장품, 도료 등의 원료로 이용, 매장량이 풍부하고 품질도 좋은 편 |

### ★ 2. 에너지 자원의 분포와 이용
┌→ 1989년 석탄 소비의 감소에 따라 경제성이 낮은 탄광을 줄이고, 폐광 지역을 새롭게 개발하기 위해 실시한 정책

| 석탄 | • 무연탄: 고생대 평안 누층군에 주로 매장, 정부의 석탄 산업 합리화 정책으로 대부분의 광산이 폐광되어 현재 생산량이 급감<br>• 역청탄: 제철 공업 및 화력 발전 원료로 이용, 국내에서 생산되지 않아 오스트레일리아, 인도네시아 등에서 전량 수입 |
|---|---|
| 석유 | • 분포: 국내에서는 거의 생산되지 않아 대부분을 수입<br>• 이용: 화학 공업의 원료 및 수송용 연료로 이용 |
| 천연가스 | • 분포: 울산 앞바다의 가스전에서 소량 생산됨, 동남아시아 및 서남아시아에서 대부분을 수입<br>• 이용: 가정용 및 발전용 연료로 이용, 비교적 대기 오염 물질 배출이 적어 1990년대 이후 소비량이 증가함 |

### 3. 전력 자원의 분포와 특성

| 화력 발전 | • 분포: 입지 조건의 제약이 적음 → 전력 소비가 많은 수도권, 충청남도 서해안, 남동 임해 지역 등에 입지<br>• 특징: 건설 비용이 저렴함, 화석 연료를 사용하여 연료비가 비싸고 발전 시 대기 오염 물질, 온실 기체 배출량이 많음 |
|---|---|
| 수력 발전 | • 분포: 유량이 풍부하고 낙차가 큰 하천 중·상류에 입지<br>• 특징: 계절별 하천 유량 변화가 커서 안정적인 전력 생산이 어려움, 발전 비용이 저렴하며 온실 기체 배출이 적음 |
| 원자력 발전 | • 분포: 지반이 견고하고 냉각수 확보가 쉬운 해안가에 입지 → 경상북도 울진과 경주, 전라남도 영광 등<br>• 특징: 방사능 유출의 위험과 방사성 폐기물 처리 문제 발생 |

└→ 발전 설비 용량과 발전량 비중은 화력 > 원자력 > 수력 순이다.

### 4. 신·재생 에너지의 특징과 분포

(1) 특징: 자연적 제약이 큼, 화석 연료보다 경제적 효율성이 낮음, 화석 연료 고갈 및 환경 오염 문제 해결 가능

(2) 신·재생 에너지의 분포

| 태양광 발전 | 일조량이 풍부한 곳에서 유리 예 전라남도 등 |
|---|---|
| 풍력 발전 | 바람이 많이 부는 해안이나 산지 지역에서 유리 예 제주도, 대관령 일대 |
| 조력 발전 | 조석 간만의 차가 큰 지역에서 유리 예 시화호 |

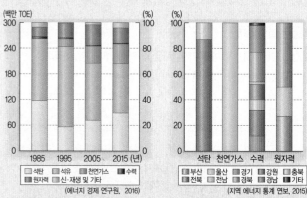

(에너지 경제 연구원, 2016) (지역 에너지 통계 연보, 2015)
↑ 1차 에너지 소비 구조의 변화    ↑ 지역별 1차 에너지 생산 비중

석유는 현재 우리나라에서 가장 많이 소비되는 에너지 자원이다. 석탄은 대부분 강원도에서, 천연가스는 울산에서 생산되고 있다. 수력은 비교적 전국적으로 고르게 생산되고 있으며, 원자력은 경북, 부산, 전남에서 생산되고 있다.

## C 농업의 변화

### ★ 1. 산업화와 농업 구조의 변화
┌→ 도시와 농촌 간 소득 격차가 커지고, 농촌의 생활 기반 시설이 부족하기 때문이다.

(1) 인구 변화: 청장년층의 이촌 향도로 농촌 인구 감소 → 노동력 부족 및 농업 인구 고령화 심화

(2) 경지 변화: 농경지가 주택, 공장 등으로 전환되면서 경지 면적 감소 → 노동력 부족에 따른 휴경지 증가 및 그루갈이 감소로 경지 이용률 감소
┌→ 일 년에 같은 땅에서 서로 다른 작물을 두 번 농사짓는 일

(만 ha, a)

| 연도 | 경지 면적(만 ha) | 농가 호당 경지 면적(a) |
| --- | --- | --- |
| 1970 | 229.8 | 92.5 |
| 1980 | 219.6 | 101.8 |
| 1990 | 210.9 | 119.4 |
| 2000 | 188.9 | 136.5 |
| 2010 | 171.5 | 145.7 |
| 2015(년) | 167.9 | 154.2 |

경지 이용률(%): 142.1 → 125.3 → 113.3 → 110.5 → 104.8 → 100.1

(농림 축산 식품부, 각 연도)

**○ 경지 면적과 경지 이용률의 변화** | 1960년대 이후 농경지가 공장, 도로 등으로 이용되면서 경지 면적이 감소하였다. 경지 면적보다 농업 인구가 더 빠르게 감소하면서 농가 호당 경지 면적은 오히려 증가하였다.

**(3) 영농 방식의 변화**

① **시설 재배의 증가:** 비닐하우스나 유리온실을 이용하여 작물 재배, 농작물을 가공·보관하는 공장 등의 농업 시설 증가

② **상업적 농업의 발달:** 소득 증가 및 생활 수준 향상으로 곡물 소비 감소, 채소와 과일, 축산물의 수요 증가

**2. 세계화와 농업 구조의 변화** 세계 무역 기구(WTO) 출범과 자유 무역 협정(FTA) 체결 확대로 농산물 시장 개방 → 값싼 외국산 농산물의 수입 급증으로 식량 작물의 자급률 감소

**★ 3. 주요 작물의 생산과 소비 변화**

| 쌀 | 중·남부 지방의 평야 지대에서 주로 재배 → 식생활 구조 변화와 농산물 시장 개방 등으로 1인당 소비량과 재배 면적 감소 |
| --- | --- |
| 보리 | 벼의 그루갈이 작물로 남부 지방에서 재배 → 최근 수익성 감소와 외국 농산물의 수입 확대로 생산량과 재배 면적 감소 |
| 원예 작물 | 도시 근교 지역에서 시설 재배를 통해 집약적으로 재배 → 식생활 구조 변화에 따라 생산량과 소비량 증가 |

**D 농업 문제와 해결 방안**

**1. 우리나라 농촌의 문제**

**(1) 도시와 농촌 간 소득 격차 확대:** 복잡한 농산물 유통 구조, 값싼 외국산 농산물의 수입 증가 등 → 농가 소득 중 농업 소득이 차지하는 비중 감소

**(2) 환경 오염:** 농업 생산량 증대를 위한 농약과 화학 비료의 사용으로 수질 및 토양 오염 발생

**2. 농업 경쟁력 강화를 위한 노력** — 농산물에 상표를 붙여 다른 상품과 차별을 꾀하는 것

**(1) 농산물의 차별화:** 농산물 브랜드화 및 지리적 표시제 확대, 친환경 농산물 재배 등을 통해 경쟁력 확보

**(2) 농업 구조의 다각화:** 새로운 작물 및 재배 방식 도입, 경관 농업 추진, 농산물 가공 판매 등을 통해 부가 가치 향상

**(3) 농산물 유통 구조 개선:** 농산물 직거래와 전자 상거래 확대, 로컬푸드 운동 등을 통해 농가 소득 향상

• 의미: 농산물 등의 특징이 특정 지역의 지리적 특성에서 기인하는 경우 그 지역에서 생산된 특산품임을 표시하는 제도
• 효과: 지역 경제 활성화, 농산물의 국제 경쟁력 확보 등

**01** ( )의 자원은 천연자원뿐만 아니라 사회 제도, 전통 등의 문화적 자원과 노동력, 기술 등의 인적 자원을 포함한다.

**02** ㉠~㉢에 들어갈 내용을 각각 쓰시오.

대부분의 자원은 매장량이 한정되어 있어 언젠가는 고갈되는 (㉠ ), 특정 자원이 일부 지역에 편중되어 분포하는 (㉡ ), 자원을 이용하는 과학 기술의 발달, 경제적 조건, 문화적 배경 등에 따라 가치가 달라지는 (㉢ )을 가진다.

**03** 다음에서 설명하는 자원을 〈보기〉에서 골라 기호를 쓰시오.

보기
ㄱ. 석유　　ㄴ. 석회석　　ㄷ. 천연가스

(1) 시멘트 공업의 원료로 이용되는 광물 자원으로 비교적 매장량이 풍부한 편이다. ( )
(2) 1990년대 이후 소비가 증가하고 있는 자원으로 대기 오염 물질을 비교적 적게 배출한다. ( )
(3) 우리나라에서 가장 많이 소비되는 에너지 자원으로 수요량의 대부분을 서남아시아 등지에서 수입한다. ( )

**04** 신·재생 에너지와 분포 특성을 옳게 연결하시오.

(1) 조력 발전 •　　• ㉠ 일조량이 풍부한 지역
(2) 풍력 발전 •　　• ㉡ 바람이 많이 부는 지역
(3) 태양광 발전 •　　• ㉢ 조석 간만의 차가 큰 지역

**05** 다음 설명이 맞으면 ○표, 틀리면 ×표를 하시오.

(1) 산업화의 영향으로 경지 면적은 증가하였고, 농가 호당 경지 면적은 감소하였다. ( )
(2) 오늘날 농촌에서는 휴경지의 증가와 그루갈이의 감소로 경지 이용률이 감소하고 있다. ( )
(3) 산업화 이후 농촌 지역에서는 청장년층의 이촌 향도 현상으로 노동력 부족 문제와 농업 인구의 고령화 현상이 발생하고 있다. ( )

## A 자원의 분류와 특성

**01** 다음 글에 나타난 텅스텐의 가치 변화를 그림에서 고른 것은?

> 강원도 영월군 상동 광산에서 생산되던 텅스텐은 한때 우리나라 수출액의 70% 이상을 차지할 만큼 생산량이 많았다. 그러나 값싼 중국산 텅스텐이 수입되면서 현재는 생산이 중단된 상태이다.

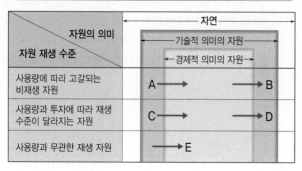

| 자원의 의미<br>자원 재생 수준 | 자연 | | |
|---|---|---|---|
| | 기술적 의미의 자원 | | |
| | | 경제적 의미의 자원 | |
| 사용량에 따라 고갈되는 비재생 자원 | A → | | → B |
| 사용량과 투자에 따라 재생 수준이 달라지는 자원 | C → | | → D |
| 사용량과 무관한 재생 자원 | | → E | |

① A  ② B  ③ C  ④ D  ⑤ E

## B 자원의 공간 분포와 이용

**02** 그래프는 우리나라 주요 광물 자원의 지역별 생산 비중을 나타낸 것이다. (가)~(다)에 대한 옳은 설명을 〈보기〉에서 고른 것은? (단, (가)~(다)는 고령토, 석회석, 철광석 중 하나이다.)

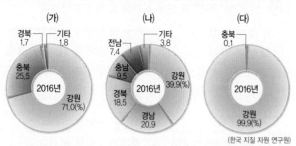

(한국 지질 자원 연구원)

**보기**
> ㄱ. (가)는 고생대 평안 누층군에 매장되어 있다.
> ㄴ. (나)는 시멘트 공업의 원료로 이용된다.
> ㄷ. (다)는 제철 및 철강 공업에 주로 이용된다.
> ㄹ. (가), (나)는 비금속 광물, (다)는 금속 광물에 해당한다.

① ㄱ, ㄴ  ② ㄱ, ㄷ  ③ ㄴ, ㄷ
④ ㄴ, ㄹ  ⑤ ㄷ, ㄹ

**03** 그래프는 국내 석탄 생산량과 수입량의 변화를 나타낸 것이다. A, B에 대한 설명으로 옳지 <u>않은</u> 것은? (단, A, B는 무연탄과 역청탄 중 하나이다.)

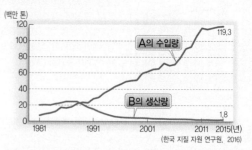

(한국 지질 자원 연구원, 2016)

① A는 제철 공업 및 화력 발전의 원료로 이용된다.
② A는 국내에서 생산되지 않아 오스트레일리아, 인도네시아 등에서 수입한다.
③ B는 고생대 평안 누층군에 주로 매장되어 있다.
④ B는 값싼 외국산이 가정용 연료로 수입되면서 생산이 급감하였다.
⑤ A는 역청탄, B는 무연탄이다.

출제가능성 90%
**04** 그래프는 우리나라의 1차 에너지원별 소비 구조 변화를 나타낸 것이다. A~E에 대한 설명으로 옳은 것은? (단, A~E는 석유, 석탄, 수력, 원자력, 천연가스 중 하나이다.)

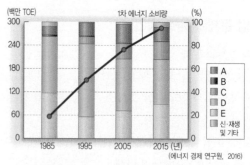

(에너지 경제 연구원, 2016)

① A는 현재 우리나라에서 가장 많이 소비되는 에너지 자원이다.
② B는 원료의 대부분을 해외에서 수입한다.
③ C는 고생대 조선 누층군이 분포하는 강원도 남부 지역 등에 주로 매장되어 있다.
④ D는 수송 연료 및 화학 공업의 원료로 이용된다.
⑤ E는 울산 앞바다의 가스전에서 2004년부터 소량 생산되고 있다.

**05** 지도는 발전 양식별 주요 발전소 분포를 나타낸 것이다. A~C 발전 양식에 대한 설명으로 옳은 것은? (단, A~C는 수력, 화력, 원자력 중 하나이다.)

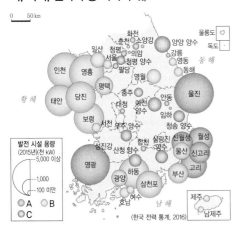

(한국 전력 통계, 2016)

① A는 강수와 지형 등 자연환경의 제약을 많이 받는다.
② B는 우리나라 전력 생산량의 절반 이상을 차지한다.
③ C는 방사능 누출의 위험과 방사성 폐기물 처리 등의 문제가 발생한다.
④ B는 C에 비해 발전 시 배출되는 온실 기체의 양이 적다.
⑤ C는 A에 비해 발전 설비 용량 대비 발전량이 많은 편이다.

**06** 그래프는 신·재생 에너지의 도별 생산 현황을 나타낸 것이다. (가)~(라) 에너지를 옳게 연결한 것은? (단, (가)~(라)는 수력, 조력, 풍력, 태양광 중 하나이다.)

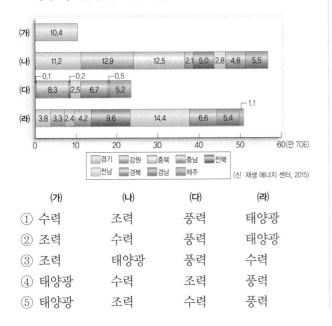

(신·재생 에너지 센터, 2015)

| | (가) | (나) | (다) | (라) |
|---|---|---|---|---|
| ① | 수력 | 조력 | 풍력 | 태양광 |
| ② | 조력 | 수력 | 풍력 | 태양광 |
| ③ | 조력 | 태양광 | 풍력 | 수력 |
| ④ | 태양광 | 수력 | 조력 | 풍력 |
| ⑤ | 태양광 | 조력 | 수력 | 풍력 |

**⊙ 농업의 변화**

출제가능성 **90%**

**07** 그래프는 경지 면적과 경지 이용률의 변화를 나타낸 것이다. 이를 분석한 내용으로 옳은 것을 〈보기〉에서 고른 것은?

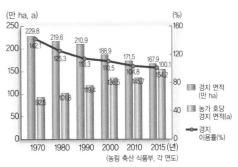

(농림 축산 식품부, 각 연도)

**보기**
ㄱ. 농가 인구가 감소하였다.
ㄴ. 휴경지의 면적이 증가하였다.
ㄷ. 그루갈이의 면적이 확대되었다.
ㄹ. 토지 이용이 집약적으로 변화하였다.

① ㄱ, ㄴ　　② ㄱ, ㄷ　　③ ㄴ, ㄷ
④ ㄴ, ㄹ　　⑤ ㄷ, ㄹ

**08** 그래프는 우리나라의 1인당 농산물 소비 현황을 나타낸 것이다. 이에 대한 분석 및 추론으로 옳지 <u>않은</u> 것은?

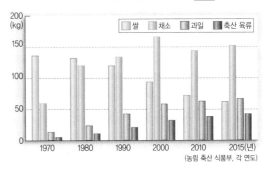

(농림 축산 식품부, 각 연도)

① 농업의 상업화 경향이 뚜렷해지고 있다.
② 1970년 이후 과일의 1인당 소비량은 꾸준하게 증가하고 있다.
③ 식생활 구조 변화에 따라 낙농업의 비중은 점차 커지고 있다.
④ 농산물 시장 개방 등으로 쌀의 재배 면적은 증가하였을 것이다.
⑤ 대도시 근교를 중심으로 발달한 원예 농업의 재배 지역이 전국으로 확대되었을 것이다.

출제가능성 90%

**09** 지도는 도별 작물 재배 면적을 나타낸 것이다. A~C 작물에 대한 설명으로 옳은 것은? (단, A~C는 과수, 채소, 식량 작물 중 하나이다.)

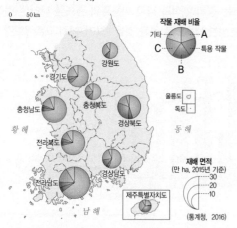

① A는 대부분 수입에 의존하고 있다.
② 최근 A의 소비량과 재배 면적이 증가하고 있다.
③ B는 대도시 인근에서 주로 재배된다.
④ 오늘날 생활 수준의 향상으로 B의 수요가 증가하고 있다.
⑤ C는 주로 강원도에서 시설 재배를 통해 집약적으로 재배한다.

### **D** 농업 문제와 해결 방안

**10** 다음은 학생이 수업 시간에 학습한 내용을 정리한 것이다. 밑줄 친 ㉠~㉣ 중 옳지 않은 것은?

> **우리나라 농업의 발전 방향**
>
> 1. 산업 발달과 농업 변화
> (1) 산업화의 영향: ㉠ 이촌 향도 현상으로 농촌 인구 감소 및 고령화 진행
> (2) 세계화: 외국산 농산물의 수입 증가로 ㉡ 국내 농산물의 가격 경쟁력 약화
> 2. 우리나라 농업의 발전 방안
> (1) 농업 문제의 해결 방안: ㉢ 농업 경영의 대형화, ㉣ 농업 구조의 단일화, 농산물 유통 구조 개선 등
> (2) 농업 경쟁력 강화를 위한 노력: ㉤ 농산물 브랜드화의 확대, 지역 축제 개최 등

① ㉠     ② ㉡     ③ ㉢     ④ ㉣     ⑤ ㉤

**11** 그래프는 외국산 농산물 수입액의 변화를 나타낸 것이다. 이를 통해 파악할 수 있는 문제에 대한 대책으로 적절하지 <u>않은</u> 것은?

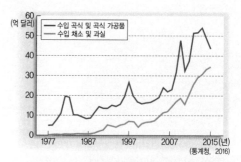

① 고품질의 안전한 농산물 재배를 늘린다.
② 지역 농업 클러스터 등을 통해 농업 경쟁력을 높인다.
③ 농업의 생산성을 높이기 위해 시설 재배보다 노지 재배를 권장한다.
④ 농산물 브랜드화 전략을 추진하여 다른 농산물과의 차별화를 꾀한다.
⑤ 농산물 직거래나 전자 상거래를 확대하여 농산물의 유통 구조를 개선한다.

**12** 지도는 어떤 제도에서 등록된 지역별 농산물을 나타낸 것이다. 이와 같은 제도를 통해 기대할 수 있는 효과로 옳지 <u>않은</u> 것은?

① 농가 소득 증대
② 지역 홍보 효과
③ 지역 경제의 활성화
④ 농산물의 생산비 절감
⑤ 농산물의 부가 가치 상승

# 3단계 등급 올리기

최고난도

**01** 자료는 우리나라에서 생산되는 1차 에너지에 대한 것이다. 이에 대한 설명으로 옳은 것은? (단, A~D는 수력, 석탄, 원자력, 천연가스 중 하나이다.)

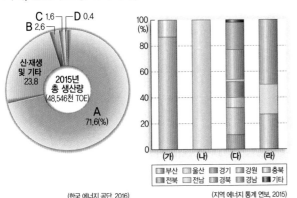

(한국 에너지 공단, 2016)

⬆ 1차 에너지의 유형별 생산 비중    ⬆ 1차 에너지의 지역별 생산 비중

① A와 (나)는 동일한 에너지원이다.
② B는 주로 수송용 연료로 이용되며 국제 가격 변동이 심한 편이다.
③ C는 오늘날 1차 에너지 소비 구조에서 차지하는 비중이 가장 높다.
④ D는 (가)보다 발전 시 대기 오염 물질과 온실 기체 배출량이 적다.
⑤ (가), (나), (다)는 모두 화석 에너지이다.

**03** 지도는 작물별 생산액 기준 상위 5개 시도의 비중을 나타낸 것이다. (가)~(다)에 대한 옳은 설명을 〈보기〉에서 고른 것은? (단, (가)~(다)는 쌀, 과수, 맥류 중 하나이다.)

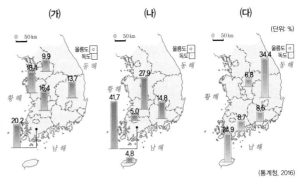

(통계청, 2016)

**보기**

ㄱ. (가)는 식생활 변화로 1인당 소비량이 증가하는 추세이다.
ㄴ. (나)는 주로 그루갈이로 재배된다.
ㄷ. (다)는 (가)보다 국내 자급률이 높다.
ㄹ. (가)는 (다)보다 영농의 기계화에 유리하다.

① ㄱ, ㄴ        ② ㄱ, ㄷ        ③ ㄴ, ㄷ
④ ㄴ, ㄹ        ⑤ ㄷ, ㄹ

2019 평가원 응용

**02** 그래프는 권역별 신·재생 에너지의 생산량을 나타낸 것이다. 이에 대한 설명으로 옳지 않은 것은? (단, A~C는 조력, 풍력, 태양광 중 하나이다.)

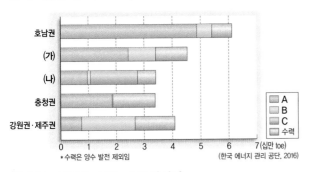

*수력은 양수 발전 제외임
(한국 에너지 관리 공단, 2016)

① (가)는 영남권, (나)는 수도권이다.
② A는 일조 시간이 긴 지역에서 발전 잠재력이 높다.
③ B 발전소 입지 선정 시 가장 중요한 조건은 풍속이다.
④ C 발전소는 조차가 큰 지역에 주로 입지한다.
⑤ B는 C보다 발전 가능 시간이 규칙적이다.

## 📗 서술형 문제

**04** 그래프는 농가 소득 구조의 변화를 나타낸 것이다. 이로 인해 나타나는 문제점과 해결 방안을 서술하시오.

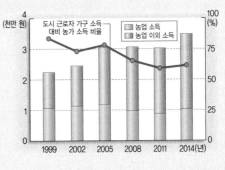

# 03 공업의 발달과 지역 변화

## A 우리나라의 공업 발달

### 1. 우리나라 공업의 발달 과정

| 1960년대 | 정부의 경제 개발 5개년 계획 추진 → 섬유, 봉제, 신발 등 노동 집약적 경공업이 대도시를 중심으로 발달 |
|---|---|
| 1970년대 | 정부의 중화학 공업 육성 정책 추진 → 철강, 석유 화학 등 자본 집약적 중화학 공업이 남동 임해 지역을 중심으로 발달 |
| 1980년대 | 자동차, 조선 등의 자본 및 기술 집약적인 중화학 공업이 국제 경쟁력을 확보하며 성장, 첨단 산업화 정책 추진 |
| 1990년대 이후 | 반도체, 컴퓨터, 신소재, 생명 공학 등 지식·기술 집약적 첨단 산업이 수도권을 중심으로 발달 |

국내 임금 상승, 가격 경쟁력 약화 등의 환경 변화에 대응하기 위해서이다.

### ★ 2. 우리나라 공업의 특색

(1) 공업 구조의 고도화: 노동 집약적 경공업에서 자본 및 기술 집약적 공업으로 공업 구조가 고도화됨

(2) 원료의 높은 해외 의존도: 천연자원이 부족하여 원료를 수입하여 제품을 수출하는 가공 무역 발달

(3) 공업의 지역적 편재: 수도권과 남동 임해 지역에 산업 시설 편중 → 지역 불균형 문제 발생
원료의 해외 의존도가 높아져 국제 원자재 가격 변동에 민감하게 영향을 받고 있다.

(4) 공업의 이중 구조: 소수의 대기업이 생산액의 절반 이상을 차지 → 대기업과 중소기업 간의 생산성 격차가 매우 큼

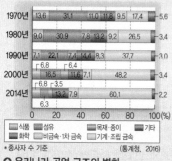

| | 식품 | 섬유 | 목재·종이 | 기타 | | |
|---|---|---|---|---|---|---|
| 1970년 | 13.6 | 31.1 | 11.0 | 11.8 | 9.5 | 17.4 | 5.6 |
| 1980년 | 9.0 | 30.9 | 7.8 | 13.2 | 9.2 | 26.5 | 3.4 |
| 1990년 | 7.1 | 22.1 | 7.4 | 14.4 | 8.3 | 37.7 | 3.0 |
| 2000년 | 6.8 / 6.4 | 16.5 | 11.6 | 7.1 | | 48.2 | 3.4 |
| 2014년 | 6.8 / 3.5 / 6.3 | | 13.2 | 7.9 | | 60.1 | 2.2 |

화학 · 비금속·1차 금속 · 기계·조립 금속
*종사자 수 기준 (통계청, 2016)
↑ 우리나라 공업 구조의 변화

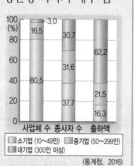

| | 사업체 수 | 종사자 수 | 출하액 |
|---|---|---|---|
| | 16.5 | 3.0 | |
| | 80.5 | 30.7 | 62.2 |
| | | 31.6 | 21.5 |
| | | 37.7 | 16.3 |

소기업 (10~49인) · 중기업 (50~299인) · 대기업 (300인 이상)
(통계청, 2016)
↑ 기업 규모별 공업 구조
중소기업의 육성을 통해 공업의 이중 구조를 개선해야 한다.

## B 공업 입지 요인과 입지 유형

### 1. 공업의 입지 요인

(1) 공업의 입지 요인

| 자연적 요인 | 기후, 토지, 용수, 원료 등 |
|---|---|
| 사회·경제적 요인 | 교통, 소비 시장, 노동력, 자본, 정부 정책 등 |

(2) 입지 요인의 변화

① 과거: 생산비에서 차지하는 운송비의 비중이 커 운송비가 저렴한 곳에 공장이 입지함

② 최근: 교통의 발달로 운송비보다 소비자 요구, 정부 정책, 환경 문제 등의 사회·경제적 요인이 중요해짐

## ★ 2. 공업의 입지 유형

| 원료 지향 공업 | • 제조 과정에서 원료의 무게와 부피가 감소하는 공업 ⑩ 시멘트 공업<br>• 원료가 쉽게 부패하거나 변질·파손되는 공업 ⑩ 통조림 공업 |
|---|---|
| 시장 지향 공업 | • 제조 과정에서 제품의 무게나 부피가 증가하는 공업 ⑩ 음료, 가구 공업<br>• 제품이 쉽게 부패하거나 변질·파손되는 공업 ⑩ 유리, 식품 공업 |
| 적환지 지향 공업 | 무거운 원료나 부품을 해외에서 대량으로 수입하거나 제품의 대부분을 수출하는 공업 ⑩ 정유, 제철 공업 |
| 노동력 지향 공업 | 생산비에서 노동비가 차지하는 비중이 높은 공업 ⑩ 섬유, 신발, 전자 조립 공업 |
| 집적 지향 공업 | • 한 가지 원료에서 다양한 제품을 생산하는 계열화된 공업 ⑩ 석유 화학 공업<br>• 제품 생산에 많은 부품이 필요한 조립형 공업 ⑩ 조선, 자동차 공업 |
| 입지 자유 공업 | 운송비에 비해 부가 가치가 큰 공업 ⑩ 첨단 산업 |

• 운송 수단이 바뀌는 지점

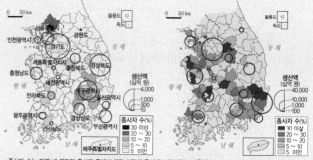

*종사자 수는 지역 내 제조업 종사자 중에서 해당 산업의 종사자가 차지하는 비율임

↑ 섬유 공업    ↑ 자동차 공업

섬유 공업은 노동력이 풍부한 서울, 경기, 경북 등을 중심으로 발달하였다. 자동차 공업은 울산, 경기(화성, 평택), 인천, 충남(아산), 광주 등에서 발달하였다. 자동차 공업은 많은 부품을 조립하여 제품을 생산하기 때문에 관련 부품 업체들이 밀집해 있는 곳에서 발달하였다.

## C 공업 지역의 형성

### 1. 공업 지역의 형성

| 1960년대 | 서울, 부산, 대구 등 대도시를 중심으로 경공업 발달 |
|---|---|
| 1970~80년대 | • 수도권의 인천·안산 등을 중심으로 다양한 공업 발달<br>• 남동 임해 지역의 포항·울산·창원·광양·여수 등을 중심으로 중화학 공업 발달 |
| 1990년대 이후 | 공업 지역의 불균형 해소를 위해 충청·호남 공업 지역의 해안을 중심으로 새로운 산업 단지 조성 |
| 최근 | 연구 개발 및 관련 정보, 고급 기술 인력이 풍부한 수도권에 지식 기반 산업 집중 |

## ★ 2. 우리나라의 주요 공업 지역

| | |
|---|---|
| 수도권<br>공업 지역 | • 풍부한 자본과 노동력, 넓은 소비 시장, 편리한 교통 등을 바탕으로 경공업, 중공업, 첨단 산업이 고르게 발달<br>• 최근 집적 불이익 현상 → 주변 지역으로 공업 분산 |
| 충청<br>공업 지역 | • 편리한 교통으로 수도권에서 분산되는 공업 수용<br>• 해안은 중화학 공업, 내륙은 첨단 산업 발달 |
| 호남<br>공업 지역 | • 공업의 지역적 불균형 해소를 위해 조성<br>• 중국과의 교역 증가로 다양한 공업 성장 |
| 태백산<br>공업 지역 | • 석회석을 원료로 하는 시멘트 공업 발달<br>• 다른 지역에 비해 공업의 집적도가 낮음 |
| 영남 내륙<br>공업 지역 | • 과거 풍부한 노동력을 바탕으로 섬유, 전자 조립 공업 발달<br>• 최근 기술 집약적 첨단 산업으로 변모 |
| 남동 임해<br>공업 지역 | • 정부 정책, 원료 수입과 제품 수출에 유리한 조건을 바탕으로 우리나라 최대의 중화학 공업 지역으로 성장<br>• 최근 과도한 집적으로 집적 불이익 발생 |

(한국 산업 단지 공단, 2016)

⊙ **우리나라의 주요 공업 지역** | 1960년대 공업 발달 초기에는 노동력이 풍부한 대도시 지역을 중심으로 경공업이 발달하였다. 1970~80년대에는 수도권과 남동 임해 지역의 주요 도시를 중심으로 중화학 공업이 발달하였다. 1990년대 이후에는 공업 지역의 불균형을 해소하기 위해 충청 공업 지역과 호남 공업 지역의 해안을 중심으로 새로운 공업 단지가 조성되었다.

### D 공업 지역의 변화와 주민 생활

**1. 공업 지역의 변화**
> • 집적 이익: 원료의 공동 구매, 기술 및 정보 교환, 판매 시장 확보 등
> • 집적 불이익: 지가 상승, 교통 혼잡, 환경 오염, 노동비 상승 등

(1) **집적 이익과 집적 불이익**: 기반 시설이 잘 갖추어진 곳은 집적 이익이 발생하여 공업 지역 형성 → 과도한 집중으로 집적 불이익이 발생하면 공업 지역 분산

(2) **정부의 정책**: 국토 공간 효율성 도모 및 국토 균형 성장 발전을 위해 공업 입지 분산

(3) **교통·통신의 발달**: 운송비가 공업 입지에 미치는 영향 감소 → 공업의 입지 가능 지역 확대

(4) **기업 조직의 성장**: 본사, 연구소, 생산 공장 등이 분산 입지
→ 공간적 분업 ─── ● 본사와 연구소는 정보 수집에 유리한 대도시에 위치하고, 생산 공장은 지가와 임금이 저렴한 지방 및 해외로 이전한다.

**2. 공업 지역의 주민 생활**
(1) **공업 지역 형성**: 일자리 창출, 인구 증가, 주택·도로 등 각종 편의 시설 증가 → 지역 경제 활성화, 서비스업 성장

(2) **공업 지역 쇠퇴 및 이전**: 고용 기회 감소에 따른 실업률 증가로 인구 유출 → 지역 경제 위축 → 신산업 유치를 통한 지역 경제 활성화 대책 필요

---

**01** 다음 설명이 맞으면 ○표, 틀리면 ×표를 하시오.

(1) 오늘날 공업의 입지는 운송비보다 소비자 요구, 정부 정책, 환경 문제 등의 요인이 중요해지고 있다.

( )

(2) 우리나라의 공업은 1960년대 경제 개발 5개년 계획이 추진되면서 본격적으로 발달하기 시작하였다.

( )

**02** 다음 빈칸에 들어갈 알맞은 말을 쓰시오.

(1) 천연자원이 부족한 우리나라는 원료를 수입하여 제품을 수출하는 ( )이 발달하였다.

(2) 우리나라는 소수의 대기업이 생산액의 절반 이상을 차지하여 대기업과 중소기업 간 격차가 매우 큰 공업의 ( )가 나타나고 있다.

**03** 다음 내용에 해당하는 공업을 〈보기〉에서 골라 기호를 쓰시오.

> **보기**
> ㄱ. 가구 공업　　　　　ㄴ. 유리 공업
> ㄷ. 시멘트 공업　　　　ㄹ. 자동차 공업
> ㅁ. 석유 화학 공업　　　ㅂ. 전자 조립 공업

(1) 원료 지향 공업 ( )
(2) 시장 지향 공업 ( )
(3) 집적 지향 공업 ( )
(4) 노동력 지향 공업 ( )

**04** ㉠~㉢에 들어갈 내용을 각각 쓰시오.

> 1960년대에는 서울, 부산, 대구 등 대도시 지역을 중심으로 (㉠ )이 발달하였다. 1970~80년대에는 남동 임해 지역의 포항, 울산 등을 중심으로 (㉡ )이 발달하였다. 1990년대 이후에는 공업 지역의 불균형을 해소하기 위해 (㉢ ) 지역과 호남 지역의 해안을 중심으로 새로운 산업 단지가 조성되었다.

**05** 기업 조직이 성장하면서 본사와 연구소, 생산 공장이 분산하여 입지하는 ( )이 진행되기도 한다.

## A 우리나라의 공업 발달

**01** 그래프는 우리나라 공업 구조의 변화를 나타낸 것이다. 이에 대한 옳은 설명을 〈보기〉에서 고른 것은?

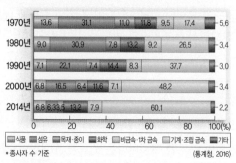

| | | | | | | |
|---|---|---|---|---|---|---|
| 1970년 | 13.6 | 31.1 | 11.0 | 11.8 | 9.5 | 17.4 | 5.6 |
| 1980년 | 9.0 | 30.9 | 7.8 | 13.2 | 9.2 | 26.5 | 3.4 |
| 1990년 | 7.1 | 22.1 | 7.4 | 14.4 | 8.3 | 37.7 | 3.0 |
| 2000년 | 6.8 | 16.5 | 6.4 | 11.6 | 7.1 | 48.2 | 3.4 |
| 2014년 | 6.8 | 6.3 | 3.5 | 13.2 | 7.9 | 60.1 | 2.2 |

□식품 □섬유 □목재·종이 ■화학 ■비금속·1차 금속 □기계·조립 금속 ■기타
*종사자 수 기준 (통계청, 2016)

> **보기**
>
> ㄱ. 공업 구조의 고도화가 이루어지고 있다.
> ㄴ. 노동 집약적 경공업의 비중이 높아지고 있다.
> ㄷ. 섬유 산업 종사자 수가 꾸준하게 감소하고 있다.
> ㄹ. 자본 및 기술 집약적 공업의 종사자 비중이 감소하고 있다.

① ㄱ, ㄴ  ② ㄱ, ㄷ  ③ ㄴ, ㄷ
④ ㄴ, ㄹ  ⑤ ㄷ, ㄹ

**02** 밑줄 친 ⊙~⑩에 대한 설명으로 옳지 <u>않은</u> 것은?

> 우리나라의 공업은 정부 주도의 수출 지향 정책으로 빠른 성장을 이루었다. 우리나라는 ⊙ 원료를 수입하고 제품을 수출하는 가공 무역이 발달하였기 때문에 해안 지역에 공업 지역이 형성되었다. ⓒ 노동 집약적 경공업에서 ⓒ 자본 집약적 중화학 공업으로 공업 구조가 고도화되는 과정에서 ② 수도권과 영남권에 공업이 집중되기도 하였다. ⑩ 공업의 이중 구조 역시 우리나라 공업의 문제점 중 하나이다.

① ⊙ - 원료의 해외 의존도가 높아 국제 원자재 가격 변동에 영향을 받는다.
② ⓒ - 섬유, 신발 제조업이 대표적이다.
③ ⓒ - 1970년대 이후 발달하기 시작하였다.
④ ② - 과도한 집중으로 집적 불이익이 나타나고 있다.
⑤ ⑩ - 이를 해결하기 위해 공업의 지방 분산 정책을 추진하고 있다.

**03** 그래프는 기업 규모별 사업체 수, 종사자 수, 출하액 비중의 변화를 나타낸 것이다. 이를 바탕으로 추론한 내용으로 가장 적절한 것은?

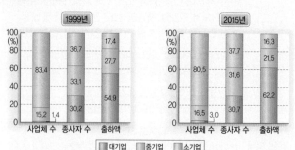

* 대기업은 종사자 수 300명 이상, 중기업은 50~299명, 소기업은 10~49명인 기업임 (통계청, 2016)

① 공업 구조가 고도화되었다.
② 공업의 이중 구조가 심화되었다.
③ 집적 불이익 현상이 발생하였다.
④ 공업의 공간적 분업이 심화되었다.
⑤ 탈공업화 현상이 나타나기 시작하였다.

**04** 다음은 수업 시간의 한 장면이다. 교사의 질문에 옳게 답변한 학생을 〈보기〉에서 고른 것은?

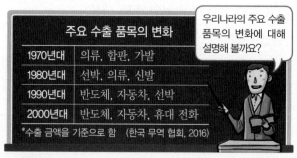

우리나라의 주요 수출 품목의 변화에 대해 설명해 볼까요?

**주요 수출 품목의 변화**

| 1970년대 | 의류, 합판, 가발 |
|---|---|
| 1980년대 | 선박, 의류, 신발 |
| 1990년대 | 반도체, 자동차, 선박 |
| 2000년대 | 반도체, 자동차, 휴대 전화 |

*수출 금액을 기준으로 함 (한국 무역 협회, 2016)

> **보기**
>
> 갑: 1970년대 주요 수출 품목은 자본 집약적 공업 제품이 주를 이루고 있습니다.
> 을: 1980년대 주요 수출 품목의 변화를 통해 중화학 공업 육성 정책의 성과를 확인할 수 있어요.
> 병: 1990년대부터 주요 수출 품목에 의류와 신발이 제외된 것은 국내 임금 상승과 관계가 깊어요.
> 정: 2000년대 주요 수출 품목을 보면 당시 천연자원이 풍부했음을 알 수 있어요.

① 갑, 을  ② 갑, 병  ③ 을, 병
④ 을, 정  ⑤ 병, 정

## B 공업 입지 요인과 입지 유형

**05** 지도는 어느 공업의 지역별 분포를 나타낸 것이다. 이 공업의 입지 특성으로 옳은 것은?

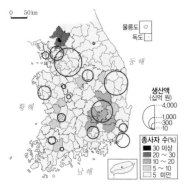

① 노동력이 풍부한 지역에 입지한다.
② 전문 연구 및 경영 인력 확보가 쉬운 곳에 입지한다.
③ 원료 수입과 제품 수출에 유리한 적환지에 입지한다.
④ 제품이 쉽게 상하거나 깨지기 쉬우므로 시장 주변에 입지한다.
⑤ 제조 과정에서 원료의 무게와 부피가 현저하게 줄어들기 때문에 원료 산지에 입지한다.

**07** 다음 글에서 파악할 수 있는 산업 단지 발달에 가장 크게 영향을 미친 요인으로 옳은 것은?

대전광역시 유성구 일대에는 우리나라의 대표적인 산업 클러스터인 대덕 연구 개발 특구가 입지해 있다. 대덕 연구 개발 특구에는 한국 과학 기술원

⊙ 대덕 연구 개발 특구 전경

(KAIST)을 비롯하여 10개의 대학과 정부 출연 기관 30여 개, 기업의 민간 연구소 70여 개, 첨단 기업 900여 개가 입지하고 있다.

① 내륙 수운 교통의 요지로, 원료 확보와 제품 수출에 유리하다.
② 긴 공업의 역사와 함께 관련 산업이 집적되어 있어 유리하다.
③ 대소비지에 인접하여 소비자와의 잦은 접촉을 하기에 유리하다.
④ 저렴하고 풍부한 노동력을 활용하여 노동 집약적 경공업의 경쟁력을 높이기에 유리하다.
⑤ 우수한 연구 기술 인력을 바탕으로 기술 혁신을 위한 관련 업종 간의 정보 교류에 유리하다.

✨출제가능성 90%

**06** (가), (나) 공업에 대한 설명으로 옳지 <u>않은</u> 것은?

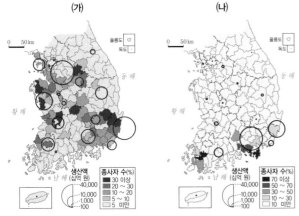

① (가)는 원료의 해외 의존도가 높은 기초 소재 공업이다.
② (가)는 많은 부품을 필요로 하는 계열화된 조립형 공업이다.
③ (나)는 완제품의 특성상 해안가에 입지한다.
④ (가)보다 (나)는 최종 생산물의 무게는 무겁고 부피가 크다.
⑤ (나)에 비해 (가)의 입지 조건이 좀 더 자유로운 편이다.

## C 공업 지역의 형성

**08** (가), (나)에서 설명하는 공업 지역을 지도의 A~E에서 골라 옳게 연결한 것은?

(가) 중국과의 접근성이 뛰어나 대중국 교역의 거점이자 제2의 임해 공업 지역으로 성장 가능성이 높다.
(나) 편리한 교통을 바탕으로 수도권에서 분산되는 공업이 많이 들어서고 있다. 내륙 지역에서는 첨단 산업, 해안 지역에서는 중화학 공업이 발달하였다.

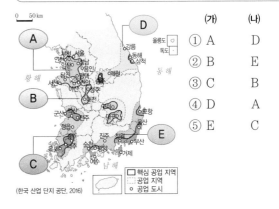

(한국 산업 단지 공단, 2016)

|   | (가) | (나) |
|---|---|---|
| ① | A | D |
| ② | B | E |
| ③ | C | B |
| ④ | D | A |
| ⑤ | E | C |

**09** 그래프는 권역별 공업 비중을 나타낸 것이다. A, B 권역에 대한 옳은 설명을 〈보기〉에서 고른 것은?

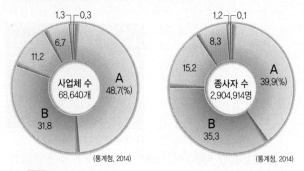

(통계청, 2014)

**보기**

ㄱ. B는 성장 거점 개발을 위한 정부의 집중 투자로 공업이 발달하였다.
ㄴ. A는 수도권, B는 영남권이다.
ㄷ. A는 적환지 지향 공업, B는 시장 지향 공업이 주로 입지한다.
ㄹ. 오늘날 B는 집적 불이익 발생으로 A로의 공업 이전이 활발하다.

① ㄱ, ㄴ  ② ㄱ, ㄷ  ③ ㄴ, ㄷ
④ ㄴ, ㄹ  ⑤ ㄷ, ㄹ

## D 공업 지역의 변화와 주민 생활

**10** 밑줄 친 ㉠~㉤에 대한 설명으로 옳지 않은 것은?

㉠ 교통·통신 기술의 발달, 산업 구조의 변화, 국가 정책의 변화 등에 따라 기존 공업 지역이 더욱 발달하거나 쇠퇴하기도 하며, ㉡ 새로운 공업 지역이 형성되기도 한다. 최근에는 ㉢ 기업 조직의 성장에 따른 공간적 분업 현상이 나타나면서 공업 지역이 변화하고 있다. 초기에는 ㉣ 집적 이익을 추구하며 한 장소에 집적하지만, 지나친 집중은 오히려 집적 불이익을 가져와 ㉤ 공업이 주변 지역으로 분산되기도 한다.

① ㉠ - 과거에 비해 운송비가 공업 입지에 미치는 영향이 감소하였다.
② ㉡ - 지역 내 인구 증가와 일자리 창출을 가져온다.
③ ㉢ - 경영·관리 기능은 대도시의 핵심 지역에 입지한다.
④ ㉣ - 지가 상승, 용수 부족, 교통 혼잡, 환경 오염 등이 해당된다.
⑤ ㉤ - 수도권의 공업이 충청 공업 지역과 호남 공업 지역으로 분산하게 된 사례를 들 수 있다.

**11** 밑줄 친 A 지역에 대한 설명으로 옳은 것은?

서울 구로구와 금천구 일대에 위치한 A 지역은 과거 섬유·봉제 산업 등 노동 집약형 산업이 발달하였다. 1970년대에는 우리나라 총 수출액의 10% 이상을 차지할 정도로 활기를 띠었으나, 1980년대 산업 구조의 고도화와 국내 임금 상승으로 침체를 겪게 되었다. 이후 산업 구조의 변화에 따라 이 지역은 2000년대부터 새로운 산업이 들어서면서 다시 활성화되었다.

① 정부 주도의 중화학 공업이 발달하였다.
② 수송 적환지를 중심으로 공업 입지가 나타난다.
③ 저임금 노동력을 바탕으로 경공업이 성장하고 있다.
④ 공업 구조가 기술 및 지식 집약적 산업 중심으로 바뀌었다.
⑤ 집적 불이익이 발생하여 공업이 주변 지역으로 분산되고 있다.

**12** 다음 내용을 통해 파악할 수 있는 오늘날 당진시의 변화 모습으로 옳지 않은 것은?

1997년 충청남도 당진군은 지역의 철강 업체가 부도 처리되면서 인구가 유출되고 지역 경제가 침체되는 심각한 위기를 맞았다. 그러나 2004년 제철소가 입지하면서 변화하기 시작하였다. 인구가 증가하여 2012년에는 당진시로 승격되었다.

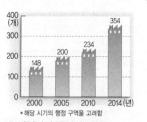

**⬆ 당진시의 공장 수 변화**

① 청년 인구가 증가하였을 것이다.
② 평균 지가가 상승하였을 것이다.
③ 농업 종사자 비율이 증가하였을 것이다.
④ 병원, 음식점 등 편의 시설이 늘어났을 것이다.
⑤ 도로, 주택, 공장 등 인공적인 토지 이용이 확대되었을 것이다.

# 3단계 등급 올리기

2019 평가원 응용 최고난도

**01** 그래프는 (가)~(다) 제조업의 권역별 출하액 비중을 나타낸 것이다. 이에 해당하는 제조업을 옳게 연결한 것은? (단, A, B는 수도권, 영남권 중 하나이다.)

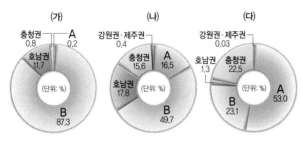

(가)
충청권 0.8 ─ A 0.2
호남권 11.7
(단위: %)
B 87.3

(나)
강원권·제주권 0.4
충청권 15.6 ─ A 16.5
호남권 17.8
(단위: %)
B 49.7

(다)
강원권·제주권 0.03
호남권 1.3 ─ 충청권 22.5
(단위: %)
A 53.0
B 23.1

*종사자 규모 10인 이상 사업체를 대상으로 함
**'전자'는 '전자 부품·컴퓨터·영상·음향 및 통신 장비'를 의미함
***'기타 운송 장비' 제조업은 '선박 및 보트 건조업'이 대부분임

(통계청, 2016)

| | (가) | (나) | (다) |
|---|---|---|---|
| ① | 전자 | 1차 금속 | 기타 운송 장비 |
| ② | 전자 | 기타 운송 장비 | 1차 금속 |
| ③ | 1차 금속 | 전자 | 기타 운송 장비 |
| ④ | 기타 운송 장비 | 전자 | 1차 금속 |
| ⑤ | 기타 운송 장비 | 1차 금속 | 전자 |

**02** 그래프는 특별·광역시별 (가), (나) 제조업의 특성을 나타낸 것이다. (가), (나)에 대한 설명으로 옳은 것은? (단, (가), (나)는 섬유(의복 제외), 자동차 및 트레일러 제조업 중 하나이다.)

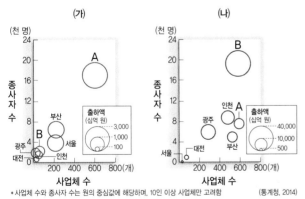

*사업체 수와 종사자 수는 원의 중심값에 해당하며, 10인 이상 사업체만 고려함
(통계청, 2014)

① (가)는 공정이 계열화된 종합 조립 공업이다.
② (나)는 1960년대 우리나라의 주력 수출 공업이었다.
③ (다)는 (나)보다 최종 제품의 무게가 가볍고 부피가 작다.
④ (나)는 (가)보다 사업체당 종사자 수가 적다.
⑤ A는 울산, B는 대구이다.

**03** 표는 우리나라 주요 공업의 생산액 상위 5개 시도를 나타낸 것이다. (가)~(다) 공업에 대한 옳은 설명을 〈보기〉에서 고른 것은? (단, (가)~(다)는 1차 금속, 자동차 및 트레일러, 전자 부품·컴퓨터·영상·음향 및 통신 장비 제조업 중 하나이다.)

(통계청, 2014년)

| 순위 | (가) | | (나) | | (다) | |
|---|---|---|---|---|---|---|
| | 지역 | 비중(%) | 지역 | 비중(%) | 지역 | 비중(%) |
| 1 | 경북 | 24.9 | 경기 | 43.8 | 경기 | 23.7 |
| 2 | 충남 | 14.1 | 경북 | 26.8 | 울산 | 20.5 |
| 3 | 전남 | 13.5 | 충남 | 14.6 | 충남 | 11.3 |
| 4 | 울산 | 12.4 | 충북 | 6.4 | 경남 | 8.0 |
| 5 | 경기 | 10.1 | 인천 | 2.2 | 광주 | 7.0 |

**보기**

ㄱ. (가)는 원료 산지에 입지하려는 경향이 강하다.
ㄴ. (나)는 운송비에 비해 부가 가치가 크며 입지가 자유로운 제조업이다.
ㄷ. (가)에서 생산된 최종 제품은 (다)의 원료로 이용된다.
ㄹ. (나)와 (다) 모두 1960년대 우리나라의 공업화를 주도하였다.

① ㄱ, ㄴ    ② ㄱ, ㄷ    ③ ㄴ, ㄷ
④ ㄴ, ㄹ    ⑤ ㄷ, ㄹ

## 🕊 서술형문제

**04** 지도를 보고 물음에 답하시오.

(한국 산업 단지 공단, 2016)

(1) A, B 공업 지역의 이름을 각각 쓰시오.

(2) A, B 공업 지역의 특징을 각각 서술하시오.

# 04 서비스업의 변화와 교통·통신의 발달

## A 상업 및 소비 공간의 변화

### 1. 상업의 입지
● 좁은 의미의 상업은 상품의 매매만을 의미하지만, 넓은 의미로는 운송업, 보관업, 금융업, 보험업, 정보 통신업, 무역업 등도 상업에 해당한다.

(1) 상점의 유지 조건: 최소 요구치의 범위보다 재화의 도달 범위가 같거나 넓어야 함

● 소비자가 상품 구입을 위해 기꺼이 교통비를 지불하고 오는 거리

| 최소 요구치 | 상점이 유지되는데 필요한 최소한의 수요(인구수) |
| --- | --- |
| 재화의 도달 범위 | 상점으로부터 재화가 도달할 수 있는 최대한의 범위 |

(2) 상점의 입지 ─● 상점의 규모와 기능, 상품의 구매 빈도와 가격 등에 따라 달라진다.

| 구분 | 생활용품 판매점 | 전문 상품 판매점 |
| --- | --- | --- |
| 점포 수 | 많다 | 적다 |
| 점포 간의 거리 | 가깝다 | 멀다 |
| 최소 요구치 | 작다 | 크다 |
| 재화의 도달 범위 | 좁다 | 넓다 |

### ★ 2. 상업 및 소비 공간의 변화

(1) 상업 입지의 변화 요인

① 인구 증가: 인구가 증가하고 교통이 발달하면서 상설 시장 형성

② 교통·통신의 발달: 시공간의 제약이 줄어들면서 상권 확대, 상품 유통 구조의 단순화, 무점포 상점 증가

③ 소비자의 구매 행태 변화: 자동차 보급 증대, 맞벌이 부부 증가 등이 원인 → 대량 복합 구매 활동 증가, 복합 상업 시설에서 소비 생활과 여가 활동을 동시에 즐김

(2) 상업과 소비 공간의 변화

| 백화점 | 주로 고급 상품 판매, 접근성이 좋은 도심이나 부도심에 입지 |
| --- | --- |
| 대형 마트 | 주로 일상용품 판매, 도시 내 주거 지역을 중심으로 교외 지역까지 확산 |
| 편의점 | 바쁜 현대인들의 일상생활에 필요한 다양한 제품 판매, 도시 곳곳에 분포 |
| 무점포 상점 | TV 홈쇼핑, 인터넷 쇼핑, 소셜 커머스 등을 통한 거래, 입지가 자유롭고 택배 산업의 발달을 촉진 |
| 소규모 상점과 재래시장 | 시설의 노후화, 대형 마트의 증가 등으로 경쟁력 약화 → 판매 환경 개선, 다양한 마케팅 전략 시도 |

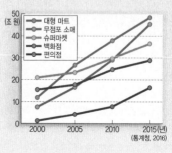

**◆ 주요 소매업의 유형별 매출액 변화** | 소비자의 수요가 다양해지면서 전문화된 상업 시설이 발달하고 있다. 2015년 기준 주요 소매 업태의 매출액을 보면 대형 마트가 가장 많으며, 무점포 소매, 슈퍼마켓, 백화점, 편의점 순으로 나타난다.

## B 서비스 산업의 고도화와 공간 변화

### 1. 탈공업화와 정보화 사회

(1) 탈공업화: 산업 구조가 2차 산업에서 3차 산업 중심으로 바뀌어 가는 현상

(2) 정보화 사회로 전환: 지식과 정보가 중요한 생산 요소가 되는 지식 기반 서비스업의 비중이 높아짐

● 예 정보·통신 서비스업, 교육·문화·디자인 산업 등

### 2. 서비스 산업의 고도화

(1) 서비스 산업의 유형

| 소비자 서비스 | 도·소매업, 숙박 및 음식업 등 개인 소비자가 이용하는 서비스업 |
| --- | --- |
| 생산자 서비스 | 금융업, 보험업, 광고업, 법률 서비스업, 사업 서비스업 등 기업의 생산 활동을 지원하는 서비스업 |

(2) 서비스 산업의 고도화: 서비스업 외부화 경향의 강화로 업종 및 규모가 다양해지고, 기능이 전문화됨 → 생산자 서비스업의 비중이 증가함

● 관련 산업의 발달 및 집적을 유도하는 효과가 있어 지역의 고용 창출과 경제 성장에 많은 영향을 준다.

### ★ 3. 서비스 산업의 공간 변화

(1) 서비스 산업의 입지

| 소비자 서비스 | 소비자의 이동 거리를 최소화하고 업체 간 경쟁을 줄이기 위해 서로 일정한 거리를 두고 분산하여 입지 |
| --- | --- |
| 생산자 서비스 | 교통과 통신이 편리하고 정보 및 전문 인력 획득에 유리하며, 기업의 본사가 집중된 대도시의 도심이나 부도심에 집적하여 입지 |

(2) 지식 기반 서비스업의 공간 변화

① 지식 기반 서비스업의 특성: 지식과 정보를 기반으로 부가 가치를 창출함

② 지식 기반 서비스업의 입지: 전문 연구 및 경영 인력을 확보하기 쉽고, 정보 통신 기반 시설이 잘 구축된 대도시를 선호 → 수도권과 지방 중소 도시 간 격차 발생

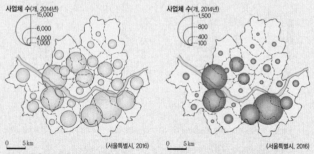

**↑ 소비자 서비스업 사업체 분포**   **↑ 생산자 서비스업 사업체 분포**

소비자 서비스업은 소비자의 이동 거리를 최소화하고 업체 간에 일정한 간격을 유지하며 입지하려는 경향이 있다. 그러나 특화된 상업 지구와 같이 전문화된 소비자 서비스업은 집적 이익을 추구하여 한곳에 집적하는 경향이 있다. 반면, 생산자 서비스업은 주요 고객인 기업과의 접근성이 좋고 정보 획득이 쉬운 대도시의 도심이나 부도심에 입지하려는 경향이 있다.

## ⓒ 교통·통신의 발달과 공간의 변화

### 1. 우리나라의 교통 발달

| 1960년대 | 경부 고속 국도 개통으로 도로 교통 성장 → 여객과 화물 수송 중심을 이룸 |
|---|---|
| 1970년대 | 서울 등 대도시의 교통 혼잡을 해결하기 위해 지하철 개통 |
| 2000년대 | • 경부 및 호남 고속 철도 개통으로 지역 간 교류가 더욱 활발해짐<br>• 인천 국제공항 개항 → 동북아시아의 허브 공항 역할 |

### ★ 2. 교통수단별 특징

> 기동성은 상황에 따라 신속하게 이동하는 정도를, 문전 연결성은 사람이나 물자를 문 앞까지 전달해 주는 정도를 말한다.

| 도로 | • 지형적 제약이 적음, 기동성·문전 연결성 높음<br>• 기종점 비용이 낮은 반면, 단위 거리당 주행 비용이 높음 → 단거리 수송에 적합 |
|---|---|
| 철도 | • 지형적 제약이 많음, 정시성·안전성 높음<br>• 운송비가 도로와 해운의 중간임 → 중거리 수송에 적합 |
| 해운 | • 최근 무역량 증가로 화물 수송의 비중 증가<br>• 기종점 비용이 높고, 단위 거리당 주행 비용이 낮음 → 장거리 수송에 적합 |
| 항공 | • 기상 조건에 따른 제약이 많음, 신속성 높음<br>• 기종점 비용과 단위 거리당 주행 비용이 모두 높음 → 신속한 장거리 수송에 유리 |

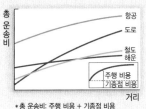

* 총 운송비: 주행 비용 + 기종점 비용
* 주행 비용: 거리에 따라 증가하는 운송 비용
* 기종점 비용: 창고비, 하역비, 보험료 등 운송 업무에 관련된 모든 비용

❶ 교통수단별 운송비 구조

❶ 국내 교통수단별 수송 분담률

### 3. 교통·통신의 발달과 공간의 변화

(1) **시공간적 제약의 완화**: 지역 간 인적 및 물적 교류 증가, 통근·통학권 등 생활권 확대, 대도시권 형성 등

(2) **공간 불균형**: 교통이 편리한 지역은 인구와 산업이 집중하여 성장, 교통이 불편한 지역은 발전이 쇠퇴하거나 정체 → 지역 격차 심화

(3) **기업 활동의 변화**: 원료나 제품의 운송비가 공장 입지에 미치는 영향 감소, 통신망을 이용한 정보 공유 가능 → 관리 기능과 생산 기능의 공간적 분업 현상 심화

(4) **전자 상거래의 발달**: 무점포 상점 증가 → 택배 산업과 대형 물류 창고업 성장
> 판매자는 임대료와 인건비를 줄일 수 있고, 소비자는 시간과 공간에 얽매이지 않는 소비 활동을 할 수 있다.

(5) **정보화**: 전문직 및 연구직 종사자 비중 증가, 개인 정보 유출이나 사생활 침해 등의 문제 발생

---

**01** 다음 설명이 맞으면 ○표, 틀리면 ×표를 하시오.

(1) 교통·통신이 발달하면서 시공간의 제약이 완화되어 상권이 확대되었다. ( )

(2) 상점이 유지되기 위해서는 최소 요구치의 범위보다 재화의 도달 범위가 좁아야 한다. ( )

**02** 산업 구조가 2차 산업에서 3차 산업 중심으로 바뀌어 가는 현상을 ( )이라고 한다.

**03** 서비스 산업과 그 사례를 옳게 연결하시오.

(1) 생산자 서비스업 •　　　　• ㉠ 광고업
　　　　　　　　　　　• ㉡ 음식업
(2) 소비자 서비스업 •　　　　• ㉢ 도·소매업
　　　　　　　　　　　• ㉣ 법률 서비스업

**04** ㉠, ㉡에 들어갈 내용을 각각 쓰시오.

> 서비스업 (㉠　　　 ) 경향의 강화로 업종 및 규모가 다양해지고, 기능이 전문화되면서 (㉡　　　 ) 서비스업의 비중이 증가하고 있다.

**05** 다음에서 설명하는 교통수단을 〈보기〉에서 골라 기호를 쓰시오.

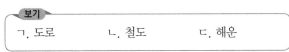

**보기**
ㄱ. 도로　　　　ㄴ. 철도　　　　ㄷ. 해운

(1) 지형적 제약이 많지만 정시성과 안전성이 높다. ( )

(2) 기동성·문전 연결성이 높고, 단거리 수송에 적합하다. ( )

(3) 기종점 비용이 높고, 단위 거리당 주행 비용이 낮아 장거리 수송에 적합하다. ( )

**06** 다음 괄호 안의 내용 중 알맞은 말에 ○표를 하시오.

(1) 교통·통신 발달로 시공간적 제약이 감소하면서 생활권이 (축소, 확대)되고 있다.

(2) 교통이 편리한 지역은 대도시로 성장하고, 교통이 불편한 지역은 발전이 정체되어 지역 격차가 (심화, 완화)되고 있다.

## A 상업 및 소비 공간의 변화

**01** 그림은 상점의 최소 요구치와 재화의 도달 범위를 나타낸 것이다. A, B에 대한 설명으로 옳지 <u>않은</u> 것은?

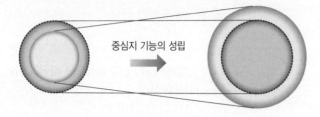

중심지 기능의 성립

● A ○ B

① A는 상점이 유지되기 위한 최소한의 수요이다.
② 다른 조건은 모두 동일하고 인구가 증가하면 A의 범위는 확대된다.
③ B는 소비자가 상품 구입을 위해 교통비를 지불하고 오는 거리이다.
④ 다른 조건은 모두 동일하고 상점으로 연결되는 교통로가 건설되면 B의 범위는 확대된다.
⑤ B의 범위가 A의 범위보다 같거나 넓을 때 상설 시장이 형성된다.

출제가능성 90%

**02** 지도는 부산광역시의 소매 업체 분포를 나타낸 것이다. A, B 소매 업체와 관련된 특징을 비교한 내용으로 옳지 <u>않은</u> 것은?

| | 특징 | A | B |
|---|---|---|---|
| ① | 판매 상품의 종류 | 적다 | 많다 |
| ② | 최소 요구치의 범위 | 넓다 | 좁다 |
| ③ | 상점 간의 평균 거리 | 멀다 | 가깝다 |
| ④ | 재화가 도달하는 최대 범위 | 넓다 | 좁다 |
| ⑤ | 소비자의 하루 평균 방문 횟수 | 적다 | 많다 |

**03** 그래프는 주요 소매업 유형별 매출액 변화를 나타낸 것이다. A~D에 대한 설명으로 옳은 것은?

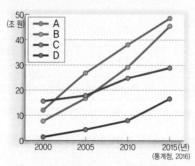

(통계청, 2016)

① A는 접근성이 좋은 도심과 부도심에 주로 입지한다.
② B는 TV 홈쇼핑, 인터넷 쇼핑 등을 포함하며, 교통·통신의 발달에 따라 매출액이 급성장하고 있다.
③ C는 B보다 사업체당 종사자 수가 적다.
④ D는 A보다 상품 전시에 필요한 공간이 넓다.
⑤ A~D 중 재화의 도달 범위가 가장 넓은 것은 D이다.

**04** 그림은 상품의 유통 구조를 나타낸 것이다. (가), (나)의 거래 형태에 대한 설명으로 옳은 것은?

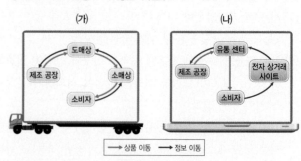

→ 상품 이동  → 정보 이동

① (가)에서 소매상은 도매상보다 재화의 도달 범위가 넓다.
② (나)는 택배 산업의 발달을 촉진한다.
③ (나)는 상거래의 시·공간적 제약이 크다.
④ (가)는 (나)보다 매장 관리 비용이 적게 든다.
⑤ (나)는 (가)보다 유통 구조가 복잡하여 물류비용이 비싸다.

## B 서비스 산업의 고도화와 공간 변화

**05** 그래프는 우리나라의 산업별 종사자 수 비중 변화를 나타낸 것이다. 이와 같은 현상이 지속될 경우 나타날 변화에 대한 추론으로 적절한 것만을 〈보기〉에서 있는 대로 고른 것은?

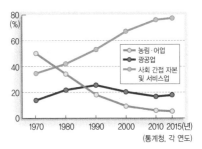

(통계청, 각 연도)

> **보기**
> ㄱ. 서비스에 대한 수요가 점차 다양해질 것이다.
> ㄴ. 경제 활동에서 지식과 정보의 중요성이 확대될 것이다.
> ㄷ. 3차 산업 종사자 비중이 증가하는 탈공업화 현상이 심화될 것이다.
> ㄹ. 지식 중심의 정보화 사회에서 노동력과 자본 중심의 산업 사회로 변화할 것이다.

① ㄱ, ㄴ    ② ㄴ, ㄷ    ③ ㄷ, ㄹ
④ ㄱ, ㄴ, ㄷ    ⑤ ㄴ, ㄷ, ㄹ

출제가능성 **90%**

**06** 지도는 수요자 유형에 따른 서울의 서비스업 분포를 나타낸 것이다. (가), (나)에 대한 설명으로 옳은 것은?

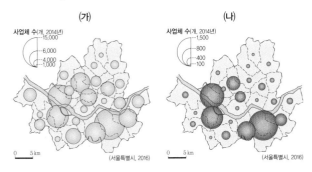

(가)

사업체 수(개, 2014년)
15,000
6,000
4,000
1,000

0    5 km
(서울특별시, 2016)

(나)

사업체 수(개, 2014년)
1,500
800
400
100

0    5 km
(서울특별시, 2016)

① (가)는 기업을 주요 대상으로 한다.
② (나)는 관련 산업의 발달과 집적을 유도한다.
③ (가)는 (나)보다 노동 생산성이 높은 편이다.
④ (가)는 (나)보다 전문적인 지식과 기술이 필요한 서비스이다.
⑤ 탈공업화 사회에서는 (나)보다 (가)의 성장이 두드러지는 현상이 나타난다.

**07** 그래프는 업종별 서비스 산업의 종사자 수 비율 변화를 나타낸 것이다. 이에 대한 설명으로 옳지 **않은** 것은?

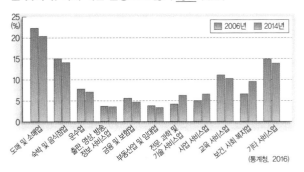

(통계청, 2016)

① 사회 복지에 대한 수요가 크게 증가하였다.
② 과학 기술 서비스에 대한 수요가 증가하였다.
③ 서비스 산업이 고도화되고 있음을 알 수 있다.
④ 생산자 서비스업은 전 업종에서 비중이 증가하였다.
⑤ 두 시기 모두 민간 서비스업의 비율이 공공 서비스업의 비율보다 높다.

**08** 지도는 (가), (나) 서비스업의 시도별 매출액을 나타낸 것이다. (가)와 비교한 (나)의 상대적 특징을 그림의 A~E에서 고른 것은? (단, (가), (나)는 도매 및 소매업과 전문 서비스업 중 하나이다.)

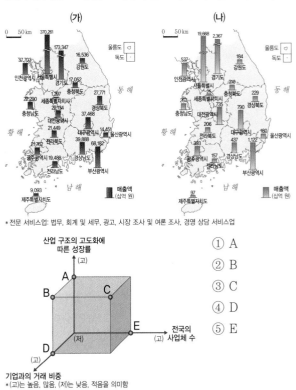

(가)    (나)

* 전문 서비스업: 법무, 회계 및 세무, 광고, 시장 조사 및 여론 조사, 경영 상담 서비스업

① A
② B
③ C
④ D
⑤ E

* (고)는 높음, 많음. (저)는 낮음, 적음을 의미함

**C 교통·통신의 발달과 공간의 변화**

**09** 그래프는 교통수단별 운송비 구조를 나타낸 것이다. 이에 대한 분석으로 옳은 것은?

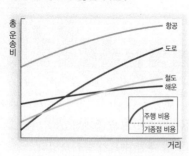

① 도로는 기종점 비용이 가장 비싸다.
② 해운은 단거리 수송에 가장 유리하다.
③ 도로는 철도보다 주행 비용의 증가율이 높다.
④ 항공은 주행 비용의 증가율이 낮아 장거리 수송에 적합하다.
⑤ 철도는 해운보다 기종점 비용이 비싸지만 단위 거리당 주행 비용이 저렴하다.

**출제가능성90%**
**10** 그래프는 교통수단별 국내 여객 및 화물 수송 분담률을 나타낸 것이다. A~E에 대한 설명으로 옳은 것은?

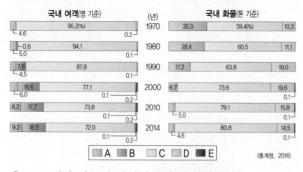

① A는 대량 화물의 장거리 수송에 적합하다.
② B는 대도시의 교통난 해소에 도움을 준다.
③ C는 운항시 기상 제약을 많이 받는다.
④ D는 기동성과 문전 연결성이 우수하다.
⑤ E는 지형 조건의 영향을 많이 받는다.

**11** 다음과 같은 변화가 지속될 경우 나타날 사회의 변화 모습으로 옳지 않은 것은?

통신 서비스가 데이터 중심으로 본격화된 2000년대 들어 무선 전자 상거래 시장이 형성되었고, 이후 스마트폰의 대중화로 무선 전자 상거래는 새로운 전자 상거래 방식으로 자리 잡았다.

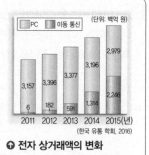

↑ 전자 상거래액의 변화

① 전자 상거래의 비중이 증가할 것이다.
② 택배 산업의 종사자 수가 증가할 것이다.
③ 상품 구매의 시·공간적 제약이 작아질 것이다.
④ 상점이 위치하는 장소의 중요성이 커질 것이다.
⑤ 도시 외곽에 대형 물류 창고, 복합 화물 터미널 등의 수가 늘어날 것이다.

**12** 신문 기사를 통해 알 수 있는 서울과 포항의 변화에 대한 추론으로 적절한 것만을 〈보기〉에서 있는 대로 고른 것은?

2015년 서울 ~ 포항 고속 철도가 개통됨에 따라 서울역에서 포항역까지 평균 2시간 30분이면 갈 수 있게 되었다. 4시간 정도 걸리는 고속버스보다 1시간 30분 정도 줄어 경상북도 동해안에서도 전국이 반나절 생활권으로 들어왔다.
– 「영남일보」, 2016. 4. 1.

**보기**
ㄱ. 서울과 포항 간의 교류가 증가할 것이다.
ㄴ. 서울과 포항을 오가는 고속버스 이용객이 늘어날 것이다.
ㄷ. 포항을 찾는 관광객이 늘어나 지역 경제가 활성화될 것이다.
ㄹ. 쇼핑, 의료 등의 수요가 서울로 집중하는 현상이 나타날 것이다.

① ㄱ, ㄴ      ② ㄴ, ㄷ      ③ ㄷ, ㄹ
④ ㄱ, ㄷ, ㄹ      ⑤ ㄴ, ㄷ, ㄹ

# 3단계 등급 올리기

2018 수능 응용

**01** 그래프의 (가)~(다) 소매 업태에 대한 옳은 설명을 〈보기〉에서 고른 것은? (단, (가)~(다)는 백화점, 편의점, 무점포 소매업체 중 하나이다.)

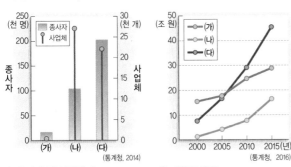

↑ 종사자 및 사업체 수 ↑ 매출액 변화

**보기**

ㄱ. 소비자와 판매자 간 대면 접촉 빈도는 (다)가 가장 높다.
ㄴ. (가)는 (나)보다 고가 제품의 판매액 비중이 낮다.
ㄷ. (다)는 (나)보다 구매 활동의 시·공간적 제약이 적다.
ㄹ. (나)는 (다)보다 2010년부터 2015년까지 매출액 증가율이 낮다.

① ㄱ, ㄴ  ② ㄱ, ㄷ  ③ ㄴ, ㄷ
④ ㄴ, ㄹ  ⑤ ㄷ, ㄹ

**02** 그래프는 우리나라의 시도별 서비스업 및 제조업 종사자 증가율을 나타낸 것이다. A~C에 해당하는 지역을 옳게 연결한 것은?

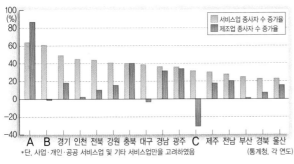

*단, 사업·개인·공공 서비스업 및 기타 서비스업만을 고려하였음 (통계청, 각 연도)

|  | A | B | C |
|---|---|---|---|
| ① | 대전 | 충남 | 서울 |
| ② | 서울 | 대전 | 충남 |
| ③ | 서울 | 충남 | 대전 |
| ④ | 충남 | 서울 | 대전 |
| ⑤ | 충남 | 대전 | 서울 |

★★★ 최고난도
**03** 그래프는 교통수단별 단위 거리당 운송비를 나타낸 것이다. (가)~(다)의 상대적 특징을 옳게 표현한 것은? (단, (가)~(다)는 도로, 철도, 해운 중 하나이다.)

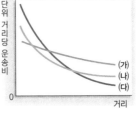

①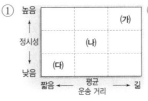
②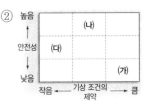
③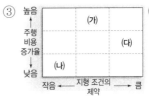
④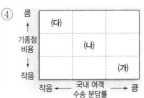
⑤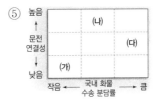

## 서술형 문제

**04** 그래프는 우리나라 통신 서비스 가입자 수 변화를 나타낸 것이다. 이에 따라 나타나게 된 공간 변화 모습을 세 가지 서술하시오.

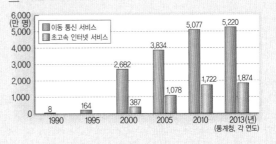

# 01 인구 분포와 인구 구조의 변화

## A 우리나라 인구 분포의 특성

### 1. 인구와 인구 분포

(1) 인구의 특징 • 인구는 일정 지역에 거주하는 사람의 수 또는 집단 자체를 의미한다.

① 한 국가의 정치, 경제, 사회, 문화, 공간적 특성의 집약체

② 인구의 분포, 구조, 이동 등을 통해 인구 특성 파악 가능

(2) 인구 분포 : 특정 시점 인구의 지역별 규모를 나타냄

(3) 인구 분포에 영향을 미치는 요인 • 인구 분포는 인구 밀도를 통해 파악할 수 있는데, 인구 밀도는 일정한 지역의 면적당 인구수로 나타낸다.

| 자연적 요인 | • 기후, 지형, 토양, 자원 등<br>• 근대 이전의 전통적 인구 분포에 크게 영향을 줌 |
|---|---|
| 인문·사회적 요인 | • 정치, 산업, 경제, 역사, 문화, 교통 등<br>• 과학 기술의 발달과 경제 성장으로 영향력이 커짐 |

### ★ 2. 인구 분포의 지역적 차이

(1) 1960년대 이전

| 인구 밀집 지역 | 기후가 온화하고 경지 비율이 높은 남서부 평야 지대 |
|---|---|
| 인구 희박 지역 | 겨울이 길고 추우며 산지가 많은 북동부 산간 지대 |

(2) 오늘날

| 인구 밀집 지역 | • 수도권은 국토 면적의 약 12%에 불과하지만 전체 인구의 약 50%가 거주<br>• 부산, 대구, 대전, 광주 등의 대도시와 위성 도시<br>• 공업이 발달한 포항, 울산, 광양 등 → 남동 임해 지역 |
|---|---|
| 인구 희박 지역 | 태백·소백산맥의 일대의 산간 지대와 농어촌 지역 |

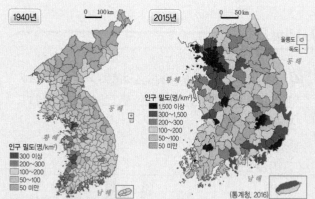

↑ 우리나라의 인구 분포

우리나라는 1960년대 이전에는 인구 대부분이 1차 산업에 종사하며, 자연적 요인이 인구 분포에 많은 영향을 주어 남서부 평야 지대에 인구가 밀집해 있었다. 그리고 오늘날에는 산업화와 도시화로 2·3차 산업이 발달한 대도시와 공업 지역을 중심으로 인구가 증가하여 수도권과 대도시, 남동 임해 지역 등에 인구가 밀집해 있다.

### 3. 우리나라의 인구 이동

(1) 인구 이동의 특징: 근대화 이후 교통의 발달로 인구 이동이 활발해짐

(2) 시기별 인구 이동

| 일제 강점기 | • 광공업이 발달한 북부 지방으로 이동<br>• 일본·중국·러시아 등 해외로 이주하기도 함 |
|---|---|

↓

| 광복 이후 | 해외 동포들이 귀국하여 고향이나 도시로 이동 |
|---|---|

↓

| 1960~1980년대 | 산업화가 진행되면서 이촌 향도 현상이 활발 |
|---|---|

└ • 농촌의 인구가 도시로 이동하는 현상

| 1990년대 이후 | • 수도권과 대도시로 인구가 집중<br>• 교외화 현상 발생 → 대도시 주변 위성 도시로의 인구 이동이 증가 |
|---|---|

└ • 대도시의 인구나 기능 등이 도시 주변 지역으로 확산되는 과정

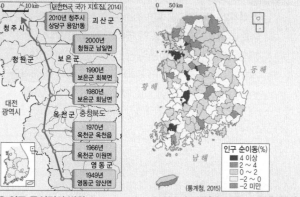

↑ 인구 중심점의 변화  ↑ 인구 순이동(전입 인구 – 전출 인구)

인구 중심점이 북서쪽으로 이동한 것은 전체 인구 분포에서 수도권의 인구 비중이 높아지고 있기 때문이다. 그리고 대도시가 과밀화되면서 대도시와 인접한 근교 지역의 인구가 증가하였다. 따라서 이들 지역의 인구 순이동 수치가 높게 나타난다.

## B 우리나라 인구 구조의 변화

### ★ 1. 우리나라의 인구 성장
• 한 지역이나 국가에서 일정 기간 동안 발생한 인구의 양적인 변화를 의미한다.

(1) 인구 성장: 자연적 증감(출생자 수-사망자 수)과 사회적 증감(전입자 수-전출자 수)의 합을 통해 파악

(2) 우리나라의 인구 성장
• 질병이나 기근, 자연재해 등으로 사망률이 높았다.

| 조선 시대 말 이전 | • 높은 출생률과 높은 사망률 → 다산다사 단계<br>• 인구 증가율이 낮음 |
|---|---|
| 일제 강점기 | 근대 의료 기술 보급, 위생 시설의 확충, 식량 증산으로 사망률이 낮아짐 → 다산감사 단계 |
| 광복~1960년대 초 | • 해외 동포의 귀국, 북한 동포의 월남 등으로 인구의 사회적 증가<br>• 6·25 전쟁으로 사망률이 일시적으로 급증, 전후 출산 붐(baby boom)으로 인구 증가율 급증 |
| 1960년대 중반~1990년대 | 정부 주도의 산아 제한 정책으로 출생률 감소 → 감산소사 단계 |
| 2000년대 이후 | • 저출산 문제 발생 → 소산소사 단계<br>• 정부 주도의 출산 장려 정책 추진 |

★ 표시는 시험 전에 확인해 주세요.

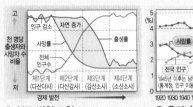
**⊙ 인구 변천 모형**

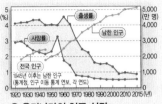
**⊙ 우리나라의 인구 성장**

1단계는 인구 성장률이 낮으며, 2단계는 의학 발달, 경제 발전 등으로 사망률이 급감하여 인구가 급증한다. 3단계는 가족계획 등으로 출생률이 낮아지고, 4단계는 노년 인구 비율이 증가한다. 우리나라는 6·25 전쟁 이후 출산 붐으로 인구가 급증하였으나 1990년대 후반부터는 인구 성장이 둔화되었다.

## 2. 우리나라의 인구 구조 변화

(1) **연령별 인구 구조** → 사회적·경제적·문화적 상황에 따라 변화된다.

① 출생과 사망, 전입과 전출로 결정

② 시기별 변화 ┌ 유소년층 인구 비율이 높고 노년층 인구 비율이
　　　　　　　└ 낮은 인구 구조이다.

| 1960년대 이전 | 높은 출생률과 사망률 → 피라미드형 인구 구조 |
|---|---|
| 1990년대 후반 이후 | 출생률과 사망률이 낮아짐 → 종형 인구 구조 |
| 2050년(예측) | 유소년층의 인구 비율이 더 낮아지고, 노년층 인구 비율이 매우 높아질 것으로 예상 |

점차 종형에서 방추형으로 변화하고 있다.

**1960년** **2010년** **2050년**
(장래 인구 추계, 2010)
**⊙ 우리나라의 인구 피라미드 변화**

★ (2) **성별 인구 구조** ┌ 여성 인구 100명에
　　　　　　　　　　　└ 대한 남성 인구의 수

① 대체로 출생 시에는 남초 현상이 나타나 성비가 높고, 노년층으로 갈수록 여초 현상이 나타나 성비가 낮음

② 과거 남아 선호 사상으로 성비 불균형(남초 현상)이 발생했으나, 오늘날 남아 선호 사상의 약화로 성비 불균형 완화

③ 지역별 성비 특성

| 남초 현상 | 중화학 공업 도시, 휴전선 부근의 군사 도시 |
|---|---|
| 여초 현상 | 대도시, 관광 도시, 촌락 지역 등 |

● 군부대가 많아 남초 현상이 나타난다.

**⊙ 지역별 성비 분포** | 군부대가 많은 경기도 및 강원도 북부 지역과 중화학 공업이 발달한 울산, 거제, 서산 등은 남초 현상이 나타나고, 촌락은 고령의 여성 노인이 많아 여초 현상이 나타난다.

(통계청, 2016)
성비
■ 110 이상
■ 105~110
□ 100~105
□ 95~100
■ 95 미만

---

**01** 다음 설명이 맞으면 ○표, 틀리면 ×표를 하시오.

(1) 1960년대 이전 우리나라의 인구는 대부분 남서부 평야 지대에 밀집했다. (　　　)

(2) 일제 강점기에는 광공업이 발달한 북부 지방으로 인구 이동이 일어났다. (　　　)

(3) 1990년대 이후 산업화가 시작되면서 이촌 향도 현상이 활발히 일어났다. (　　　)

**02** (　　　　　) 현상은 대도시의 인구나 기능 등이 도시 주변 지역으로 확산되는 과정으로, 이에 따라 우리나라에서는 대도시 주변 위성 도시로의 인구 이동이 증가하고 있다.

**03** 표의 ㉠~㉺에 들어갈 내용을 쓰시오.

| 조선 시대 말 이전 | 높은 출생률과 높은 사망률 → (㉠　　　) 단계 |
|---|---|
| 일제 강점기 | 근대 의료 기술 도입으로 (㉡　　　)이 낮아짐 |
| 광복 ~1960년대 초 | 해외 동포의 귀국, 북한 주민의 월남 등으로 인구의 사회적 증가, 6·25 전쟁 후 (㉢　　　)으로 인구 증가율 급증 |
| 1960년대 중반 ~1990년대 | 정부 주도의 (㉣　　　) 정책으로 출생률 감소 |
| 2000년대 이후 | 저출산 문제 발생 → (㉺　　　) 단계 |

**04** 1960년대 이전에 우리나라는 높은 출생률과 사망률로 (㉠　　　)형 인구 구조가 나타났으며, 1990년대 후반 이후 출생률과 사망률이 낮아지면서 (㉡　　　)형 인구 구조가 나타났다.

**05** 남초 현상이 주로 나타나는 지역과 여초 현상이 주로 나타나는 지역을 〈보기〉에서 골라 기호를 쓰시오.

〈보기〉
ㄱ. 대도시　　　ㄴ. 촌락 지역　　　ㄷ. 관광 도시
ㄹ. 군사 도시　　　ㅁ. 중화학 공업 도시

(1) 남초 현상 지역 (　　　)
(2) 여초 현상 지역 (　　　)

**06** 성비는 (㉠　　　) 100명에 대한 (㉡　　　)의 수를 말하며, 대체로 출생시에는 성비가 높고 노년층으로 갈수록 성비가 낮다.

## A 우리나라 인구 분포의 특성

출제가능성 90%

**01** 밑줄 친 ㉠~㉤에 대한 설명으로 옳지 <u>않은</u> 것은?

㉠ <u>인구</u>는 일정 지역에 거주하는 사람 수 또는 집단 자체로 ㉡ <u>인구 분포</u>, 인구 구조, 인구 이동 등을 통해 인구 특성을 파악할 수 있다. 이 중에서 인구 분포에 영향을 미치는 요인으로는 ㉢ <u>자연적 요인</u>과 인문·사회적 요인이 있다. 우리나라 최대의 인구 밀집 지역은 ㉣ <u>수도권</u>이며 공업이 발달한 포항, 울산, 광양 등을 잇는 남동 임해 지역도 대표적인 인구 밀집 지역이다. 이와 달리 태백산맥과 ㉤ <u>소백산맥의 농어촌 지역</u>은 인구 희박 지역이다.

① ㉠ – 한 국가의 정치, 경제, 사회, 공간적 특성 등의 집약체이다.
② ㉡ – 지역별 인구 밀도를 통해 파악이 가능하다.
③ ㉢ – 기후, 지형, 토양, 자원 등과 관련된 요인이다.
④ ㉣ – 국토 면적의 약 12%에 불과하지만 전체 인구의 약 50%가 거주한다.
⑤ ㉤ – 경지 비율이 높아 근대 이전에는 인구가 밀집하였다.

**02** 지도는 오늘날 우리나라의 인구 분포를 나타낸 것이다. 이에 대한 옳은 설명을 〈보기〉에서 고른 것은?

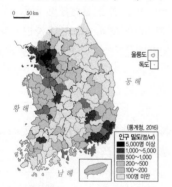

**보기**

ㄱ. 대도시의 위성 도시는 대체로 인구 밀도가 높다.
ㄴ. 기후가 온화하고 토양이 비옥할수록 인구 밀도가 높다.
ㄷ. 2·3차 산업이 발달한 지역을 중심으로 인구가 밀집하였다.
ㄹ. 의주~포항을 연결하는 선을 기준으로 인구 밀집 정도가 구분된다.

① ㄱ, ㄴ      ② ㄱ, ㄷ      ③ ㄴ, ㄷ
④ ㄴ, ㄹ      ⑤ ㄷ, ㄹ

**03** (가)에 들어갈 옳은 내용을 〈보기〉에서 고른 것은?

인구 중심점의 의미와 특징

• 의미: 지도에 인구 분포를 한 개의 점으로 나타낸 다음 모든 사람의 몸무게가 같다고 가정할 때 무게의 중심에 해당하는 곳
• 특징: _____ (가)

**보기**

ㄱ. 오늘날 역도시화 현상을 살펴볼 수 있다.
ㄴ. 광복 이후 약 60년 동안 북서쪽으로 이동하였다.
ㄷ. 시간에 따라 변화하는 인구 분포의 특성을 나타내고 있다.
ㄹ. 인구 중심점은 인문·사회적 요인보다 자연적 요인의 영향을 많이 받는다.

① ㄱ, ㄴ      ② ㄱ, ㄹ      ③ ㄴ, ㄷ
④ ㄴ, ㄹ      ⑤ ㄷ, ㄹ

**04** 표는 상하위 4개 시도의 인구 순이동을 나타낸 것이다. 이에 대한 분석 및 추론으로 적절하지 <u>않은</u> 것은?

(2016, 통계청)

| 지역 | 순이동(명) | 지역 | 순이동(명) |
|---|---|---|---|
| 경기 | 116,162 | 서울 | −98,486 |
| 세종 | 34,690 | 부산 | −28,398 |
| 충남 | 19,401 | 대전 | −16,175 |
| 제주 | 14,005 | 대구 | −11,936 |

① 대도시의 교외화 현상이 확대되었다.
② 세종은 전출 인구보다 전입 인구가 많다.
③ 충남은 수도권과의 접근성이 향상되었을 것이다.
④ 경기에서 서울로의 출퇴근 인구는 줄어들었을 것이다.
⑤ 제주의 인구 증가는 귀농·귀촌 현상이 반영된 것이다.

**05** 다음은 시기별 인구 이동을 목차별로 정리한 것이다. (가)~(라)의 세부 내용으로 옳은 것을 〈보기〉에서 고른 것은?

> **우리나라의 시기별 인구 이동**
>
> (1) 일제 강점기 ·········································· (가)
> (2) 광복 이후 ·············································· (나)
> (3) 1960~1980년대 ··································· (다)
> (4) 1990년대 이후 ····································· (라)

**보기**

ㄱ. (가) – 광공업이 발달한 북부 지방으로 인구가 이동하였다.
ㄴ. (나) – 해외 동포들이 귀국하여 고향이나 도시로 이동하였다.
ㄷ. (다) – 대도시 인구의 급증으로 역도시화 현상이 나타났다.
ㄹ. (라) – 대도시 주변 위성 도시로 인구가 이동하는 이촌 향도 현상이 나타났다.

① ㄱ, ㄴ   ② ㄱ, ㄹ   ③ ㄴ, ㄷ
④ ㄴ, ㄹ   ⑤ ㄷ, ㄹ

**B** 우리나라 인구 구조의 변화

**07** 자료는 인구 변천 모형을 나타낸 것이다. (가)~(라) 단계에 대한 설명으로 옳은 것은?

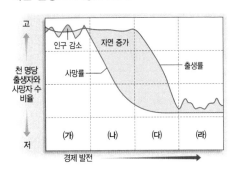

① (가) 단계에는 종형 인구 구조가 나타난다.
② (나) 단계는 여성의 사회 진출이 가장 활발하다.
③ (다) 단계에서는 인구의 자연적 감소가 나타난다.
④ (나) 단계는 (라) 단계보다 기대 수명이 길다.
⑤ (라) 단계는 (가) 단계보다 총인구 수가 많다.

---

✿출제가능성 90%
**06** 지도는 시기별 인구 이동을 나타낸 것이다. (가), (나) 시기에 대한 설명으로 옳은 것은?

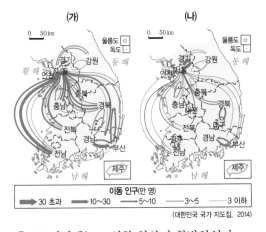

① (가) 시기에는 교외화 현상이 활발하였다.
② (나) 시기의 인구 이동은 산업화의 영향이 크게 반영되었다.
③ (가) 시기보다 (나) 시기에 인구 이동이 활발하였다.
④ (가) 시기에는 이촌 향도, (나) 시기에는 역도시화 현상이 나타난다.
⑤ (가), (나) 중 귀농 인구가 더 많은 시기는 (가) 시기이다.

✿출제가능성 90%
**08** 자료는 우리나라의 시기별 인구 성장을 나타낸 것이다. A~D 시기의 특징에 대한 옳은 설명을 〈보기〉에서 고른 것은?

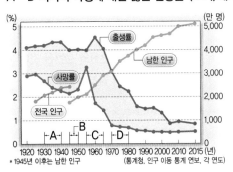

*1945년 이후는 남한 인구
(통계청, 인구 이동 통계 연보, 각 연도)

**보기**

ㄱ. A 시기는 근대 의료 기술 보급의 영향을 받은 다산 감사 단계에 해당한다.
ㄴ. B 시기에는 인구의 사회적 감소가 나타났다.
ㄷ. C 시기에는 출산 붐으로 인구의 자연적 증가가 나타났다.
ㄹ. D 시기에는 출생률 감소로 정부 주도의 출산 장려 정책이 추진되었다.

① ㄱ, ㄴ   ② ㄱ, ㄷ   ③ ㄴ, ㄷ
④ ㄴ, ㄹ   ⑤ ㄷ, ㄹ

출제가능성 90%

**09** 자료는 시기별 우리나라의 인구 피라미드를 나타낸 것이다. 이에 대한 옳은 설명을 〈보기〉에서 고른 것은? (단, 2050년 이후 예측치를 포함한다.)

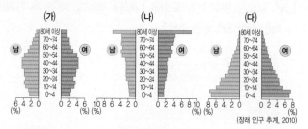

(장래 인구 추계, 2010)

> **보기**
> ㄱ. (가) 시기는 (다) 시기보다 청장년층의 인구 비중이 높다.
> ㄴ. (나) 시기는 (다) 시기보다 인구가 급증하는 시기이다.
> ㄷ. (다) 시기는 (가) 시기보다 출생률과 사망률이 모두 높다.
> ㄹ. 시대 순으로 배열하면 (가) → (다) → (나) 순으로 이른다.

① ㄱ, ㄴ ② ㄱ, ㄷ ③ ㄴ, ㄷ
④ ㄴ, ㄹ ⑤ ㄷ, ㄹ

**10** 다음 글은 우리나라의 인구 구조 변화와 관련된 것이다. 밑줄 친 ㉠~㉤에 대한 설명으로 옳지 않은 것은?

> 인구 구조는 크게 성별 인구 구조와 연령별 인구 구조로 구분할 수 있다. 우리나라는 ㉠ 과거 성비 불균형 문제가 있었으나 점차 약화되고 있으며, ㉡ 성별 인구 구조는 지역 특성에 따라 다르게 나타난다. ㉢ 연령별 인구 구조를 보면, 1960년대까지는 ㉣ 높은 출생률과 사망률을 보였으나, 1990년대부터는 출생률과 사망률이 모두 낮아졌다. 한편, 앞으로는 ㉤ 노년층의 인구 비중이 높아질 것으로 예상되므로 이에 대한 대책이 필요하다.

① ㉠ - 남아 선호 사상으로 출생 시 성비가 낮아졌다.
② ㉡ - 촌락 지역에서는 대체로 여초 현상이 나타난다.
③ ㉢ - 출생과 사망, 전입과 전출로 결정된다.
④ ㉣ - 피라미드형 인구 구조가 나타난다.
⑤ ㉤ - 저출산 현상과 기대 수명 증가의 영향이 크다.

**11** 자료는 (가), (나) 지역의 인구 피라미드를 나타낸 것이다. (가), (나) 지역에 대한 설명 및 추론으로 옳은 것은? (단, (가), (나)는 아산시와 의성군 중 하나이다.)

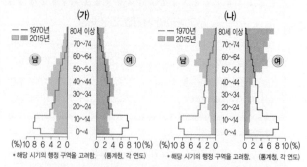

* 해당 시기의 행정 구역을 고려함. (통계청, 각 연도)

① (가)는 전입 인구보다 전출 인구가 많아졌을 것이다.
② (나)는 중위 연령이 감소하였다.
③ (가)는 (나)보다 생산 가능 인구 비중이 높다.
④ (나)는 (가)보다 2·3차 산업 종사자 수 비중이 높을 것이다.
⑤ (가)는 의성군, (나)는 아산시의 인구 피라미드이다.

**12** 지도는 지역별 성비 분포를 나타낸 것이다. 이에 대한 옳은 설명을 〈보기〉에서 고른 것은?

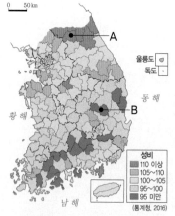

(통계청, 2016)

> **보기**
> ㄱ. 서울과 부산은 남성보다 여성의 인구가 많다.
> ㄴ. 관광 산업이 발달한 지역일수록 성비가 높다.
> ㄷ. A 지역은 중화학 공업의 발달로 남초 현상이 나타나는 곳이다.
> ㄹ. B 지역은 노년층에서 여초 현상이 나타나는 곳이다.

① ㄱ, ㄴ ② ㄱ, ㄹ ③ ㄴ, ㄷ
④ ㄴ, ㄹ ⑤ ㄷ, ㄹ

## 3단계 등급 올리기

2011 수능 응용

**01** 그래프는 남해안에 위치한 A, B 지역의 순 이동자 수를 나타낸 것이다. 두 지역에 대한 추론으로 옳은 것은? (단, 지역은 시, 군 단위이다.)

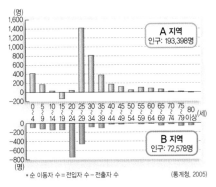

* 순 이동자 수=전입자 수-전출자 수 (통계청, 2005)

① A는 B에 비해 중위 연령이 높을 것이다.

② A는 B에 비해 초등학생 수가 많을 것이다.

③ B는 A에 비해 제조업 생산액이 많을 것이다.

④ B는 A에 비해 생산 연령층의 인구 비중이 높을 것이다.

⑤ A는 군, B는 시에 위치한 지역일 것이다.

2017 평가원 응용

**02** 다음은 〈글자 카드〉를 활용한 한국 지리 수업 활동이다. ㈎에 들어갈 내용으로 옳은 것은?

- 교사: 다음 내용이 의미하는 용어를 〈글자 카드〉에서 찾아 하나씩 빼세요.
  - 단위 면적에 분포하는 인구
  - 가로축은 성별, 세로축은 연령대별 인구나 비율을 표시하여 인구 구조를 나타낸 그래프

| 피 | 도 | 밀 | 구 | 라 | 인 |
| 비 | 구 | 드 | 인 | 성 | 미 |

- 교사: 〈글자 카드〉에서 빼고 남은 글자를 모두 활용하여 만들 수 있는 인구 관련 용어에 대해 설명하세요.
- 학생: _____ ㈎ _____ 입니다.
- 교사: 예, 맞습니다.

① 여성 100명에 대한 남성의 수

② 청장년층 인구에 대한 노년층 인구의 비율

③ 인구 규모의 현상 유지를 위해 필요한 출산율

④ 노년층 인구가 전체 인구의 20% 이상인 사회

⑤ 두 연도 간의 인구 변화를 기준 연도의 인구로 나눈 백분율

★★★ 최고난도

**03** 그래프는 A~C 지역의 인구 변화를 나타낸 것이다. 이에 대한 설명으로 옳은 것은? (단, ㈎~㈐는 A~C에 해당한다.)

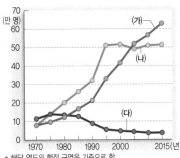

* 해당 연도의 행정 구역을 기준으로 함.

① ㈎는 ㈐보다 인구 밀도가 낮을 것이다.

② ㈏는 ㈎보다 중화학 공업이 발달하였을 것이다.

③ ㈐는 ㈏보다 중위 연령이 낮을 것이다.

④ 1970년대 C 지역의 성비는 B 지역보다 낮았을 것이다.

⑤ ㈎는 C, ㈏는 B, ㈐는 A 지역의 인구 그래프이다.

## ✍ 서술형 문제

**04** 자료는 우리나라의 인구 피라미드 변화를 나타낸 것이다. 이를 보고 물음에 답하시오.

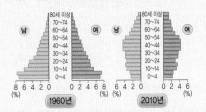

(1) 1960년과 비교한 2010년의 출생률과 사망률 변화 양상을 서술하시오.

(2) 우리나라 인구 구조의 변화를 제시된 용어를 활용하여 서술하시오.

- 종형
- 노년층
- 유소년층
- 청장년층
- 피라미드형

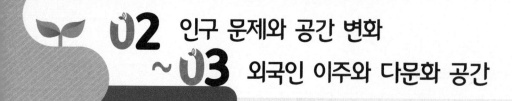

## 02 인구 문제와 공간 변화
## ~03 외국인 이주와 다문화 공간

### A 저출산·고령화 현상

#### ★ 1. 저출산 현상

(1) 저출산 현황: 우리나라는 초저출산 국가로 분류(2001년), 경제 협력 개발 기구(OECD) 국가 중 합계 출산율 최저 수준 (2015년 기준 1.24명)

> 출산 가능 여성의 나이 (15~49세)를 기준으로, 한 여성이 평생 낳을 수 있는 자녀 수

(2) 저출산의 원인과 영향

| 원인 | • 여성의 사회 진출 확대, 교육과 생활수준의 향상 등 → 초혼 연령의 상승, 미혼 여성의 증가<br>• 결혼 및 가족에 대한 가치관의 변화, 자녀 보육비와 사교육비 부담 증가, 고용 불안 등 |
|---|---|
| 영향 | • 총인구 감소 → 사회 전반의 활력을 낮춤<br>• 경제 활동에 투입되는 노동력 부족, 소비 감소와 투자 위축으로 경기 침체 → 국가 경쟁력 약화 |

#### ★ 2. 고령화 현상

(1) 고령화 현황

① 중위 연령 상승 : 2000년 32세 → 2015년 41.2세

② 고령화 사회 진입: 2000년 노년층 인구 비율 7% 이상

③ 고령 사회 진입 가능성 증대: 2015년 기준 노년층 인구 비율 13% 이상

> 한 국가에서 65세 이상 인구의 비율이 전체 인구의 7%를 넘으면 고령화 사회, 14%를 넘으면 고령 사회, 20%를 넘으면 초고령 사회로 구분한다.

(2) 고령화의 원인과 영향

| 원인 | • 의료 기술의 발달 → 사망률 감소<br>• 경제 수준 향상으로 위생 및 영양 상태 개선 → 기대 수명 연장<br>• 출생률 감소로 유소년층 인구 비율 감소 |
|---|---|
| 영향 | • 노년 부양비 증가로 청장년층의 사회적 부담 가중 → 세대 간 갈등 유발<br>• 연금·의료·복지 부문에서 사회적 비용 증가 → 국가 재정에 부담<br>• 노동력 부족과 노동 생산성 저하 → 국가 경제 활력 약화 |

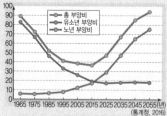

❶ 인구 부양비 변화 | 2015년까지는 유소년 부양비 감소 폭이 노년 부양비 증가 폭보다 컸기 때문에 총 부양비는 감소하였다. 그러나 2015년 이후에는 유소년 부양비는 정체하고 노년 부양비는 크게 증가해 총 부양비는 높아질 전망이다.

$$총 부양비 = \frac{유소년층 인구(0{\sim}14세 인구) + 노년층 인구(65세 이상 인구)}{청장년층 인구(15{\sim}64세 인구)} \times 100$$

$$유소년 부양비 = \frac{유소년층 인구(0{\sim}14세 인구)}{청장년층 인구(15{\sim}64세 인구)} \times 100$$

$$노년 부양비 = \frac{노년층 인구(65세 이상 인구)}{청장년층 인구(15{\sim}64세 인구)} \times 100$$

#### ★ 3. 저출산·고령화에 따른 공간 변화

(1) 사회 기반 시설 수요 변화 : 유소년층보다 노년층을 위한 문화, 교육 등의 사회 기반 시설 수요가 상대적으로 증가

(2) 인구의 불균형 분포

| 인구 유입 | 보건·의료 시설, 소비 및 문화 시설 등을 갖춘 대도시 |
|---|---|
| 인구 유출 | 편의 시설이 없거나 생활환경이 열악한 농촌과 중소 도시 |

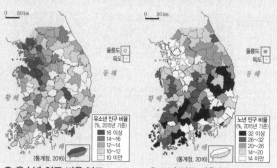

❶ 유소년 인구 비율 분포    ❶ 노년 인구 비율 분포

유소년 인구 비율은 전입에 의한 청장년 인구 비율이 높은 대도시 주변의 위성 도시에서 높다. 노년 인구 비율은 농촌 등에서 상대적으로 농촌에서 높은데, 이는 청장년층이 교육 기회와 일자리가 많은 도시로 유출되었기 때문이다.

#### 4. 저출산·고령화 현상에 따른 대책

(1) 사회적 변화에 따른 대책

| 저출산 대책 | • 출산 휴가 및 육아 휴직 제도 개선<br>• 임신 및 출산에 대한 지원, 양육비 지원 등<br>• 양성평등 문화 확립, 가족 친화적 사회 분위기 조성 등 |
|---|---|
| 고령화 대책 | • 공적 연금 강화, 정년 연장, 재취업 기회 확대 등 → 노년층의 경제적 기반 마련<br>• 노인 복지 정책과 편의 시설 확대, 고령 친화 산업(실버산업) 육성 등 |

(2) 공간적 변화에 따른 대책

> 노인을 위한 상품이나 편의 시설 등을 생산·제공하는 산업이다.

① 정주 기반 개선: 정주 기반이 취약한 지역을 중심으로 교육, 의료 등의 기초적인 정주 기반 개선 노력 필요

② 고령자 밀집 지역: 노인 보호 구역 지정, 주거 시설과 복지 시설을 갖춘 공공 실버 주택 단지 조성 등

### B 외국인 이주자의 증가와 영향

#### 1. 외국인의 증가와 분포

| 원인 | • 교통·통신의 발달로 세계화가 빠르게 진행 → 노동 시장 개방<br>• 우리나라 국가 위상 제고 및 한류 열풍 강화 → 외국인의 국내 취업과 유학, 국제결혼 등 증가 |
|---|---|
| 유형 | 외국인 근로자, 결혼 이민자, 유학생 순으로 많음 |
| 국적 | 중국인이 가장 많으며 미국인, 베트남인 순으로 비중이 높음 |
| 분포 | 대부분 수도권에 분포, 촌락 지역은 결혼 이민자의 비중이 높음 |

★ 표시는 시험 전에 확인해 주세요.

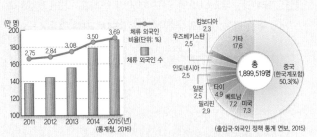

⬆ 체류 외국인 수 변화    ⬆ 체류 외국인별 국적

(통계청, 2016)    (출입국·외국인 정책 통계 연보, 2015)

국내 체류 외국인 수는 매년 증가하는 추세이며, 국내 체류 외국인의 절반 이상은 중국인이다.

## ★ 2. 외국인의 근로자의 유입

(1) 유입 배경: 저출산·고령화로 노동력 부족, 국내 근로자의 3D 업종에 대한 기피 등 → 노동력 부족 현상 심화

(2) 외국인 근로자의 특징 • 산업 연수생 제도, 고용 허가제, 방문 취업제 등의 실시로 저임금 노동력이 유입되었다.

| 유입 | • 중국, 동남아시아, 남부 아시아 등에서 저임금 노동력 유입<br>• 최근 다국적 기업의 국내 진출이 활발해지면서 연구 개발, 국제 금융 등 전문직·고임금 외국인 근로자 유입도 증가 |
|---|---|
| 분포 | 일자리 수요가 많은 수도권과 도시 지역에 많이 거주 |

## 3. 국제결혼의 증가

(1) 국제결혼 배경: 1980년대 말 농촌 지역의 결혼 적령기 성비 불균형 심화 → 1990년대 초부터 국제결혼 추진

(2) 국제결혼의 특징

| 현황 | 2000년대 중반까지 급격히 증가, 최근 다소 감소하는 추세 |
|---|---|
| 특징 | • 총 국제결혼 건수는 촌락보다 대도시가 많음<br>• 결혼 이민자 비율은 도시보다 촌락이 높음 |
| 전망 | 외국인에 대한 거부감 감소, 결혼에 대한 가치관 변화 등으로 인한 국제결혼 증가 → 다문화 가정이 점차 늘어날 전망 |

• 남성보다 여성 결혼 이민자 비율이 높다.    • 다른 국적, 인종, 문화를 가진 가족 구성원이 포함된 가정이다.

## C 다문화 사회의 형성

### 1. 다문화 사회 형성과 영향

| 형성 | 외국인 근로자의 국내 정착, 국제결혼 등으로 다문화 가정 수 증가 → 다문화 사회로 변화 |
|---|---|
| 영향 | • 긍정적 영향: 저렴한 노동력 유입으로 인한 경제 성장, 저출산·고령화에 대한 대안, 다양한 문화적 자산 공유 등<br>• 부정적 영향: 국내 근로자와의 일자리 경쟁, 사회적 편견과 차별, 다문화 가정 자녀의 정체성 혼란과 부적응 등 |

• 민족주의와 인종주의가 지나치게 강조되는 경우에 나타난다.

### 2. 지속 가능한 다문화 사회를 위한 노력

(1) 세계 시민 의식 함양: 다문화주의와 문화 상대주의적 관점에서 외국인의 문화적 다양성 존중

(2) 정책 측면: 다문화 가정을 지원하는 사회적 시스템 구축

---

**01** 다음 설명이 맞으면 ○표, 틀리면 ×표를 하시오.

(1) 2015년 기준 우리나라는 초저출산 국가이다.    (    )

(2) 여성의 사회 진출 확대로 초혼 연령이 하락하였다.    (    )

(3) 사망률 감소와 출생률 감소가 지속되었을 때 고령화 현상이 심화된다.    (    )

(4) 총 국제결혼 건수는 대도시보다 촌락이 많고, 결혼 이민자 비율은 촌락보다 도시가 높다.    (    )

**02** ㉠~㉢에 들어갈 용어를 각각 쓰시오.

총 부양비는 (㉠          ) 인구와 (㉡          ) 인구의 합을 (㉢          ) 인구로 나눠서 구할 수 있으며, 노령화 지수는 (㉠          ) 인구를 (㉡          ) 인구로 나눠서 구할 수 있다.

**03** 저출산과 고령화의 영향을 정리한 표이다. ㉠, ㉡에 들어갈 내용을 각각 쓰시오.

| 저출산의 영향 | 경제 활동에 투입되는 (㉠          ) 부족, 소비 감소와 투자 위축으로 경기 침체 등 |
|---|---|
| 고령화의 영향 | (㉡          ) 부양비 증가로 청장년층의 사회적 부담 가중, 국가 재정 부담 등 |

**04** 노인을 위한 상품이나 편의 시설 등을 생산·제공하는 산업을 (          )이라고 한다.

**05** 다음 괄호 안의 내용 중 알맞은 말에 ○표를 하시오.

(1) 외국인 근로자들은 일자리 수요가 많은 (수도권, 호남권) 등에 많이 거주하고 있다.

(2) 국내 체류 외국인 수는 매년 증가하는 추세이며, 국내 체류 외국인의 절반 이상은 (미국인, 중국인)이다.

**06** 지속 가능한 다문화 사회를 위해서는 (          )와 문화 상대주의 관점에서 외국인의 문화적 다양성을 존중해야 한다.

## A 저출산·고령화 현상

**01** 그래프는 우리나라의 출생아 수와 합계 출산율의 변화를 나타낸 것이다. 이와 같은 변화의 원인을 〈보기〉에서 고른 것은?

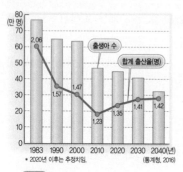

**보기**
ㄱ. 평균 초혼 연령의 하락
ㄴ. 여성들의 경제 활동 참가율 증가
ㄷ. 자녀 보육비와 사교육비의 부담 증가
ㄹ. 정부의 지속적인 산아 제한 정책 실시

① ㄱ, ㄴ      ② ㄱ, ㄷ      ③ ㄴ, ㄷ
④ ㄴ, ㄹ      ⑤ ㄷ, ㄹ

**02** (가), (나)는 서로 다른 시기의 출산 관련 정책 포스터이다. 이에 대한 설명으로 옳은 것은?

① (가)는 가족계획을 통한 산아 제한 정책과 관련이 깊다.
② (나)는 성비 불균형 해결을 주요 목적으로 제작되었다.
③ 포스터 제작 시기는 (가)가 (나)보다 이르다.
④ (가)가 제작된 시기는 (나)가 제작된 시기보다 유소년 부양비가 높을 것이다.
⑤ (나)가 제작된 시기는 (가)가 제작된 시기보다 다자녀 가구에 대한 지원이 적었을 것이다.

출제가능성90%
**03** 그래프는 우리나라의 인구 부양비 변화를 나타낸 것이다. 이에 대한 옳은 분석과 추론을 〈보기〉에서 고른 것은?

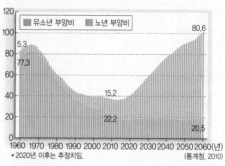

**보기**
ㄱ. 총 부양비가 1960년 이후 지속적으로 증가하였다.
ㄴ. 인구 구조는 방추형에서 종형으로 변화하였을 것이다.
ㄷ. 1970년 이후 노령화 지수가 지속적으로 증가하고 있다.
ㄹ. 2020년 이후 청장년층 인구의 재정 부담이 지속적으로 커질 것이다.

① ㄱ, ㄴ      ② ㄱ, ㄷ      ③ ㄴ, ㄷ
④ ㄴ, ㄹ      ⑤ ㄷ, ㄹ

**04** 지도는 서로 다른 인구 지표의 분포를 나타낸 것이다. (가), (나)에 해당하는 지표를 옳게 연결한 것은?

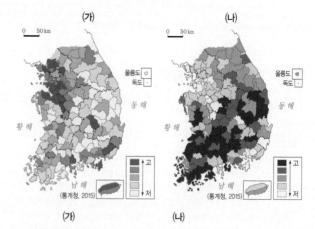

|   | (가) | (나) |
|---|------|------|
| ① | 인구 밀도 | 유소년 부양비 |
| ② | 노년 부양비 | 인구 밀도 |
| ③ | 노년 부양비 | 유소년 부양비 |
| ④ | 유소년 부양비 | 인구 밀도 |
| ⑤ | 유소년 부양비 | 노년 부양비 |

**[05~06]** 그래프는 각 시도의 인구 부양비를 나타낸 것이다. 이를 보고 물음에 답하시오.

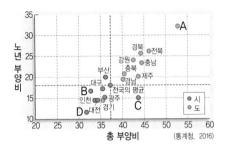

(통계청, 2016)

**05** A~D에 해당하는 지역을 옳게 연결한 것은?

| | A | B | C | D |
|---|---|---|---|---|
| ① | 서울 | 전남 | 세종 | 울산 |
| ② | 서울 | 세종 | 울산 | 전남 |
| ③ | 전남 | 서울 | 세종 | 울산 |
| ④ | 전남 | 세종 | 서울 | 울산 |
| ⑤ | 세종 | 울산 | 서울 | 전남 |

**06** A~D 지역에 대한 옳은 설명을 〈보기〉에서 고른 것은?

보기
ㄱ. A는 B보다 1차 산업 종사자 수 비중이 높다.
ㄴ. A는 C보다 유소년 부양비가 낮다.
ㄷ. B는 C보다 노령화 지수가 낮다.
ㄹ. D는 B보다 청장년층 인구 비중이 낮다.

① ㄱ, ㄴ  ② ㄱ, ㄷ  ③ ㄴ, ㄷ
④ ㄴ, ㄹ  ⑤ ㄷ, ㄹ

**07** 글의 밑줄 친 정책에 포함될 내용으로 적절하지 않은 것은?

정부는 모든 세대가 함께 행복한 지속 발전 사회를 구현하기 위해 '브릿지 플랜 2020'을 발표하였다. '브릿지 플랜 2020'은 2020년까지 합계 출산율 1.5명을 달성하여 인구 대체 수준인 2.1명에 도달하기 위한 교두보를 마련하고 고령 사회에 대응한다는 내용을 담고 있다.

① 노후 소득 보장을 확대한다.
② 난임과 불임의 치료를 지원한다.
③ 공식 은퇴 연령을 하향 조정한다.
④ 청년 일자리·주거 대책을 강화한다.
⑤ 일과 가정이 양립하는 방안을 마련한다.

**08** 그래프는 우리나라의 주요 출산 기피 원인을 나타낸 것이다. 이를 해결하기 위한 적절한 방안만을 〈보기〉에서 있는 대로 고른 것은?

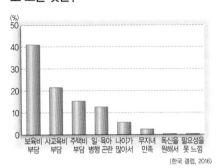

(한국 갤럽, 2016)

보기
ㄱ. 양성평등 문화를 확립해야 한다.
ㄴ. 남성의 육아 휴직을 보장해야 한다.
ㄷ. 실버산업을 적극적으로 육성해야 한다.
ㄹ. 지속 가능한 연금 제도를 정착시켜야 한다.

① ㄱ, ㄴ  ② ㄴ, ㄷ  ③ ㄱ, ㄴ, ㄹ
④ ㄱ, ㄷ, ㄹ  ⑤ ㄴ, ㄷ, ㄹ

**B 외국인 이주자의 증가와 영향**

출제가능성 90%

**09** 그래프는 국내 체류 외국인 수의 변화를 나타낸 것이다. 이와 같은 현상이 나타난 배경으로 옳지 않은 것은?

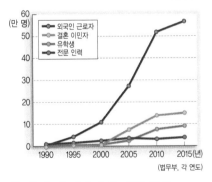

(법무부, 각 연도)

① 국가 간 경제 수준 격차 완화
② 저출산·고령화에 따른 노동력 부족
③ 국가 위상의 제고와 한류 열풍의 강화
④ 국내 생산직 근로자의 3D 업종 기피 현상
⑤ 교통·통신 발달에 따른 세계화의 빠른 진행

**10** 그래프는 국내 체류 외국인의 국적과 외국인 근로자의 취업 직종을 나타낸 것이다. 이에 대한 옳은 설명을 〈보기〉에서 고른 것은?

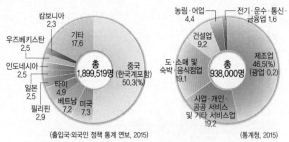

↑ 국내 체류 외국인의 국적    ↑ 외국인 근로자의 취업 직종

> 보기
> ㄱ. 2차 산업에 종사하는 외국인의 비율이 가장 높다.
> ㄴ. 도시보다 농촌에 거주하는 외국인의 비율이 높을 것이다.
> ㄷ. 선진국보다 개발 도상국에서의 외국인 유입 비중이 높다.
> ㄹ. 외국인 근로자 유입은 국내 제조업 종사자의 임금을 높이는 데 영향을 줄 것이다.

① ㄱ, ㄴ  　② ㄱ, ㄷ  　③ ㄴ, ㄷ
④ ㄴ, ㄹ  　⑤ ㄷ, ㄹ

출제가능성 90%

**11** (가), (나) 지도에 나타난 외국인 유형에 대한 설명으로 옳은 것은? (단, 지표는 결혼 이민자 비중, 외국인 근로자 수 중 하나이다.)

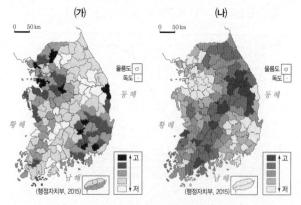

① (가) 유형은 노년층 비중이 높은 지역에서 많다.
② (가) 유형은 선진국 출신이 개발 도상국 출신보다 많다.
③ (나) 유형은 남성보다 여성의 비중이 높다.
④ (나) 유형은 대부분 연구 개발 등 전문 인력이다.
⑤ (가) 유형보다 (나) 유형의 인구 수가 많다.

**12** 그래프는 외국인과의 결혼 추이를 나타낸 것이다. 이에 대한 옳은 설명을 〈보기〉에서 고른 것은? (단, (가), (나)는 한국 남성+외국 여성, 한국 여성+외국 남성 중 하나이다.)

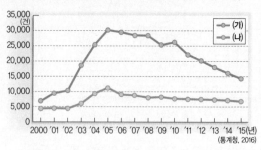

> 보기
> ㄱ. (가)는 (나)보다 촌락 거주 비중이 높다.
> ㄴ. (나)의 외국인이 (가)의 외국인보다 개발 도상국 출신 비중이 높다.
> ㄷ. 한국 여성보다 한국 남성의 국제결혼 건수가 많다.
> ㄹ. 2010년 이후 우리나라의 총 다문화 가정 수는 감소하였다.

① ㄱ, ㄴ  　② ㄱ, ㄷ  　③ ㄴ, ㄷ
④ ㄴ, ㄹ  　⑤ ㄷ, ㄹ

**C** 다문화 사회의 형성

출제가능성 90%

**13** 그래프는 국내 거주 외국인이 겪는 어려움을 나타낸 것이다. 이를 통해 알 수 있는 내용으로 적절하지 않은 것은?

↑ 결혼 이민자가 겪는 어려움

① (가)에 들어갈 내용은 언어 문제일 것이다.
② 다문화 가정을 지원하는 사회적 통합 시스템을 구축해야 한다.
③ 다문화 사회의 다양한 문제 해결을 위해 민족주의가 강조되어야 한다.
④ 외국인을 우리 사회의 구성원으로 수용하려는 의식의 변화가 필요하다.
⑤ 문화 상대주의 관점에서 외국인의 문화적 다양성을 존중함으로써 갈등을 줄일 수 있다.

2016 수능 응용

**01** 그래프에 대한 옳은 분석만을 〈보기〉에서 있는 대로 고른 것은? (단, A~D는 각각 ㉠~㉣ 중 어느 하나에 해당된다.)

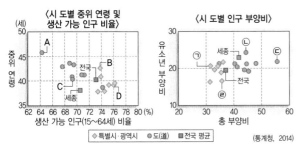

〈시 도별 중위 연령 및 생산 가능 인구 비율〉

〈시 도별 인구 부양비〉

◇ 특별시·광역시   ● 도(道)   ■ 전국 평균

(통계청, 2014)

> **보기**
>
> ㄱ. A의 노령화 지수는 100 이상이다.
> ㄴ. B는 D보다 노년 부양비가 높다.
> ㄷ. D와 ㉠은 동일한 지역이다.
> ㄹ. 노령화 지수는 ㉤이 ㉢보다 높다.

① ㄱ, ㄹ    ② ㄴ, ㄷ    ③ ㄱ, ㄴ, ㄷ

④ ㄱ, ㄷ, ㄹ    ⑤ ㄴ, ㄷ, ㄹ

2017 평가원 응용

**02** 그래프는 (가), (나) 지역의 인구 피라미드를 나타낸 것이다. 이에 대한 옳은 설명을 〈보기〉에서 고른 것은? (단, (가), (나)는 광주광역시, 전라남도 중 하나이다.)

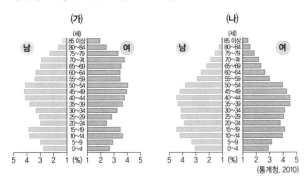

(통계청, 2010)

> **보기**
>
> ㄱ. (가)는 노년 부양비보다 유소년 부양비가 높다.
> ㄴ. (나)는 유소년층의 성비보다 노년층의 성비가 높다.
> ㄷ. (가)는 (나)보다 1차 산업 종사자 수 비중이 높다.
> ㄹ. (나)는 (가)보다 총 부양비가 낮다.

① ㄱ, ㄴ    ② ㄱ, ㄷ    ③ ㄴ, ㄷ

④ ㄴ, ㄹ    ⑤ ㄷ, ㄹ

★★★ 최고난도

**03** (가), (나) 지역의 상대적인 인구 특성을 표현할 때, 그래프의 A~C에 들어갈 지표로 옳은 것은?

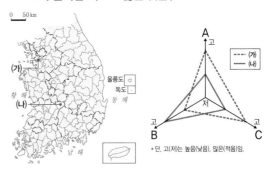

\* 단, 고(저)는 높음(낮음), 많음(적음)임.

|   | A | B | C |
|---|---|---|---|
| ① | 외국인 성비 | 총 부양비 | 노년 부양비 |
| ② | 외국인 성비 | 노년 부양비 | 외국인 근로자 수 |
| ③ | 노년 부양비 | 외국인 성비 | 총 부양비 |
| ④ | 노년 부양비 | 유소년 부양비 | 외국인 근로자 수 |
| ⑤ | 외국인 근로자 수 | 외국인 성비 | 총 부양비 |

**서술형 문제**

**04** 그래프는 연령별 인구 구성비의 변화를 나타낸 것이다. 이를 보고 물음에 답하시오.

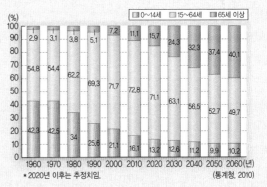

□ 0~14세   □ 15~64세   ■ 65세 이상

\* 2020년 이후는 추정치임.

(통계청, 2010)

(1) 2010년 대비 2060년의 유소년 인구 비중, 노년 인구 비중, 청장년 인구 비중의 변화를 쓰시오.

(2) 위 그래프와 같은 변화가 나타날 때 앞으로 어떤 문제점이 나타날지 서술하시오.

# 01~02 지역의 의미와 지역 구분
## 북한 지역의 특성과 통일 국토의 미래

## A 지역의 의미와 다양한 지역 구분

### 1. 지역의 의미와 지역성
└ 국가와 같은 넓은 범위에서부터 내가 사는 마을과 같이 상대적으로 좁은 범위에 이르기까지 다양한 규모로 표현한다.

(1) **지역**: 주변의 다른 곳과 지리적 특성이 구분되는 공간적 범위, 경관이 비슷하거나 기능적으로 관련된 장소들의 범위
└ 자연적 요소에 의해 만들어진 지역 특성인 자연적 경관과 문화적 특성에 의해 만들어진 문화적 경관으로 구분할 수 있다.

(2) **지역성**: 지역의 자연적·문화적 특성이 오랜 기간 동안 상호 작용하여 형성된 그 지역만의 독특한 성격 → **교통·통신**의 발달 및 지역 간 교류에 따라 변화함
└ 지역 간 인적·물적 교류가 활발해지기 때문에 지역성은 변화하기도 하고 지역의 고유한 특성이 약화되기 때문이다.

### 2. 지역 구분과 지역의 유형

(1) 지역 구분

| 자연적 요인 | 기후, 지형, 식생, 토양 등에 의한 구분 |
|---|---|
| 문화적 요인 | 언어, 종교, 민족 등에 의한 구분 |
| 사회·경제적 요인 | 농업, 상업, 공업, 인구 등에 의한 구분 |

(2) 지역의 유형

① **동질 지역**: 특정한 지리적 현상이 동일하게 분포하는 공간적 범위 예 기후 지역, 농업 지역, 문화 지역 등

② **기능 지역**: 하나의 중심지와 그 영향을 받는 범위로 나타낼 수 있는 지역 예 치킨이나 피자의 배달 범위, 통근권, 통학권, 상권 등
└ 중심지와 배후지의 공간 관계에 따라서 형성되고, 중심에서 주변으로 갈수록 기능의 영향이 줄어든다.

③ **점이 지대**: 인접한 두 지역의 특성이 함께 섞여 나타나는 지역으로 지역 간의 경계부에 나타남

### ★ 3. 우리나라의 다양한 지역 구분

(1) **전통적인 지역 구분**: 고개, 산줄기, 대하천 등의 자연적 요소를 기준으로 구분

| 구분 | 구분 기준 및 특징 | 행정 구역 | 주요 도시 |
|---|---|---|---|
| 관북 지방 | 철령관 북쪽 | 함경도 | 함흥, 경성 |
| 관서 지방 | 철령관 서쪽 | 평안도 | 평양, 안주 |
| 관동 지방 | 철령관 동쪽 | 강원도 | 강릉, 원주 |
| 해서 지방 | 황해도 일대로 한양을 기준으로 바다(경기만) 건너 지역 | 황해도 | 황주, 해주 |
| 경기 지방 | 도읍지를 둘러싸고 있는 지역 | 경기도 | 서울(한성) |
| 호서 지방 | 제천 의림지의 서쪽 또는 금강(호강) 상류의 서쪽 | 충청도 | 충주, 청주 |
| 호남 지방 | 금강(호강)의 남쪽, 전라북도 김제의 벽골제 남쪽 | 전라도 | 전주, 나주 |
| 영남 지방 | 조령(문경 새재)의 남쪽 | 경상도 | 경주, 상주 |

(2) **위치에 따른 일반적 구분**: 북부 지방(휴전선 북쪽), 중부 지방(수도권·강원권·충청권), 남부 지방(전라권·영남권·제주도)

└ 관서, 관북, 관동 지방을 구분하는 기준이다.

○ **전통적 지역 구분** | 중부와 북부 지방은 멸악산맥을 경계로 구분하였고, 남부와 중부 지방은 소백산맥과 금강 하류를 잇는 선을 경계로 구분하였다. 관서와 관북 지방은 낭림산맥, 영동과 영서 지방은 태백산맥의 대관령을 기준으로 구분하였으며, 영남과 호남 지방은 소백산맥과 섬진강을 기준으로 구분하였다.

(3) **권역에 따른 구분**: 수도권(서울, 경기, 인천), 충청권(충남, 충북, 대전, 세종), 호남권(전북, 전남, 광주), 영남권(경북, 경남, 부산, 대구, 울산), 강원권(강원), 제주권(제주)

## B 북한의 자연환경과 인문 환경

### ★ 1. 북한의 자연환경

(1) **지형**
└ 북한은 남한보다 산지와 고원의 비중이 높다.
└ 황해로 유입하는 하천은 유로가 길고 유역 면적이 넓다.

① **산지**: 북동부 지역에 높고 험준한 산지가 많음

② **하천**: 두만강을 제외한 주요 하천이 황해로 유입

③ **평야**: 동해안에는 해안을 따라 규모가 작은 해안 평야 발달, 황해로 유입하는 하천의 하류에 평야 발달
└ 평양평야, 재령평야 등

(2) **기후**
└ 남한보다 겨울이 춥고 길며 여름은 짧고 서늘하다.

① **기온**: 북한은 남한보다 위도가 높으며, 대륙성 기후 발달
└ 연평균 기온이 낮고, 기온의 연교차가 큼, 산맥과 바다의 영향으로 동해안은 서해안보다 겨울 기온이 높음
(연 강수량은 남한보다 적은 편이다.)

② **강수**: 지형과 풍향의 영향으로 강수량의 지역 차가 큼

| 다우지 | 동해안의 원산 일대, 청천강 중·상류 지역 |
|---|---|
| 소우지 | 대동강 북부 내륙 지역, 관북 해안 지역, 대동강 하류 지역 |

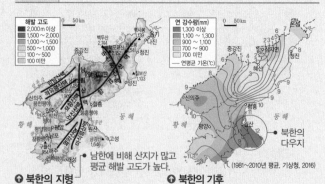

└ 남한에 비해 산지가 많고 평균 해발 고도가 높다.

▲ 북한의 지형

(1981~2010년 평균, 기상청, 2016)
└ 북한의 다우지

▲ 북한의 기후

(3) **자연환경과 주민 생활**

① **농업**: 산지가 많고 기후가 한랭하여 밭농사 발달, 다락밭 등을 통해 농경지 개간

② **전통 가옥**: 관북 지방에서는 폐쇄적인 가옥 구조가 나타남 → 전(田)자형 가옥, 정주간
└ 부뚜막과 부엌 사이에 벽을 두지 않은 공간

## 2. 북한의 인문 환경

(1) 인구 분포 • 남한보다 인구는 적어 인구 밀도가 낮으며, 낮은 출생률과 경제적 어려움으로 인구 증가율이 둔화되고 있다.

| 서부 평야 | 농업과 공업이 발달한 지역으로 북한 인구의 40% 이상이 분포(평양, 남포, 개성, 신의주) |
|---|---|
| 북동부 내륙 | 산지가 많고 기후가 한랭하여 인구가 희박함(개마고원) |
| 동해안 | 좁은 해안 평야 지역을 따라 인구 집중(청진, 함흥, 원산) |

(2) 도시: 평야가 발달한 서해안 일대에 평양, 남포 등 분포, 원료 자원이 풍부한 동해안 일대에 공업 도시 발달
• 남한보다 도시화율이 낮다.

도시 인구
(만 명, 2008년)
300 / 100 / 50 / 10
0    100km

🔁 **북한의 도시** | 북한은 서해안 일대에 대도시가 분포해 인구가 집중해 있다. 평양은 북한 최대 도시로, 북한의 정치·경제·사회의 중심지이며, 남포는 평양의 외항, 서해 갑문 설치 후 물류 기능으로 성장하였다. 동해안의 함흥, 원산, 청진은 일제 강점기 공업 도시로 성장하였다.

(국가 통계 포털 북한 통계, 2016)

## 3. 북한의 경제

(1) 지하자원: 석회석, 무연탄, 철광석, 마그네사이트 등 풍부
• 내화 재료와 마그네슘의 원료로 이용된다.

(2) 에너지 자원: 화력 발전과 수력 발전으로 생산됨, 석탄이 전체 에너지 자원의 소비량에서 45% 정도를 차지
• 높은 산지가 많고 하천의 폭이 좁아 수력 발전에 유리하다.

(3) 산업

① 공업: 군수 공업과 관련된 중화학 공업 발달

② 서비스업: 계획 경제 체제의 영향으로 발달이 미약

(4) 교통: 철도 중심의 교통 체계 → 도로 교통은 철도 수송의 보조적인 역할을 한다.

## C 개방 정책과 통일 국토의 미래

### 1. 북한의 개방 정책

(1) 개방의 원인: 1990년 사회주의 경제권의 붕괴로 산업 연관 관계가 단절됨에 따라 대외 경제 개방을 모색

(2) 주요 개방 지역

| 나선 경제특구 | 1991년 북한 최초의 개방 지역으로 지정, 중국, 러시아와의 인접 지역 |
|---|---|
| 신의주 특별 행정구 | 2002년 중국 홍콩을 거울삼아 외자 유치 및 교역 확대를 위해 지정 |
| 금강산 관광 특구 | 관광객 유치를 목적으로 조성되었으나, 2008년 이후 중단됨 |
| 개성 공업 지구 | 수도권과 인접한 이점을 이용해 남한 기업 유치를 목적으로 조성, 2016년 이후 중단됨 |

### 2. 통일 국토의 미래: 한반도를 하나의 경제권으로 통합, 남한은 자본과 기술, 경제 성장의 경험, 북한은 광물, 에너지 자원 등에서 우위에 있어 경제적 상호 보완이 가능함

---

**01** 다음 설명이 맞으면 ○표, 틀리면 ×표를 하시오.

(1) 지역 구분의 기준이 다르면 지역의 경계가 달라질 수 있다. ( )

(2) 교통·통신의 발달로 지역 간 교류가 증가할수록 지역성이 강화되고 있다. ( )

(3) 자연환경과 인문 환경이 결합되어 형성된 지역의 고유한 특성을 지역성이라고 한다. ( )

**02** 인접한 서로 다른 두 지역의 경계 부분에서 양쪽 지역의 특성이 함께 섞여 나타나는 지역을 ( )라고 한다.

**03** 다음 설명에 해당하는 것을 〈보기〉에서 골라 기호를 쓰시오.

> **보기**
> ㄱ. 조령          ㄴ. 대관령
> ㄷ. 소백산맥      ㄹ. 낭림산맥

(1) 영서 지방과 영동 지방의 경계가 되는 고개 ( )

(2) 관서 지방과 관북 지방의 경계가 되는 산맥 ( )

**04** ㉠~㉤에 해당하는 지형을 각각 쓰시오.

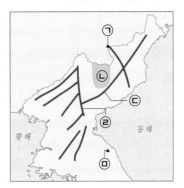

**05** 빈칸에 들어갈 알맞은 말을 쓰시오.

(1) 북한의 교통 체계는 ( ) 중심이다.

(2) 북한의 정치·경제·사회 중심지로 인구가 가장 많은 도시는 ( )이다.

(3) 관서 지방에 위치해 있는 ( ) 하류는 지형이 낮고 평탄하여 강수량이 적은 소우지를 이룬다.

(4) 2002년 중국 홍콩을 거울삼아 외자 유치 및 교역 확대를 위해 특별 행정구로 지정된 북한의 개방 지역은 ( )이다.

## A 지역의 의미와 다양한 지역 구분

**01** 밑줄 친 ⊙∼㉣에 대한 옳은 설명을 〈보기〉에서 고른 것은?

> ⊙ 지역은 일정한 기준에 의해 공통적인 특성으로 구분되는 공간 범위를 말하며, ⓒ 지역성은 하나의 지역이 다른 지역과 구분되는 ⓒ 고유한 특성을 의미한다. 지역의 경계는 행정 구역과 같이 명확하게 선으로 구분되기도 하지만, 그 경계가 불분명하여 ㉣ 인접한 두 지역의 특성이 함께 섞여 나타나는 경우가 많다.

**보기**

ㄱ. ⊙은 자연환경으로만 구성된다.
ㄴ. ⓒ은 교통과 통신의 발달에 따라 변화하기도 한다.
ㄷ. ⓒ은 시간의 흐름에 관계없이 일정하게 나타난다.
ㄹ. ㉣과 같은 지역을 점이 지대라고 한다.

① ㄱ, ㄴ       ② ㄱ, ㄹ       ③ ㄴ, ㄷ
④ ㄴ, ㄹ       ⑤ ㄷ, ㄹ

**02** 다음과 같은 지역 구분에 대한 설명으로 옳은 것은?

① 생활권을 구분하는 경계 역할을 한다.
② 통학권, 도시 세력권 등이 유사한 사례이다.
③ 중심지와 주변 지역이 기능적으로 결합되어 있다.
④ 삼림 분포가 주변 지역에 미치는 영향을 보여준다.
⑤ 특정한 지리적 현상이 동일하게 분포하는 동질 지역에 해당된다.

**03** (가), (나) 지역을 지도의 A∼E에서 골라 옳게 연결한 것은?

> • (가)는 황해도 일대로 한양을 기준으로 바다 건너 지역을 말한다.
> • (나)는 조선 시대 8도 중 하나이다. 이 지역의 이름은 소백산맥 제 1고개였던 조령의 남쪽이라는 의미를 가지고 있다고 한다.

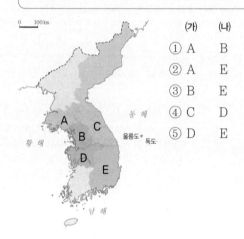

|     | (가) | (나) |
|-----|------|------|
| ①   | A    | B    |
| ②   | A    | E    |
| ③   | B    | E    |
| ④   | C    | D    |
| ⑤   | D    | E    |

**04** 다음은 서술형 평가와 학생 답안이다. 밑줄 친 ⊙∼㉤ 중 옳지 않은 것은?

**서술형 평가**

• 문제: 지도는 우리나라의 전통적인 지역 구분을 나타낸 것이다. 지역 구분의 근거를 서술하시오.

• 답안: 우리 조상들은 산맥과 하천을 기준으로 지역을 나누었다. ⊙ 중부 지방과 남부 지방은 소백산맥과 금강(호강) 하류를 잇는 선을 경계로 구분하였으며, ⓒ 중부 지방과 북부 지방은 멸악산맥을 경계로 구분하였다. 또한 ⓒ 관서와 관북 지방은 낭림산맥, ㉣ 영동과 영서 지방은 태백산맥을 기준으로 구분되며, ㉤ 대관령은 관서, 관북, 관동 지방을 나누는 경계가 된다.

① ⊙       ② ⓒ       ③ ⓒ       ④ ㉣       ⑤ ㉤

## B 북한의 자연환경과 인문 환경

출제가능성 90%

**05** 지도는 북한의 지형을 나타낸 것이다. 이에 대한 설명으로 옳지 <u>않은</u> 것은?

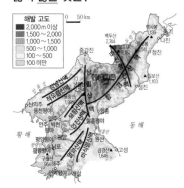

① 관북 지방은 높고 험준한 산지가 많이 분포한다.
② 두만강을 제외하면 동해로 유입하는 하천은 유로가 짧다.
③ 관서 지방은 낮고 완만한 구릉성 산지와 평야가 분포한다.
④ 함경산맥은 해안 방향으로는 급경사, 내륙 방향으로는 완경사를 이룬다.
⑤ 청천강, 대동강 유역의 평야는 대체로 해안을 따라 규모가 작게 발달한다.

**06** 지도는 북한의 연평균 기온과 연 강수량을 나타낸 것이다. 이에 대한 옳은 설명을 〈보기〉에서 고른 것은?

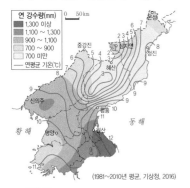

(1981~2010년 평균, 기상청, 2016)

> **보기**
>
> ㄱ. 북부 내륙으로 갈수록 연평균 기온이 낮아진다.
> ㄴ. 해안은 내륙 지역보다 연평균 기온이 낮은 편이다.
> ㄷ. 대동강 하류 지역은 지형의 영향으로 연 강수량이 적은 편이다.
> ㄹ. 같은 위도 상에서 서해안은 동해안보다 연평균 기온이 높은 편이다.

① ㄱ, ㄴ    ② ㄱ, ㄷ    ③ ㄴ, ㄷ
④ ㄴ, ㄹ    ⑤ ㄷ, ㄹ

**07** 자료는 남한과 북한의 농업을 비교한 것이다. 이에 대한 설명으로 옳은 것은?

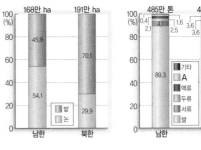

↑ 남북한의 논·밭 비율    ↑ 남북한의 식량 작물 생산량

① 쌀 생산량은 남한이 북한보다 많다.
② 남한은 북한에 비해 경지의 식량 작물 생산성이 낮다.
③ A는 감자로, 북한은 남한보다 감자 재배 면적이 넓다.
④ 북한은 작물의 생장 가능 기간이 길어 토지 생산성이 높다.
⑤ 남한은 그루갈이가 가능하여 북한보다 맥류의 생산량이 더 많다.

**08** 지도는 북한 주요 도시의 인구 분포를 나타낸 것이다. 이에 대한 설명으로 옳은 것은?

(통계청, 2008)

① 인구 10만 명 이상인 도시는 관서 지방에만 분포한다.
② 서부 지역에 비해 동부 지역의 도시 발달이 두드러진다.
③ 관북 지방에는 내륙에 위치한 도시들이 주로 발달하였다.
④ 1945년 이전에는 해상 교통이 편리한 해안 지방의 도시들이 주로 발달하였다.
⑤ 1945년 이후 승격된 도시들은 개방화 정책을 위한 경제특구에 해당하는 도시들이다.

출제가능성 90%

**09** 지도는 북한의 지역별 전력 생산량을 나타낸 것이다. A, B 발전 양식에 대한 설명으로 옳은 것은?

(통일부 북한 정보 포털, 2016)

① A는 B보다 계절에 따른 발전량의 차이가 더 크다.

② A는 B보다 발전 과정에서 배출되는 대기 오염 물질의 양이 많다.

③ B는 A보다 발전소의 입지가 비교적 자유롭다.

④ B는 A보다 남북한 모두 전력 생산에서 차지하는 비중이 높다.

⑤ B는 A보다 대도시 주변과 공업 도시 주변에서 발전이 이루어진다.

**10** 그래프는 북한의 산업 구조 변화를 나타낸 것이다. A~C 산업에 대한 설명으로 옳지 <u>않은</u> 것은?

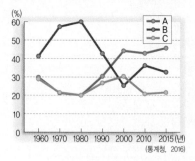

(통계청, 2016)

① A는 경공업 위주 정책 때문에 비중이 높다.

② B는 군수 산업과 관련된 업종의 비중이 높다.

③ B의 구조적 불균형은 생활필수품 부족 현상을 초래하였다.

④ 경기 침체에서 벗어나기 위해서는 B, C보다 A의 비중을 높여야 한다.

⑤ 오늘날 2·3차 산업의 비중이 높으나 산업 구조의 고도화를 이루었다고 보기는 어렵다.

**C 개방 정책과 통일 국토의 미래**

출제가능성 90%

**11** (가), (나)에 해당하는 북한의 개방 지역을 지도에서 찾아 옳게 연결한 것은?

> (가) 북한 최초의 개방 지역으로, 경제 무역 지대로 지정되었으나 외국 자본 유치에 실패하면서 큰 성과를 이루지는 못하였다.
>
> (나) 북한의 도로 및 철도 교통의 요지로 최근 압록강 유역의 황금평과 위화도를 특별 행정구에 포함시키려는 계획이 논의되고 있다.

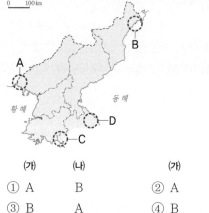

| | (가) | (나) | | (가) | (나) |
|---|---|---|---|---|---|
| ① | A | B | ② | A | C |
| ③ | B | A | ④ | B | D |
| ⑤ | C | D | | | |

**12** 자료에 대한 옳은 설명을 〈보기〉에서 고른 것은?

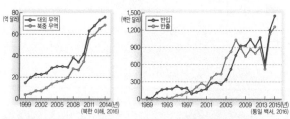

↑ 북한의 대외 무역과 북중 무역 추이 　　↑ 우리나라의 남북 교역액 현황

> **보기**
>
> ㄱ. 남북 교역에서 반출액은 반입액보다 항상 많았다.
>
> ㄴ. 2011년 대외 무역 총액은 2002년 대외 무역 총액의 3배 정도이다.
>
> ㄷ. 남북 교역에서 2010년대의 남북 교역액이 1990년대의 남북 교역액보다 많다.
>
> ㄹ. 1999년에 비해 2014년에는 대외 무역에서 중국이 차지하는 비중이 감소하였다.

① ㄱ, ㄴ 　　② ㄱ, ㄷ 　　③ ㄴ, ㄷ

④ ㄴ, ㄹ 　　⑤ ㄷ, ㄹ

# 3단계 등급 올리기

**01** (가), (나) 유형의 지역 구분 방법에 대한 설명으로 옳은 것은?

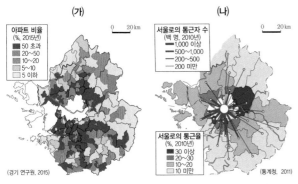

(가)

아파트 비율
(%, 2015년)
■ 50 초과
■ 20~50
■ 10~20
□ 5~10
□ 5 이하

0  20 km

(나)

서울로의 통근자 수
(백 명, 2010년)
━ 1,000 이상
━ 500~1,000
━ 200~500
━ 200 미만

서울로의 통근율
(%, 2010년)
■ 30 이상
■ 20~30
■ 10~20
□ 10 미만

0  20 km

(경기 연구원, 2015)　(통계청, 2011)

① (가)는 도시 세력권, 상권 등과 같은 지역 구분이 포함된다.

② (가)에서 지역의 크기는 중심지가 보유하는 기능의 정도에 따라 달라진다.

③ (나)는 서울을 기준으로 동일한 지리적 현상이 나타나고 있다.

④ (나) 지역은 중심지와 배후지의 공간 관계를 파악하기에 유리하다.

⑤ (가)는 (나)보다 교통과 통신의 발달에 따라 지역의 범위 변화에 더 크게 영향을 받는다.

### ★최고난도

**02** 지도의 A~E에 대한 설명으로 옳은 것은?

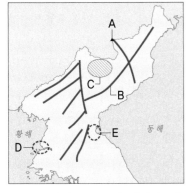

① A의 정상부는 종상 화산을 이루며, 백록담이라 불리는 화구호가 있다.

② B는 신생대 지각 변동으로 형성된 한국 방향의 산맥에 속한다.

③ C는 해발 고도가 높고 사면의 경사가 완만한 개마고원이다.

④ D에는 삼각주가 넓게 발달해 있다.

⑤ E는 지형과 풍향의 영향으로 연 강수량이 적다.

2014 평가원 응용

**03** 다음은 (가)~(마) 지역의 특성에 대한 탐구 주제를 정리한 것이다. 조사 지역에 대한 탐구 주제가 옳지 <u>않은</u> 것은?

| | 조사 지역 | 탐구 주제 |
|---|---|---|
| ① | (가) | 일제 강점기 경의선 철도 부설로 인한 도시 발달 |
| ② | (나) | 화산 지형을 활용한 관광 산업의 실태 조사 |
| ③ | (다) | 북한 최초 개방 지역의 입지 특성 |
| ④ | (라) | 화강암이 풍화를 받은 돌산 |
| ⑤ | (마) | 남한의 노동력과 북한의 자본, 기술을 결합한 경제 협력 활성화에 따른 지역 변화 |

### 🌸 서술형 문제

**04** 다음은 북한의 대표적인 음식에 대한 설명이다. 이를 통해 파악할 수 있는 북한의 농업 특성을 제시된 용어를 활용하여 서술하시오.

> • 평양냉면은 메밀로 만든 국수에 시원한 국물을 부어 만든 평양의 향토 음식으로, 여름철 별미로 많은 사람들이 즐겨 먹는다.
> • 함경도 주민들은 감자를 주식으로 먹는다. 대표적으로 감자 만두, 언 감자떡 등의 요리가 유명하며, 감자로 녹말을 만들어 냉면과 국수를 만들어 먹었다.

> • 밭농사　　　　• 강수량
> • 겨울 기온　　　• 생장 가능 기간

# 03 수도권과 강원 지방

## A 수도권의 특성과 공간 구조 변화

### 1. 수도권의 지역 특성

(1) 수도권의 범위

| | |
|---|---|
| 서울특별시 | 우리나라의 수도이며, 정치·경제·사회·문화의 중심지 |
| 인천광역시 | 인천항과 인천 국제공항이 있는 국제 물류의 중심 도시 |
| 경기도 | 수도권에서 가장 면적이 넓고 인구가 많으며, 서울의 배후지 역할을 함 |

★ (2) 수도권의 공간적 집중

• 교통이 편리하고, 고급 기술 인력이 풍부하며, 정보 통신 시설과 편의 시설이 잘 갖춰져 있기 때문이다.

| | |
|---|---|
| 인구 집중 | 면적은 우리나라 전체의 약 12% 정도이지만, 전체 인구의 절반 가량(약 2,500만 명)이 밀집해 있음 |
| 기능 집중 | • 중앙 정부 기관을 비롯한 대기업 본사 및 각종 언론사, 금융 기관의 본점, 각종 문화 시설 등이 집중해 있음<br>• 서비스업 및 제조업의 집중으로 국내 총생산(GDP)의 절반 정도 점유 → 산업 및 고용의 집중도가 높음 |
| 교통망 집중 | • 대부분의 교통망이 수도권을 중심으로 연결되어 있음 → 다른 지역으로의 접근성이 뛰어남<br>• 도로, 철도, 항공 교통 등 교통 여건이 잘 갖추어져 있음 |

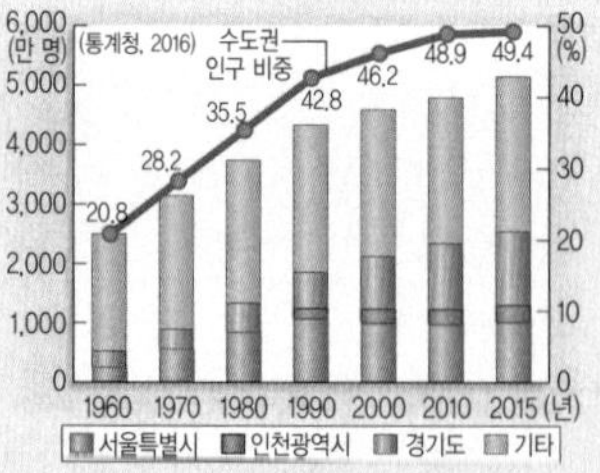


⊙ **수도권의 인구 변화** | 산업화와 도시화로 수도권의 인구 비중은 급격히 증가하였다. 그러나 과밀화의 영향으로 서울의 인구가 주변의 인천이나 경기도 지역으로 이동하면서 1990년대 이후부터 둔화되는 추세이다.

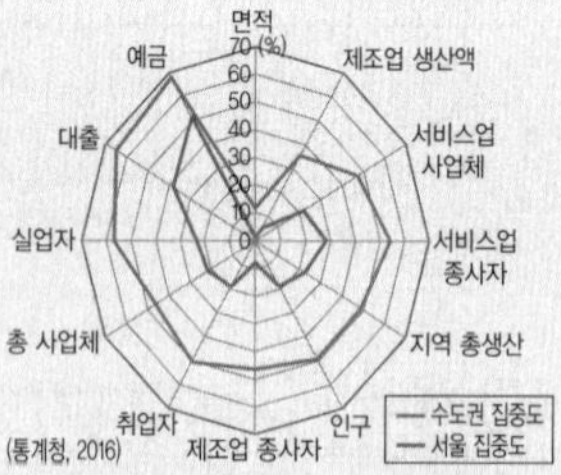


⊙ **수도권 집중도** | 수도권은 제조업을 제외한 서비스업, 지역 내 총생산, 총 사업체 등에서 50% 내외의 집중을 보인다. 이를 통해 수도권은 면적에 비해 많은 기능이 과도하게 집중되어 있음을 알 수 있다.

### 2. 수도권의 공간 구조 변화

(1) 시기별 공간 구조의 변화

한국 수출 산업 공단(구로 공단) 조성 •

| | |
|---|---|
| 1960년대 | 정부 주도의 산업화 과정에서 서울에 제조업 성장 |
| 1970년대 | 제조업체가 서울 주변 지역으로 분산 |
| 1980년대 | 수도권 외곽 지역의 산업 성장 가속화 |
| 1990년대 | 서울을 중심으로 3차 산업 비중 증가 |
| 2000년대 이후 | 지식 및 기술 집약적 산업 구조로 재편 |

★ (2) 수도권의 산업 변화

| | |
|---|---|
| 서울의 탈공업화 | 2차 산업 비중이 감소하고 3차 산업 비중이 증가 → 서울의 제조업이 경기도나 충청권 등으로 이전 |
| 지식 기반 산업 성장 | 고급 인력, 연구 기능의 수도권 집중으로 기술 집약적 산업 입지에 유리함 → 서울은 지식 기반 서비스업, 경기도는 지식 기반 제조업의 비중이 높음 |

주로 넓은 공업 용지가 필요한 산업이 이전하였다. •

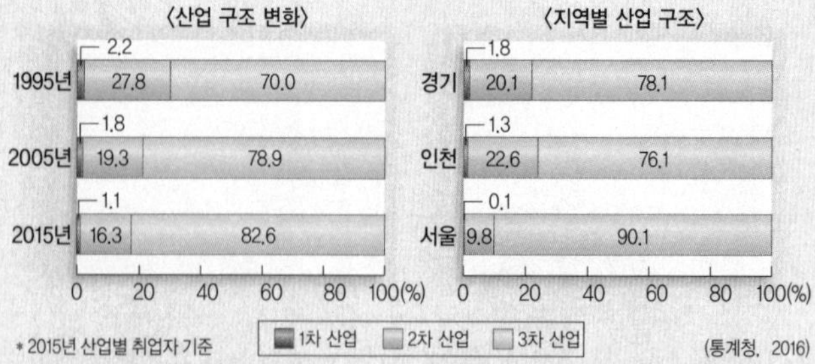


⊙ **수도권의 산업 구조 변화** | 수도권의 산업 구조는 1995년 제조업 종사자 수 비중이 27.8%였으나 탈공업화 현상이 나타나면서 2005년에는 20% 미만으로 감소하였다. 지역별로는 경기와 인천의 제조업 종사자 수 비중이 상대적으로 높고 서울은 3차 산업 종사자 수 비중이 90.1%로 매우 높다.

(3) 수도권의 문화 공간의 다양화

| | |
|---|---|
| 서울 | • 경복궁, 창덕궁 등 궁궐과 성곽 및 사대문 등 다양한 문화 유적이 남아 있음<br>• 대학로, 홍대, 이태원, 명동 등 다양한 현대적 문화 공간 발달 |
| 인천 | • 강화도 조약(1876년)에 따라 1883년에 개항 → 근대 문화유산이 많이 남아 있음<br>• 인천 국제공항과 인천항이 수도권의 관문 역할을 수행 |
| 경기 | 서울을 둘러싸고 있는 지역으로 예로부터 서울의 배후지 역할을 하며 경제·문화적 토대를 제공 |

• 수원은 세계 문화유산 화성을, 파주는 출판 도시를 내세워 문화를 활용한 지역 브랜드화를 추진하고 있다.

## B 수도권의 문제와 해결 방안

### 1. 수도권 문제

각종 기능 등이 한정된 장소에 모이게 됨에 따라 발생하는 불이익 •

(1) 발생 원인: 인구와 기능의 지나친 집중 → 집적 불이익 발생

(2) 수도권의 다양한 도시 문제: 생활 기반 시설 부족, 교통 체증 및 주차난, 집값 상승과 도심 노후화, 환경 오염 및 사회적 비용 증가 등

(3) 영향: 삶의 질 악화, 수도권과 비수도권의 인구 및 기능의 격차 확대 → 국토 공간의 불균형 심화

### 2. 수도권 문제 해결 노력

(1) 과도한 인구 및 기능 집중 억제

| | |
|---|---|
| 과밀 부담금 제도 | 인구 집중을 유발하는 상업·업무 시설이 들어설 때 부담금을 부과하는 제도 |
| 수도권 공장 총량제 | 매년 새로 지을 공장 건축 면적을 총량으로 설정하여 이를 초과하는 공장의 건축을 규제하는 제도 |

(2) 지속 가능한 성장 관리 기반 구축

| | |
|---|---|
| 수도권 정비 계획 | 수도권에 과도하게 집중된 인구와 산업을 적정하게 배치하여 수도권을 균형 있게 발전시키기 위한 종합 계획 |
| 다핵 연계형 공간 구조 | 통근권, 생활권, 역사성 등을 고려하여 다양한 분야에서 도시권별 자족성을 높이고, 지역별 중심 도시 간 연계를 강화하여 수도권의 균형 있는 발전 추구 |

★ 표시는 시험 전에 확인해 주세요.

## ⓒ 태백산맥으로 나뉘는 강원 지방

태백산맥을 경계로 동쪽을 영동 지방, 서쪽을 영서 지방으로 구분한다.

★ **1. 영서 및 영동 지방의 특성**

**(1) 자연환경**

| 구분 | 지형 | 기후 |
|---|---|---|
| 영서 지방 | • 서쪽으로 갈수록 해발 고도가 낮아지면서 경사가 대체로 완만함<br>• 고위 평탄면, 침식 분지 발달 | • 기온의 연교차가 큰 대륙성 기후가 나타남<br>• 여름철 남서 기류 유입으로 지형성 강수와 집중 호우 발생 |
| 영동 지방 | • 급경사의 산지, 동해안을 따라 좁은 해안 평야 발달<br>• 동서의 폭이 좁아 하천의 유로가 짧고 경사가 급함 | • 태백산맥·동해의 영향 → 여름이 서늘하고 겨울이 온난함<br>• 겨울철 북동 기류 유입과 지형의 영향으로 강설량 많음 |

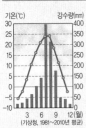
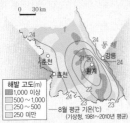
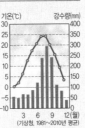

**⬆ 영서 지방과 영동 지방의 기후 차** | 해발 고도가 높은 영서 지방(홍천)은 여름철이 짧고 서늘하지만, 겨울철이 길고 추운 편이다. 반면, 영동 지방(강릉)은 태백산맥이 한랭한 북서 계절풍을 막아 주고 상대적으로 따뜻한 동해의 영향 때문에 영서 지방보다 겨울철이 따뜻하다.

**(2) 주민 생활**

| 영서 지방 | • 고위 평탄면에서 고랭지 농업과 목축업이 이루어짐<br>• 밭농사 비율이 높아 옥수수, 감자, 메밀 등을 활용한 음식 발달 |
|---|---|
| 영동 지방 | • 반농 반어촌, 해안 지형과 항만을 바탕으로 관광 산업 발달<br>• 바다와 접해 있어 오징어, 명태 등 해산물을 이용한 음식 발달 |

## 2. 강원 지방의 변화

**(1) 광업의 발달과 쇠퇴**

| 1980년대 이전 | 석회석, 무연탄 등 풍부한 지하자원을 바탕으로 국내 최대 광업 지역으로 성장 |
|---|---|
| 1980년대 이후 | 에너지 소비 구조 변화와 해외 자원 수입량 증가 및 석탄 산업 합리화 정책 등으로 광업 쇠퇴 → 지역 경제 침체 |

**(2) 새로운 성장을 모색하는 강원 지방**

| 관광 산업 육성 | 깨끗한 자연환경을 바탕으로 한 생태 관광 및 휴양 관광, 폐광 지역을 관광 자원으로 활용 ⑩ 석탄 박물관, 레일 바이크 등 |
|---|---|
| 동계 올림픽 개최 | 2018 평창 동계 올림픽 개최를 통해 다양한 사회 기반 시설 확충 → 지역 경제 활성화 기대 |
| 도시별 전략 산업 육성 | 춘천(바이오 산업)·원주(의료 산업 클러스터*)·강릉(해양·신소재 산업)을 3대 성장 개발 도시로 선정하여 도시별 특성화 전략 추진 |

산업 집적지. 유사 업종에서 다른 기능을 수행하는 기업, 기관들이 한 곳에 모여 있는 것

---

**01** 다음 설명이 맞으면 ○표, 틀리면 ×표를 하시오.

(1) 수도권은 인구와 기능의 지나친 집중으로 인해 집적 불이익이 발생하고 있다. ( )

(2) 서울의 인구는 주변의 인천이나 경기도 지역으로 이동하면서 감소하는 추세이다. ( )

(3) 서울은 지식 기반 제조업의 비중이 높고, 경기도는 지식 기반 서비스업의 비중이 높다. ( )

**02** 다음 빈칸에 들어갈 말을 쓰시오.

(1) 강원 지방은 1980년대 이후 정부의 ( ) 정책으로 광업이 쇠퇴하면서 지역 경제가 침체되었다.

(2) 서울은 ( )가 진행되어 3차 산업 비중이 증가하였으며, 이에 따라 서울의 제조업이 경기도나 충청권으로 이전하였다.

(3) 정부는 제조업의 수도권 집중을 막기 위해 공장 건축 면적을 총량으로 설정하여 이를 초과하는 공장의 건축을 규제하는 ( )를 실시하고 있다.

**03** 영서 지방과 영동 지방의 주민 생활 모습을 〈보기〉에서 골라 기호를 쓰시오.

> **보기**
> ㄱ. 고랭지 농업　　ㄴ. 감자, 옥수수 재배
> ㄷ. 반농 반어촌　　ㄹ. 해안 지형을 활용한 관광 산업

(1) 영서 지방 ( )　　(2) 영동 지방 ( )

**04** ㉠, ㉡에 들어갈 용어를 각각 쓰시오.

> 영동 지방은 (㉠ )이 한랭한 북서 계절풍을 막아 주고 상대적으로 따뜻한 (㉡ )의 영향 때문에 영서 지방보다 겨울철이 따뜻하다.

**05** 다음 괄호 안의 내용 중 알맞은 말에 ○표를 하시오.

(1) 강원도는 (태백산맥, 소백산맥)을 경계로 영서 지방과 영동 지방으로 나뉜다.

(2) 영서 지방은 여름과 겨울의 기온 차이가 큰 (대륙성, 해양성) 기후가 나타난다.

(3) 최근 강원 지방은 농업·임업·광업 중심의 산업 구조를 (제조업, 관광 산업) 중심으로 바꾸기 위해 노력하고 있다.

## A 수도권의 특성과 공간 구조 변화

**01** 밑줄 친 ⊙~⑩에 대한 설명으로 옳지 <u>않은</u> 것은?

수도권은 1960년대 이후 정부 주도의 공업 정책을 기반으로 ⊙ 구로 공단이 조성되면서 서울을 중심으로 제조업이 성장하였다. 이후 ⓒ 인천·경기도 지역으로 공장이 이전하기 시작하여 1980년대 이후 안산의 반월 산업 단지, 인천의 남동 산업 단지 등의 새로운 공업 지역이 조성되었다. 1990년대 이후부터는 ⓒ 탈공업화가 진행되었으며, 2000년대 이후 산업 구조가 지식·기술 집약적 산업으로 재편되면서 수도권은 ⓔ 지식 기반 산업의 중심지로 성장하였다. 한편 수도권에는 산업 유형에 따른 ⑩ 공간적 분업 구조가 형성되고 있다.

① ⊙ – 섬유, 봉제 등 경공업 제품을 주로 생산하였다.
② ⓒ – 고급 연구 인력이 풍부하며, 관련 업체와의 협력이 쉽기 때문이다.
③ ⓒ – 2차 산업의 비중이 감소하고, 3차 산업의 비중이 증가하는 현상이다.
④ ⓔ – 정보 통신 기술 산업과 생산자 서비스업 등이 이에 해당한다.
⑤ ⑩ – 서울에는 지식 기반 서비스업, 경기도에는 지식 기반 제조업이 주로 분포한다.

출제가능성 90%

**02** 그래프는 수도권의 인구 변화를 나타낸 것이다. 이에 대한 분석으로 옳은 것은?

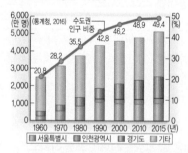

① 수도권은 비수도권보다 인구 밀도가 낮다.
② 수도권의 인구 비중은 점차 낮아지고 있다.
③ 1990년대 이후 서울의 인구는 비수도권으로 이동하였다.
④ 2000년에 경기·인천의 인구는 서울의 인구보다 많다.
⑤ 수도권 인구 증가율은 1970~1980년보다 2000~2010년이 높다.

출제가능성 90%

**03** 그래프는 수도권의 산업 구조를 나타낸 것이다. 이에 대한 옳은 설명을 〈보기〉에서 고른 것은?

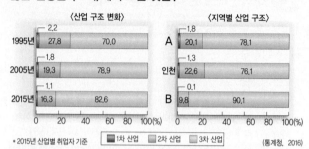

* 2015년 산업별 취업자 수 기준 (통계청, 2016)
■ 1차 산업 ■ 2차 산업 ■ 3차 산업

**보기**

ㄱ. A는 서울, B는 경기이다.
ㄴ. 수도권의 산업 구조가 고도화되었다.
ㄷ. 인천은 서울보다 2차 산업 종사자 수가 많다.
ㄹ. 탈공업화가 진행되면서 제조업 종사자 수 비중은 감소하고 있다.

① ㄱ, ㄴ　　② ㄱ, ㄷ　　③ ㄴ, ㄷ
④ ㄴ, ㄹ　　⑤ ㄷ, ㄹ

**04** 자료에 대한 분석 및 추론으로 옳지 <u>않은</u> 것은?

(단위: 개)

| 구분 | 2004년 | 2014년 |
|---|---|---|
| 전국 | 54,797 | 68,640 |
| 서울 | 5,693 | 4,589 |
| 인천 | 4,712 | 4,870 |
| 경기 | 18,306 | 23,955 |
| 수도권 비중 | 52.4% | 48.7% |

⬆ 제조업 사업체 수 변화　　⬆ 지식 기반 산업 종사자 수

① 지식 기반 산업의 공간적 분화가 나타나고 있다.
② 서울의 제조업체들이 주변 지역으로 빠져나갔을 것이다.
③ 서울은 인천·경기 지역에 비해 지식 기반 제조업이 발달해 있다.
④ 경기도의 제조업 사업체 수는 2004년에 비해 2014년에 30% 이상 증가하였다.
⑤ 정보 통신 기기 제조업은 넓은 공장 부지 확보가 입지의 중요한 요인이 될 것이다.

**05** (가)~(다) 지역을 지도에서 찾아 옳게 연결한 것은?

| (가) | (나) | (다) |
|---|---|---|
| 출판 도시를 내세워 문화를 활용한 지역 브랜드화를 추진하고 있다. | 경기도의 중심 도시로 세계 문화유산으로 등재된 화성을 볼 수 있다. | 국제공항과 항만을 갖추고 있으며 경제 자유구역으로 지정된 곳이 있다. |

|  | (가) | (나) | (다) |
|---|---|---|---|
| ① | A | B | C |
| ② | A | C | B |
| ③ | B | A | C |
| ④ | B | C | A |
| ⑤ | C | A | B |

### B 수도권의 문제와 해결 방안

**06** 밑줄 친 ㉠의 사례로 옳은 것만을 〈보기〉에서 있는 대로 고른 것은?

수도권에 인구와 각종 기능이 지나치게 집중되면서 주택·도로 등 생활 기반 시설 부족, 교통 체증과 주차난, 집값 상승과 도심 노후화, 환경 오염 및 사회적 비용 증가 등 다양한 문제들이 발생하고 있다. 이러한 문제들은 삶의 질에 영향을 줄 뿐만 아니라 수도권과 비수도권의 인구 및 기능의 격차가 벌어지게 하여 국토 공간의 불균형을 심화시켰다. 이에 정부는 ㉠ 수도권의 인구와 기능을 분산시키기 위한 지속적인 노력을 하고 있다.

〈보기〉
ㄱ. 수도권 공장 총량제를 시행한다.
ㄴ. 서울을 중심으로 한 방사형 교통 체계를 구축한다.
ㄷ. 수도권에 집중되어 있는 공공 기관을 지방으로 이전한다.
ㄹ. 인구 집중을 유발하는 시설이 들어설 때 부담금을 부과한다.

① ㄱ, ㄴ ② ㄱ, ㄷ ③ ㄴ, ㄹ
④ ㄱ, ㄷ, ㄹ ⑤ ㄴ, ㄷ, ㄹ

**07** 지도는 제3차 수도권 정비 계획을 나타낸 것이다. 이러한 공간 구조 개편이 가져올 변화를 적절하게 추론한 것을 〈보기〉에서 고른 것은?

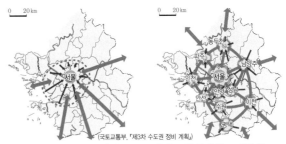

(국토교통부, 『제3차 수도권 정비 계획』)

↑ 수도권 공간 구조 개편 전　↑ 수도권 공간 구조 개편 후

〈보기〉
ㄱ. 다양한 분야에서 도시권별 자족성이 증대될 것이다.
ㄴ. 서울의 기능 분산으로 국제 경쟁력이 낮아질 것이다.
ㄷ. 집적 이익이 발생하여 수도권의 제조업 집중이 뚜렷해질 것이다.
ㄹ. 서울 중심의 공간 구조에서 다핵 연계형 공간 구조로 재편될 것이다.

① ㄱ, ㄴ ② ㄱ, ㄹ ③ ㄴ, ㄷ
④ ㄴ, ㄹ ⑤ ㄷ, ㄹ

### C 태백산맥으로 나뉘는 강원 지방

출제가능성 90%

**08** 다음은 수업 시간의 한 장면이다. 교사의 질문에 옳게 답변한 학생을 고른 것은?

교사: 강원도의 지역 구분을 나타낸 지도입니다. A, B 지역에 대해 이야기해 봅시다.

병: A 지역은 B 지역보다 감자, 옥수수 등 밭농사 비율이 높게 나타납니다.

갑: A 지역은 침식 분지, B 지역은 해안 평야에 도시가 발달하였습니다.

을: A 지역 하천은 B 지역 하천보다 유로가 짧고 경사가 급합니다.

정: A, B 지역 간에는 교류가 활발하여 언어, 음식 등 주민 생활에 공통점이 많습니다.

① 갑, 을 ② 갑, 병 ③ 을, 병
④ 을, 정 ⑤ 병, 정

**09** 자료를 토대로 홍천과 강릉의 기후 특성을 추론한 것으로 가장 적절한 것은?

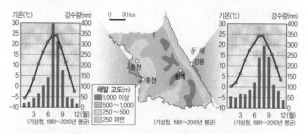

(기상청, 1981~2010년 평균)

① 홍천은 강릉보다 눈이 많이 내릴 것이다.
② 홍천은 강릉보다 무상일수가 짧을 것이다.
③ 강릉은 홍천보다 기온의 연교차가 클 것이다.
④ 강릉은 홍천보다 바다의 영향을 적게 받을 것이다.
⑤ 강릉은 홍천보다 하계 강수 집중률이 높을 것이다.

**10** 그래프는 태백시의 산업별 종사자 비율 변화를 나타낸 것이다. 이를 통해 알 수 있는 태백시의 변화 모습으로 적절한 것을 〈보기〉에서 고른 것은?

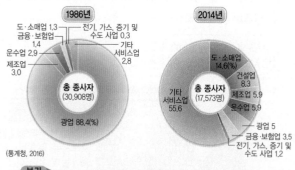

(통계청, 2016)

> **보기**
> ㄱ. 지역 경제가 침체되어 인구 유출이 발생하였다.
> ㄴ. 광업 쇠퇴 이후 관광 산업을 육성하기 위해 노력하고 있다.
> ㄷ. 산업 구조가 3차 산업 중심에서 2차 산업 중심으로 바뀌었다.
> ㄹ. 자동화된 공정의 제조업체가 증가하여 제조업 종사자 수는 감소하였다.

① ㄱ, ㄴ　　② ㄱ, ㄹ　　③ ㄴ, ㄷ
④ ㄴ, ㄹ　　⑤ ㄷ, ㄹ

**11** 다음 신문 기사의 (가)에 들어갈 적절한 내용을 〈보기〉에서 고른 것은?

> **○○군 인구 22년 만에 증가**
>
> 강원도 ○○군의 인구가 지난 달부터 조금씩 증가하고 있다. ○○군의 인구는 석탄 산업이 활기를 띠던 1978년 13만 9,892명을 기록했지만 이후 지속적으로 줄어들어 2010년에는 5만 명에도 미치지 못할 정도였다. 이처럼 지속적인 감소를 보이던 ○○군의 인구가 2011년부터 소폭이지만 증가 추세로 바뀌고 있다. ○○군에서는 이러한 인구 증가의 요인을 _____(가)_____ 때문으로 분석하고 있다.
>
> – 「뉴시스」, 2012. 8. 4.

> **보기**
> ㄱ. 석탄 산업 합리화 정책 시행
> ㄴ. 접경 벨트 및 비무장 지대 개발
> ㄷ. 관광 산업 활성화에 따른 고용 창출
> ㄹ. 대체 산업 단지 조성과 정주 여건 개선

① ㄱ, ㄴ　　② ㄱ, ㄹ　　③ ㄴ, ㄷ
④ ㄴ, ㄹ　　⑤ ㄷ, ㄹ

**12** (가), (나)에 해당하는 지역을 지도의 A~D에서 골라 옳게 연결한 것은?

> (가) 전국에서 유일하게 혁신 도시와 기업 도시가 함께 자리 잡은 곳으로, 혁신 도시에는 의료 관련 기관들을 비롯해 수도권 소재 공공 기관이 이전했거나 이전할 예정이며, 기업 도시는 의료, 연구, 건강, 바이오 산업의 집약 도시로 조성할 예정이다.
> (나) 영서 지방의 대표적인 도시로, 소양강 댐이 유명하다. 댐 건설로 조성된 소양호는 규모가 크고 경관이 아름다워 이곳을 대표하는 관광지 중 하나이다. 최근에는 바이오 산업을 기반으로 한 첨단 산업 중심의 산업 구조 고도화를 추진하고 있다.

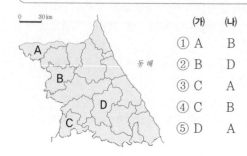

|  | (가) | (나) |
|---|---|---|
| ① | A | B |
| ② | B | D |
| ③ | C | A |
| ④ | C | B |
| ⑤ | D | A |

# 3단계 등급 올리기

**최고난도**

**01** 그래프는 수도권 및 서울의 집중도를 나타낸 것이다. 이에 대한 옳은 분석을 〈보기〉에서 고른 것은?

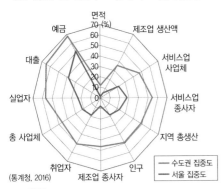

(통계청, 2016)

**보기**

ㄱ. 인구 밀도는 서울 > 비수도권 > 인천·경기 순으로 높다.

ㄴ. 서비스업 사업체 집중도는 수도권이 비수도권보다 높다.

ㄷ. 인구 1인당 지역 총생산은 서울이 인천·경기보다 많다.

ㄹ. 수도권의 제조업 종사자당 생산액의 비중은 비수도권보다 낮다.

① ㄱ, ㄴ      ② ㄱ, ㄹ      ③ ㄴ, ㄷ
④ ㄴ, ㄹ      ⑤ ㄷ, ㄹ

**03** 다음은 지리 동아리의 강원도 답사 계획서이다. 답사 주제에 따른 경로를 지도에서 고른 것은?

**강원도 답사 계획서**

· 답사 경로: (가) → (나) → (다)
· 지역별 답사 주제

| 지역 | 답사 주제 |
|------|-----------|
| (가) | 신소재와 해양 바이오 산업을 특화하기 위해 어떤 노력을 하고 있는지 조사하기 |
| (나) | 고랭지 농업과 목축업이 발달한 자연적 요인과 동계 올림픽 개최 이후의 지역 변화 살펴보기 |
| (다) | 석탄 산업 합리화 정책으로 인해 침체된 지역 경제를 살리기 위한 노력 찾아보기 |

① A → B → D
② B → A → D
③ B → D → E
④ C → A → D
⑤ C → D → E

**2017 평가원 응용**

**02** (가)~(다) 지역에 대한 분석 및 추론으로 옳지 <u>않은</u> 것은? (단, (가)~(다)는 서울, 경기, 인천 중 하나이다.)

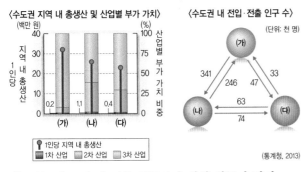

〈수도권 지역 내 총생산 및 산업별 부가 가치〉     〈수도권 내 전입·전출 인구 수〉

(통계청, 2013)

① (나)는 수도권 내 전출 인구보다 전입 인구가 많다.

② (가)는 (나)보다 생산자 서비스업의 부가 가치 비중이 높을 것이다.

③ (다)는 (가)보다 주간 인구 지수가 높을 것이다.

④ (가)는 서울, (나)는 경기, (다)는 인천이다.

⑤ (가)는 (나), (다)보다 탈공업화 현상이 뚜렷하다.

## 서술형문제

**04** 지도는 강원도의 1월 평균 기온을 나타낸 것이다. A, B 지역 간 기온 차가 크게 나타나는 이유를 서술하시오.

(기상청, 2012)

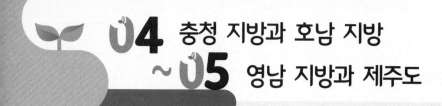

# 04 충청 지방과 호남 지방
# ~05 영남 지방과 제주도

## A 빠르게 성장하는 충청 지방

### 1. 충청 지방의 지역 특색

(1) 교통의 중심지

| 과거 | 남한강과 금강을 이용한 내륙 수운 발달 → 충주, 공주, 부여, 강경 등의 도시 발달 |
|------|------|
| 현재 | 경부·호남·중부 내륙·중앙·서해안 고속 국도 및 고속 철도 개통, 수도권 전철 연장 → 교통·물류의 중심지 |

(2) 수도권과 밀접한 충청 지방: 수도권 전철 연장 및 고속 철도 개통으로 수도권으로의 접근성 향상 → 수도권의 행정, 산업, 교육 등 다양한 기능 이전

### 2. 충청 지방의 도시와 산업 변화

(1) 도시 성장

| 기업 도시 | • 충주: 지식 기반형 산업 발달<br>• 태안: 관광 레저형 산업 성장 |
|------|------|
| 혁신 도시 | 충청북도 진천, 음성 → 정부 기관 이전 및 산·학·연·관의 협력을 바탕으로 수준 높은 주거 환경을 갖춤 |
| 세종특별자치시 | 2012년 7월 1일 수도권에 집중된 중앙 행정 기능을 분담하기 위해 출범 |
| 내포 신도시 | 홍성·예산 일대에 건설, 충청남도 도청, 도의회 등 충청남도의 지방 행정 기능 이전 |

★ (2) 공업 발달

① 공업의 발달 요인: 편리한 교통 조건, 수도권 공장 총량제 시행에 따른 수도권의 공업 이전 등

② 산업 단지 개발 ┌─ 국토의 균형 발전을 위해 수도권에 소재한 기업이 지방으로 이전하면 규제를 완화하고 보조금을 지원하고 있다.

| 서북부 지역 | 대중국 수출 비중이 높은 IT 업종 및 자동차 산업, 산업 원자재 공급을 위한 제철 및 석유 화학 공업 발달 |
|------|------|
| 대전 | 대덕 연구 단지를 중심으로 첨단 산업 발달 |
| 청주 | 오송 첨단 의료 복합 단지·생명 과학 단지 등의 국책 사업 추진으로 지식 기반 제조업 및 연구 개발 기능 발달 |

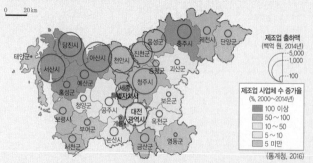

⬆ 충청 지방의 제조업 출하액과 사업체 수 증가율 | 충청 지방의 제조업 사업체 수는 수도권과 인접하거나 주요 교통로와 접근성이 좋은 지역을 중심으로 증가하였다. 아산은 전자 부품, 컴퓨터, 영상, 음향 및 통신 장비 제조업, 당진은 1차 금속 제조업, 서산은 화학 물질 및 화학 제품 제조업의 출하액 비중이 가장 높게 나타난다.

## B 다양한 산업이 발전하는 호남 지방

### 1. 호남 지방의 농지 개간과 간척 사업

| 농지 개간 | 유량이 부족하고, 바닷물의 역류에 의한 염해 등으로 농사짓기에 어려움 → 수리 시설 확충 등을 통해 농경지 확장 |
|------|------|
| 간척 사업 | 간척 사업을 통해 농경지 확장 및 산업 단지 조성 ⑩ 김제시 광활면, 부안군 계화도, 새만금 등 |

┌─ 농업 용지, 산업 용지, 관광 단지 및 신도시 건설 등으로 다양하게 활용될 계획이다.

### 2. 호남 지방의 산업 구조 변화

★ (1) 호남 지방의 산업 구조 ┌─ 호남 지방의 1차 산업 비중은 전국 평균보다 높지만, 제조업이나 서비스업의 비중은 상대적으로 낮은 편이다.

| 농업 | 벼농사가 활발하게 이루어져 국내 쌀 생산량의 1/3 차지, 우리나라 최대의 곡창 지대 |
|------|------|
| 공업 | • 과거: 여수 석유 화학 산업 단지가 조성되며 공업화 시작(1970년대), 광양 제철소 입지(1980년대), 중국과의 교역 확대를 위해 대불 및 군산 산업 단지 조성(1990년대)<br>• 오늘날: 광주는 광(光) 산업, 전주는 첨단 부품 소재 산업 육성 |
| 관광 산업 | 다양한 관광 자원을 활용한 지역 축제 개최, 생태 관광 발달 → 지역 경쟁력 확보 ┌─ ⑩ 보성 녹차 축제 등 |

(2) 호남 지방의 발전 방향: 새만금·광양만 일대는 경제 자유 구역, 전주·완주와 나주 일대는 혁신 도시로 지정

⬆ 지역별 제조업 출하액 비중

┌─ 지리산, 다도해 등이 국립 공원으로, 고인돌 유적지와 판소리가 세계 문화유산으로 지정되어 있다.

## C 산업과 도시가 발달한 영남 지방

### 1. 영남 지방의 공간 구조

(1) 인구 분포 ┌─ 부산과 대구의 교외화 현상이 진행되면서 양산, 김해, 경산 등으로 인구가 분산되고 있다.

| 인구 증가 지역 | 1970년대 이후 산업 단지가 입지한 영남 내륙과 남동 해안의 도시 ⑩ 구미, 대구, 부산, 울산, 창원 등 |
|------|------|
| 인구 감소 지역 | 공업 발달이 미약한 경상북도 북부와 경상남도 서부 지역 → 인구 고령화 현상 발생 |

(2) 산업 분포

| 농업 | 북부 내륙 지역은 사과 등의 과수 농업, 낙동강 하구 삼각주와 대도시 근교 지역은 시설 원예 농업이 발달함 |
|------|------|
| 공업 | • 영남 내륙 공업 지역: 편리한 도로 및 철도 교통과 풍부한 노동력을 바탕으로 섬유, 전자 조립 산업 발달<br>• 남동 임해 공업 지역: 원료 수입과 제품 수출에 유리한 위치, 정부의 중화학 공업 육성 정책에 따른 지원 등을 바탕으로 중화학 공업 발달 |

★ 표시는 시험 전에 확인해 주세요.

## ★ 2. 영남 지방 주요 도시의 특성

| 부산 | • 우리나라 최대의 무역항 → 물류 산업 발달<br>• 영상 산업, 국제 물류, 금융 산업 중심으로 산업 구조 변화 |
|---|---|
| 대구 | 섬유 공업 경쟁력 약화 → 섬유 공업의 첨단화, 첨단 의료 복합 단지 유치를 통해 고부가 가치 산업 육성 |
| 울산 | 자동차, 조선, 석유 화학 공업을 기반으로 정보 통신 기술을 융합한 신성장 동력 산업 육성 |
| 창원 | 2010년 마산, 진해와 통합 및 경상남도 도청 이전, 기계 공업 단지로 제조업이 높은 비중을 차지 |
| 안동 | 조선 시대 고택과 서원, 향교 등 유교 문화 자원 풍부, 경상북도 도청 이전으로 행정 기능 강화 |
| 경주 | 신라의 수도였으며 불교와 관련된 유적이 많은 문화 관광 도시로 유네스코 세계 문화유산 보유 |

## Ⓓ 세계적인 관광지로 발전하는 제주도

### ★ 1. 제주도의 지역 특성

(1) 제주도의 자연환경 ┌→ 유네스코 생물권 보전 지역(2002), 세계 자연유산<br>(2007), 세계 지질 공원(2010)으로 선정되었다.

| 지형 | • 신생대 화산 활동으로 형성된 화산섬 → 기생 화산(오름), 주상 절리, 용암동굴 등 화산 지형이 분포함<br>• 한라산: 방패형 화산, 정상에는 화구호인 백록담이 있음 |
|---|---|
| 기후 | 해양성 기후 ← 우리나라 남쪽에 위치, 난류의 영향을 받기 때문 |

(2) 제주도의 독특한 문화

| 전통<br>가옥 | • 그물 지붕과 돌담: 강한 바람으로부터 가옥을 보호하기 위함<br>• 난방과 취사의 분리: 기후가 따뜻하여 난방의 필요성이 적음 |
|---|---|
| 음식<br>문화 | 지표수가 부족하여 논농사 불리(밭농사 발달) → 잡곡과 해산물을 이용한 음식 문화 발달 |

⊙ 제주도의 전통 가옥　　　　⊙ 물허벅

제주도 전통 가옥의 지붕은 강한 바람을 막기 위해 유선형으로 만들어졌고 새(띠)를 이용해 고정하였으며, 집과 밭에 돌담을 쌓았다. 제주도에서는 용천대에서 물을 길어 오기 위한 물허벅을 사용하였다.

### 2. 제주도의 발전을 위한 노력과 전망

(1) 제주특별자치도 지정: 2006년 경제활동의 자유를 최대한 보장하기 위해 자치권을 부여

(2) 발전 전략: 마이스(MICE) 산업 및 고부가 가치 관광 산업<br>　　　　　　　└● Meetings(기업 주최 회의), Incentives(포<br>확충 → 세계적인 관광지로 도약　상 관광), Conventions(각종 국제 회의),<br>　　　　　　　　　　　　　　　Exhibitions(전시회, 박람회 등)을 의미하<br>　　　　　　　　　　　　　　　는 용어이다.

---

**01** 충청 지방은 (　　　　　) 공업의 이전으로 공업이 꾸준하게 성장하고 있다.

**02** ㉠, ㉡에 들어갈 내용을 각각 쓰시오.

> 호남 지방은 (㉠　　　　)가 활발하게 이루어져 국내 (㉡　　　　) 생산량의 1/3을 차지하며, 우리나라 최대의 곡창 지대이다.

**03** 다음에서 설명하는 영남 지방의 도시를 〈보기〉에서 골라 기호를 쓰시오.

> **보기**
> ㄱ. 경주　　ㄴ. 대구　　ㄷ. 안동　　ㄹ. 창원

(1) 신라의 수도로, 불교와 관련된 유적이 많은 문화 관광 도시이다.　　　　　　　　　　　　　　（　　）

(2) 조선 시대 고택, 서원, 향교 등 풍부한 유교 문화 자원을 보유하고 있다.　　　　　　　　　（　　）

(3) 기계 공업 단지가 조성되어 있으며, 2010년 마산, 진해와 행정 구역이 통합되었다.　　　（　　）

**04** 다음 설명이 맞으면 ○표, 틀리면 ×표를 하시오.

(1) 영남 내륙 공업 지역은 편리한 육상 교통과 풍부한 노동력을 바탕으로 섬유, 전자 조립 산업이 발달하였다.　　　　　　　　　　　　　　　　（　　）

(2) 공업 발달이 미약한 남동 임해 지역과 경상남도 서부 지역은 인구가 감소하고, 인구 고령화 현상이 발생하고 있다.　　　　　　　　　　　　　（　　）

**05** 다음 빈칸에 들어갈 말을 쓰시오.

(1) 제주도는 신생대 (　　　　　) 활동으로 형성되어, 기생 화산, 주상 절리 등의 지형이 분포한다.

(2) 제주도는 지표수가 부족하여 (　　　　　)농사가 발달하였고, 이에 따라 잡곡과 해산물을 이용한 음식 문화가 발달하였다.

## A 빠르게 성장하는 충청 지방

**01** 자료를 통해 추론할 수 있는 충청 지방의 변화 모습으로 가장 적절한 것은?

수도권 전철 1호선은 2005년 1월 화성 병점역에서 충청남도 천안역까지 연장 개통되며 수도권과 충청 지방을 연결하였다. 2008년 12월에는 장항선(충청남도 천안역~전라북도 익산역)의 전철화 구간인 아산 신창역까지 연장 개통되어 현재 운행 중이다.

① 다국적 기업의 본사가 이전해 올 것이다.
② 수도권과의 연계성이 더욱 높아질 것이다.
③ 항만과 연계한 산업 기능이 발달할 것이다.
④ 대중국 수출 기지로서의 역할을 담당하게 될 것이다.
⑤ 지식 기반 산업 발달로 지역 경제가 활성화될 것이다.

**02** A~E 지역에 대한 옳은 설명을 〈보기〉에서 고른 것은?

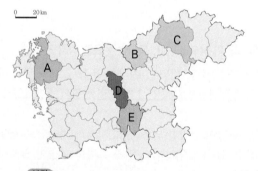

〈보기〉
ㄱ. A는 대덕 연구 단지를 중심으로 첨단 산업이 발달하였다.
ㄴ. D는 수도권에 집중된 중앙 행정 기능을 분담하기 위해 조성되었다.
ㄷ. E에는 충청 지방 최대의 석유 화학 산업 단지가 조성되어 있다.
ㄹ. B는 혁신 도시, C는 기업 도시로 개발되고 있다.

① ㄱ, ㄴ     ② ㄱ, ㄷ     ③ ㄴ, ㄷ
④ ㄴ, ㄹ     ⑤ ㄷ, ㄹ

**03** 지도는 충청 지방의 제조업 출하액과 사업체 수 변화를 나타낸 것이다. 이에 대한 설명 및 분석으로 옳지 않은 것은?

출제가능성 90%

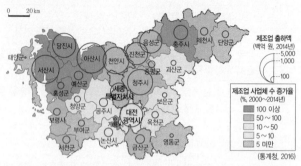

① 전체적으로 제조업의 비중이 늘어나고 있다.
② 해안가에 접한 지역은 제조업 사업체 수가 증가하였다.
③ 황해 경제 자유 구역의 제조업 사업체 수가 증가하고 있다.
④ 수도권에 접한 지역이 영남권에 접한 지역보다 제조업 출하액이 적다.
⑤ 제조업 사업체 수가 100% 이상 증가한 시·군은 충청북도보다 충청남도가 더 많다.

## B 다양한 산업이 발전하는 호남 지방

**04** 밑줄 친 ㉠~㉣에 대한 옳은 설명을 〈보기〉에서 고른 것은?

2000년대 이후 부안과 군산 일대에서는 ㉡ 새만금 간척지를 조성하고 있어.

호남 지방은 ㉢ 청정한 자연환경과 다양한 문화유산을 기반으로 관광 산업이 발달하였어.

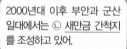

호남 지방은 ㉠ 호남평야와 나주평야를 중심으로 대규모 농경지가 조성되어 있어.

호남 지방은 ㉣ 균형 발전을 위한 정부의 지원을 바탕으로 제조업의 비중이 증가하고 있어.

〈보기〉
ㄱ. ㉠ - 과거 하천 유역이 좁아 유량이 부족하고, 바닷물의 역류에 의한 염해 등으로 농사짓기가 어려웠다.
ㄴ. ㉡ - 부족한 농경지를 확장하기 위해 농경지로만 사용될 예정이다.
ㄷ. ㉢ - 지리산, 다도해 등이 국립 공원으로, 고인돌 유적지와 판소리가 세계 문화유산으로 지정되어 있다.
ㄹ. ㉣ - 중국과의 교역 확대를 위해 익산 자유 무역 지구, 여수 국가 산업 단지가 조성되었다.

① ㄱ, ㄴ     ② ㄱ, ㄷ     ③ ㄴ, ㄷ
④ ㄴ, ㄹ     ⑤ ㄷ, ㄹ

**05** 그래프는 호남 지방의 산업별 생산액 비중 변화를 나타낸 것이다. 이에 대한 설명 및 분석으로 옳지 <u>않은</u> 것은?

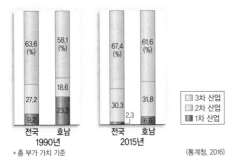

*총 부가 가치 기준 (통계청, 2016)

① 전국 평균에 비해 1차 산업 생산액 비중이 높다.

② 1990년에 비해 2015년에 산업 구조가 고도화되었다.

③ 1990년, 2015년 모두 전국 평균에 비해 2차 산업 생산액 비중이 높다.

④ 1990~2015년 사이에 생산액 비중이 가장 크게 감소한 산업은 1차 산업이다.

⑤ 1990년~2015년 사이에 2차 산업 생산액 비중의 증가율은 전국 평균에 비해 높다.

**06** 지도의 A~E 지역에 대한 탐구 학습 주제로 가장 적절한 것은?

① A – 혁신 도시 지정에 따른 공공 기관의 이전 현황

② B – 하굿둑 건설에 따른 토지 이용 변화

③ C – 정유 공업 발달이 도시 성장에 미친 영향

④ D – 녹차를 활용한 장소 마케팅 전략

⑤ E – 대규모 제철소 입지에 따른 지역 산업 구조의 변화

### **C** 산업과 도시가 발달한 영남 지방

**07** 그래프는 영남 지방 주요 도시의 인구 규모 변화를 나타낸 것이다. A~D에 대한 설명으로 옳지 <u>않은</u> 것은?

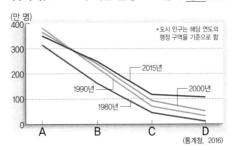

*도시 인구는 해당 연도의 행정 구역을 기준으로 함 (통계청, 2016)

① A는 우리나라 최대의 무역항으로 항만을 중심으로 물류 산업이 발달하였다.

② B는 최근 섬유 공업의 첨단화를 비롯한 고부가 가치 산업의 비중을 높이고 있다.

③ C는 일제 강점기에 항구 도시로 성장하였고, 당시의 건축물들이 현재 관광 자원으로 활용되고 있다.

④ D는 행정 구역이 통합되면서 2000년~2015년 사이 인구가 급증하였다.

⑤ 최근 A, B의 교외화가 진행되면서 양산, 김해 등으로 인구가 분산되고 있다.

출제가능성 **90%**

**08** 그래프는 영남 지방 주요 도시들의 제조업 종사자 수 비중을 나타낸 것이다. A~D 제조업에 대한 옳은 설명만을 〈보기〉에서 있는 대로 고른 것은?

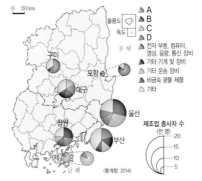

(통계청, 2014)

**보기**

ㄱ. A는 원료의 해외 의존도가 높아 주로 해안에 입지한다.

ㄴ. C는 운송비에 비해 부가 가치가 크며 입지가 자유로운 제조업이다.

ㄷ. C는 A보다 최종 제품의 무게가 가볍고 부피가 작다.

ㄹ. D에서 생산된 제품은 B의 주요 재료로 이용된다.

① ㄱ, ㄹ   ② ㄴ, ㄷ   ③ ㄷ, ㄹ

④ ㄱ, ㄴ, ㄷ   ⑤ ㄱ, ㄷ, ㄹ

**09** (가), (나) 지역을 지도의 A~E에서 골라 옳게 연결한 것은?

- (가)는 조선 시대 고택과 서원이 잘 보존된 지역이다. 특히 하회 마을은 전통 마을의 원형을 그대로 간직하고 있으며, 다채로운 민속 문화 행사가 열린다.
- (나)는 신라의 수도로, 신라 시대 불교문화와 조선 시대 유교 문화를 잘 보존하고 있다. 세계 문화유산으로 등록된 석굴암과 불국사, 양동 마을 등을 볼 수 있다.

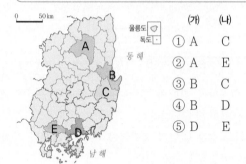

|  | (가) | (나) |
|---|---|---|
| ① | A | C |
| ② | A | E |
| ③ | B | C |
| ④ | B | D |
| ⑤ | D | E |

출제가능성 90%

**11** 제주도에서 사진과 같은 경관이 나타나게 된 이유로 적절한 것을 〈보기〉에서 고른 것은?

**보기**

ㄱ. 강한 바람이 자주 불기 때문
ㄴ. 화강암을 이용한 돌 문화가 발달하였기 때문
ㄷ. 해안 저지대에 다양한 난대성 식물이 자라기 때문
ㄹ. 빗물이 지하로 스며들어 비가 내릴 때만 하천에 물이 흐르기 때문

① ㄱ, ㄴ    ② ㄱ, ㄹ    ③ ㄴ, ㄷ
④ ㄴ, ㄹ    ⑤ ㄷ, ㄹ

---

**D 세계적인 관광지로 발전하는 제주도**

**10** 밑줄 친 ㉠~㉤에 대한 설명으로 옳지 않은 것은?

제주도는 우리나라에서 가장 큰 섬으로, 신생대 화산 활동으로 형성되었다. 제주도를 대표하는 ㉠ 한라산을 비롯하여 섬 곳곳에는 ㉡ 오름, 용암동굴, 주상 절리, 폭포 등이 분포하여 관광 자원으로 활용되고 있다. 한편, ㉢ 제주도는 겨울철 기온이 높고 온화하며, ㉣ 난대림부터 냉대림까지 이르기까지 다양한 식생이 분포한다. 제주도는 연 강수량이 많으나 하천의 발달이 미약하여, 전통 취락은 ㉤ 해안가의 용천대를 중심으로 발달하였다.

① ㉠ - 전체적으로는 경사가 급한 종 모양의 화산이지만, 중앙부는 경사가 완만한 방패 모양의 화산을 이룬다.
② ㉡ - 소규모의 화산 폭발로 형성되었다.
③ ㉢ - 남쪽에 위치해 있고 연중 난류의 영향을 받기 때문이다.
④ ㉣ - 해발 고도에 따른 식생의 수직적 분포가 뚜렷하게 나타난다.
⑤ ㉤ - 지하로 스며든 물이 지표로 솟아올라 물을 얻기 쉽기 때문이다.

**12** 지도는 제주 국제 자유 도시 조성 프로젝트를 나타낸 것이다. 이를 추진하기 위한 전략으로 적절하지 않은 것은?

(제주특별자치도, 2011)

① 해녀·돌담·방언 등 제주 고유의 문화적 콘텐츠를 개발한다.
② 쾌적한 업무 환경과 인프라를 갖추어 기업 활동의 편의를 제공한다.
③ 영어 서비스와 영어 교육을 강화하여 국제화된 교육 환경을 조성한다.
④ 마이스 산업, 의료 및 휴양 관광 등의 고부가 가치 관광 산업을 추진한다.
⑤ 도외 지역의 문화를 적극적으로 끌어들여 대중적인 관광 시스템을 구축한다.

2018 수능 응용  ★최고난도

**01** 자료에 대한 옳은 설명을 〈보기〉에서 고른 것은? (단, (가)~(다)는 대전, 세종, 충북·충남 중 하나이다.)

| 지역<br>연령 | (가) | (나) | (다) |
|---|---|---|---|
| 15세 미만 | 19.8 | 14.3 | 14.6 |
| 15~64세 | 69.7 | 70.1 | 74.6 |
| 65세이상 | 10.5 | 15.6 | 10.8 |

(통계청, 2015)
⬆ 연령별 인구 비중

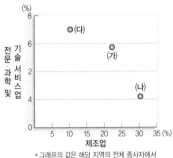

* 그래프의 값은 해당 지역의 전체 종사자에서 산업별 종사자가 차지하는 비중임
⬆ 산업별 종사자 비중

〈보기〉
ㄱ. 대전은 세종보다 유소년 부양비가 높다.
ㄴ. 세종은 충북·충남보다 노령화 지수가 낮다.
ㄷ. 충북·충남은 대전보다 제조업 종사자 비중이 높다.
ㄹ. (가)는 대전, (나)는 충북·충남, (다)는 세종이다.

① ㄱ, ㄴ          ② ㄱ, ㄷ          ③ ㄴ, ㄷ
④ ㄴ, ㄹ          ⑤ ㄷ, ㄹ

**02** 그래프는 호남 지방 세 지역의 지역 내 제조업 부문별 출하액 비중을 나타낸 것이다. (가)~(다)에 해당하는 지역을 지도의 A~C에서 골라 옳게 연결한 것은?

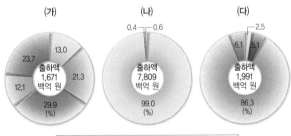

(가)  13.0 / 23.7 / 21.3 / 12.1 / 29.9 (%)  출하액 1,671 백억 원
(나)  0.4 / 0.6 / 99.0 (%)  출하액 7,809 백억 원
(다)  2.5 / 6.1 / 5.1 / 86.3 (%)  출하액 1,991 백억 원

출하액(%) (2014년 기준)
◇ 석유 화학  ◇ 1차 금속  ◇ 식음료품  ◇ 기타
◇ 금속 기계  ◇ 자동차  ◇ 전기 전자
(통계청, 2016)

|   | (가) | (나) | (다) |
|---|---|---|---|
| ① | A | B | C |
| ② | A | C | B |
| ③ | B | A | C |
| ④ | B | C | A |
| ⑤ | C | A | B |

**03** 다음은 수업 시간의 한 장면이다. 교사의 질문에 옳게 답변한 학생을 〈보기〉에서 고른 것은?

호남 및 영남 지방에 위치한 A~E의 지역 특성에 대해 발표해 볼까요?

〈보기〉
갑: A에서는 국제 탈춤 페스티벌이 개최됩니다.
을: B에는 람사르 협약에 등록된 습지가 있어요.
병: C에서는 지리적 표시제로 등록된 녹차가 유명해요.
정: D, E에는 유네스코가 지정한 세계 유산이 있어요.

① 갑, 을          ② 갑, 병          ③ 을, 병
④ 을, 정          ⑤ 병, 정

🌱 서술형문제

**04** 지도를 참고하여 국가 산업 단지가 주로 남동 임해 지역에 입지한 원인을 서술하시오.

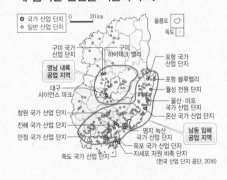

◉ 국가 산업 단지
◎ 일반 산업 단지

구미 국가 산업 단지 / 구미 하이테크 밸리 / 영남 내륙 공업 지역 / 포항 국가 산업 단지 / 대구 사이언스 파크 / 포항 블루밸리 / 월성 전원 단지 / 창원 국가 산업 단지 / 울산·미포 국가 산업 단지 / 진해 국가 산업 단지 / 온산 국가 산업 단지 / 안정 국가 산업 단지 / 명지 녹산 국가 산업 단지 / 남동 임해 공업 지역 / 죽도 국가 산업 단지 / 옥포 국가 산업 단지 / 지세포 자원 비축 단지
(한국 산업 단지 공단, 2016)

memo

# 내공 점검

**내공 점검**  **Ⅰ. 국토 인식과 지리 정보**

점수 ／100점

## 01 밑줄 친 ㉠~㉣에 대한 옳은 설명만을 〈보기〉에서 있는 대로 고른 것은?

> 한 국가의 위치를 표현하는 방법은 크게 세 가지로 나뉜다. 우선 ㉠ 위도와 경도로 표현하는 ㉡ 수리적 위치가 있으며, 둘째로 대륙이나 해양, 반도 등의 지형·지물을 기준으로 표현하는 ㉢ 지리적 위치, 마지막으로 주변 국가와의 관계에 따라 달라지는 ㉣ 관계적 위치가 있다.

**보기**

ㄱ. ㉠은 기후, 식생 분포, 계절 등에 영향을 미친다.
ㄴ. ㉡으로 인해 우리나라와 12시간 시차가 나는 지역은 서경 124°~132°에 위치한다.
ㄷ. ㉢의 영향으로 우리나라는 계절풍 기후가 나타난다.
ㄹ. ㉡과 ㉢은 절대적 위치, ㉣은 상대적 위치이다.

① ㄱ, ㄷ   ② ㄴ, ㄹ   ③ ㄱ, ㄴ, ㄷ
④ ㄱ, ㄷ, ㄹ   ⑤ ㄴ, ㄷ, ㄹ

## 03 밑줄 친 ㉠~㉤에 대한 설명으로 옳은 것은?

> 영토는 토지로 구성된 국가의 영역으로 우리나라의 영토의 ㉠ 총면적은 22.3만㎢이다. 영해는 해안선에서 일정한 범위 내에 있는 바다이다. 우리나라에서는 지역에 따라 ㉡ 통상 기선과 ㉢ 직선 기선으로부터 12해리까지를 영해로 설정하고 있다. 다만 ㉣ 대한 해협은 별도의 영해 범위를 갖는다. ㉤ 영공은 영토와 영해의 수직 상공으로 최근 국방 및 항공 교통의 이유로 그 중요성이 점차 커지고 있다.

① ㉠ – 북한을 제외한 남한만의 면적에 해당한다.
② ㉡ – 동해안의 영일만과 울산만에서 적용한다.
③ ㉢ – 해안의 끝이나 최외곽 섬을 연결한 직선이다.
④ ㉣ – 통상 기선으로부터 3해리까지를 적용한다.
⑤ ㉤ – 일반적으로 대기권 바깥의 우주도 범위에 포함된다.

## 02 지도의 (가)~(마) 지점에 대한 설명으로 옳은 것은?

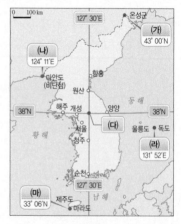

① (다)에서 태양의 남중 시각은 낮 12시이다.
② (가)는 (마)보다 연평균 기온이 높다.
③ (나)는 (라)보다 일몰 시각이 이르다.
④ (라)의 대척점은 (다) 지점보다 본초 자오선에서 멀다.
⑤ (마)는 (나)보다 겨울철 낮의 길이가 길다.

## 04 지도는 우리나라의 영해와 주변 수역을 나타낸 것이다. A~E 지점에서 이루어질 수 있는 행위를 〈보기〉에서 고른 것은? (단, 모든 행위는 국가 간 사전 허가가 없었음을 전제로 한다.)

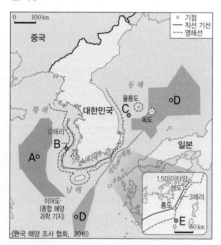

**보기**

ㄱ. B: 중국이 인공 섬을 설치한다.
ㄴ. C: 외국 자원 탐사선이 탐사 활동을 한다.
ㄷ. A, D: 우리나라 어선이 조업을 한다.
ㄹ. C, D, E: 러시아 화물선이 항해한다.

① ㄱ, ㄴ   ② ㄱ, ㄷ   ③ ㄴ, ㄷ
④ ㄴ, ㄹ   ⑤ ㄷ, ㄹ

**05** (가), (나) 지도의 특징을 그림의 A~D에서 골라 옳게 연결한 것은?

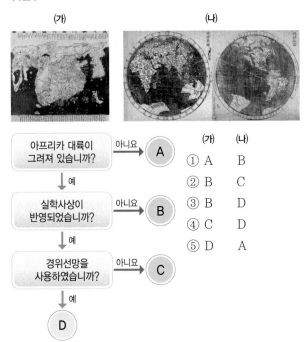

(가)　　　　　　　(나)

아프리카 대륙이 그려져 있습니까? → 아니요 → Ⓐ

↓ 예

실학사상이 반영되었습니까? → 아니요 → Ⓑ

↓ 예

경위선망을 사용하였습니까? → 아니요 → Ⓒ

↓ 예

Ⓓ

|　| (가) | (나) |
|---|---|---|
| ① | A | B |
| ② | B | C |
| ③ | B | D |
| ④ | C | D |
| ⑤ | D | A |

**06** (가), (나)를 지도로 나타내고자 할 때, 가장 적절한 통계 지도의 유형을 〈보기〉에서 골라 옳게 연결한 것은?

> (가) 지역별 8월 평균 기온
> 서울 12.5℃, 수원 12.0℃, 이천 11.6℃, 양평 11.6℃, 인천 12.1℃, 강화 11.1℃ …
>
> (나) 경제 활동별 지역 내 총 생산
>
> (단위 : 십억 원)
>
> | 구분 | 서울 | 부산 | 대구 | … |
> |---|---|---|---|---|
> | 농림 어업 | 471 | 563 | 157 | … |
> | 제조업 | 20,157 | 14,639 | 10,024 | … |
> | ⋮ |  |  |  | … |

보기

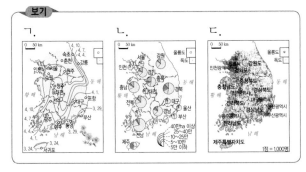

ㄱ.　　　　ㄴ.　　　　ㄷ.

|　| (가) | (나) |　| (가) | (나) |
|---|---|---|---|---|---|
| ① | ㄱ | ㄴ | ② | ㄴ | ㄱ |
| ③ | ㄴ | ㄷ | ④ | ㄷ | ㄱ |
| ⑤ | ㄷ | ㄴ |  |  |  |

**07** 다음 체크리스트에 해당하는 지리 조사 단계로 옳은 것은?

> 〈체크리스트〉
> 1. 인터뷰하고자 하는 사람과의 설문 조사가 효율적으로 이루어졌는가? 그리고 성실한 답변 내용을 얻었는가?
> 2. 연구 목적에 맞는 정보 수집을 위해 사진 촬영 등의 활동이 충분히 이루어졌는가?

① 실내 조사　　　　② 야외 조사
③ 보고서 작성　　　④ 조사 지역 선정
⑤ 조사 주제 선정

📖 **주관식+서술형 문제**

**08** (가), (나) 지도를 보고 물음에 답하시오.

(가)　　　　　　　(나)

⬆ 팔도총도(1531년)　　⬆ 삼국접양지도(1785년)

(1) (가), (나) 지도를 제작한 국가를 각각 쓰시오.

(2) (가), (나) 지도가 갖는 의미에 대해 서술하시오.

**09** (가), (나) 지리지의 서술 방식과 제작 주체를 각각 구분하여 서술하시오. (단, (가), (나)는 『신증동국여지승람』, 『택리지』 중 하나임.)

> (가) [건치 연혁] 본래 신라의 옛 수도이다. ……
> [풍속] 번화하고 아름다움이 남쪽 지방에서 으뜸이다.
> [토산] 백반, 사철, 석유황, 전복, 연어, 넙치 ……
> (나) 원주는 감사가 다스리던 곳인데, 서쪽으로 250리 거리에 한양이 있다. 동쪽은 고개와 산기슭으로 이어졌고, ……두메에 가깝기 때문에 난리가 나도 숨어 피하기 쉽고 ……

## 내공 점검    Ⅱ. 지형 환경과 인간 생활

**01** (가)~(라)와 관련 있는 암석을 그래프의 A~D에서 찾아 옳게 연결한 것은?

(가) 지리산 능선

(나) 제주 주상 절리

(다) 단양군 도담상봉

(라) 설악산 울산바위

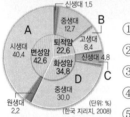

신생대 1.5 / 중생대 12.7 / B / 고생대 8.4 / A / 시생대 40.4 / 변성암 42.6 / 퇴적암 22.6 / 신생대 4.8 / 화성암 34.8 / D / C / 중생대 30.0 / 원생대 2.2 / (단위: %) (한국 지리지, 2008)

| | (가) | (나) | (다) | (라) |
|---|---|---|---|---|
| ① | A | C | B | D |
| ② | A | D | C | B |
| ③ | B | A | D | C |
| ④ | B | C | A | D |
| ⑤ | C | D | A | B |

**02** 지도는 (가)~(다) 암석의 주요 분포 지역을 나타낸 것이다. 이에 대한 설명으로 옳은 것은?

(가)    (나)    (다)

① (가)는 무연탄의 분포 지역과 대체로 일치한다.
② (나)는 바다에서 형성된 해성층에 주로 분포한다.
③ (다)는 마그마가 땅속에서 굳어져 형성되었다.
④ (가)는 (나)보다 형성된 시기가 늦다.
⑤ (가)는 화성암, (나)는 퇴적암, (다)는 변성암에 해당한다.

**03** 다음 자료의 (가)~(마)에 대한 설명으로 옳은 것은?

| 지질시대 | 시생대 | 원생대 | 고생대 | | | | | 중생대 | | 신생대 | |
|---|---|---|---|---|---|---|---|---|---|---|---|
| | | | 캄브리아기 | … | 석탄기 | 페름기 | 트라이아스기 | 쥐라기 | 백악기 | 제3기 | 제4기 |
| 지층 | 변성암류 | | 조선 누층군 | | 결층 | | (가) | 대동누층군 | (라) | 제3계 | 제4계 |
| 지각변동 | 변성 작용 | | 조륙 운동 | | | | | (나) | (다) | 불국사변동 | (마) | 화산활동 |

① (가) – 주로 석회암이 매장되어 있다.
② (나) – 중국 방향의 지질 구조선이 형성되었다.
③ (다) – 동해안에 치우친 비대칭 융기 운동이다.
④ (라) – 수평 퇴적암층으로 공룡 발자국 화석이 발견된다.
⑤ (마) – 넓은 범위에 걸쳐 화강암이 관입하였다.

**04** 그림은 어떤 지형의 형성 과정을 나타낸 것이다. (가) 지역과 비교한 (나) 지역의 특징에 대한 설명으로 옳지 않은 것은?

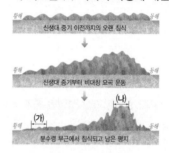

황해   신생대 중기 이전까지의 오랜 침식   동해
황해   신생대 중기부터 비대칭 요곡 운동
(나) / (가) / 황해   분수령 부근에서 침식되고 남은 평지   동해

① 충적층이 대체로 얇다.
② 목축업 발달에 유리하다.
③ 최난월 평균 기온이 높다.
④ 여름철 채소 재배에 유리하다.
⑤ 봄철에 수분 공급이 안정적이다.

**05** (가), (나) 지형에 대한 설명으로 옳은 것은?

(가)      (나)
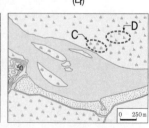

① (가)는 (나)보다 하천 퇴적 물질의 평균 입자가 크다.
② (가)에서는 하천의 측방 침식이, (나)에서는 하방 침식이 우세하다.
③ (가)에서는 범람원을, (나)에서는 하안 단구를 볼 수 있다.
④ 하천의 퇴적 작용은 A보다 B에서 활발하다.
⑤ C는 D보다 고도가 낮다.

**06** 지도의 A~D에 대한 옳은 설명을 〈보기〉에서 고른 것은?

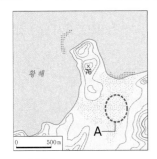
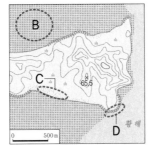

보기

ㄱ. A는 우리나라의 서해안에 대규모로 발달되어 있다.
ㄴ. B는 C보다 퇴적물의 입자가 미립질로 구성되어 있다.
ㄷ. B는 조류의 퇴적 작용, D는 파랑의 퇴적 작용으로 형성된다.
ㄹ. C, D는 주로 파랑 에너지가 분산되는 곳에 잘 발달한다.

① ㄱ, ㄴ
② ㄱ, ㄷ
③ ㄴ, ㄷ
④ ㄴ, ㄹ
⑤ ㄷ, ㄹ

**07** A, B 지형에 대한 설명으로 옳은 것은?

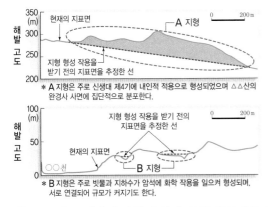

※ A 지형은 주로 신생대 제4기에 내인적 적용으로 형성되었으며 △△산의 완경사 사면에 집단적으로 분포한다.

※ B 지형은 주로 빗물과 지하수가 암석에 화학 작용을 일으켜 형성되며, 서로 연결되어 규모가 커지기도 한다.

① A는 주로 점성이 약한 용암에 의해 형성되었다.
② B의 기반암은 신생대에 형성되었다.
③ A, B 지형 형성 작용은 모두 해발 고도를 낮추는 데 영향을 준다.
④ A 주변에서는 붉은색, B 주변에서는 흑갈색의 토양이 주로 나타난다.
⑤ A와 B가 나타나는 지역에서는 모두 건천을 볼 수 있다.

**08** (가)~(마) 지역의 경관에 대한 설명으로 옳지 <u>않은</u> 것은?

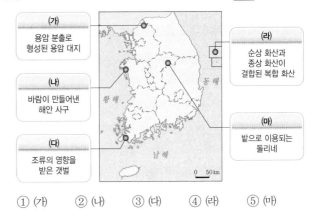

(가) 용암 분출로 형성된 용암 대지
(나) 바람이 만들어낸 해안 사구
(다) 조류의 영향을 받은 갯벌
(라) 순상 화산과 종상 화산이 결합된 복합 화산
(마) 밭으로 이용되는 돌리네

① (가)
② (나)
③ (다)
④ (라)
⑤ (마)

📖 **주관식+서술형 문제**

**09** (가), (나) 시기의 기후 특징을 쓰고, ㉠과 ㉡ 지점에서 상대적으로 탁월한 작용을 아래 제시어를 사용하여 서술하시오.

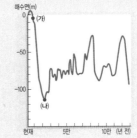

--- (가) 시기의 해안선
─── (나) 시기의 해안선
⌒⌒ (나) 시기에 바다에 잠긴 하천의 유로

• 고온 다습
• 한랭 건조
• 침식 작용
• 퇴적 작용

**10** 춘천의 지질도와 지형도를 보고 물음에 답하시오.

A
B
퇴적암
충적층

(1) A, B 암석의 명칭을 구분하여 쓰시오.

(2) 지도에 표현된 지형의 명칭을 쓰고 이와 같은 지형의 형성 원인에 대해 서술하시오.

## 내공 점검    Ⅲ. 기후 환경과 인간 생활

**01** (가)~(라) 지역에 대한 옳은 추론을 <보기>에서 고른 것은?

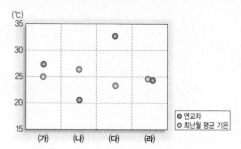

**보기**

ㄱ. (가)는 (나)보다 대륙도가 작을 것이다.

ㄴ. (나)는 (다)보다 고위도 지역에 위치할 것이다.

ㄷ. (다)는 (라)보다 김장 시기가 빠를 것이다.

ㄹ. (라)는 (가)보다 서리 일수가 적을 것이다.

① ㄱ, ㄴ      ② ㄱ, ㄷ      ③ ㄴ, ㄷ

④ ㄴ, ㄹ      ⑤ ㄷ, ㄹ

**02** 다음과 같은 일기도를 보이는 계절에 열리는 축제는?

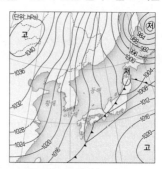

① 강릉 단오제      ② 보령 머드 축제

③ 김제 지평선 축제      ④ 화천 산천어 축제

⑤ 서울 여의도 벚꽃 축제

**03** (가) 지역과 비교한 (나) 지역의 상대적 기후 특색을 그림의 A~E에서 고른 것은?

(가) 지역은 방을 두 줄로 배치하여 실내를 따뜻하게 만들었고, (나) 지역은 부엌 아궁이가 벽 쪽을 향해 있고 대청마루와 같은 상방을 만들었다.

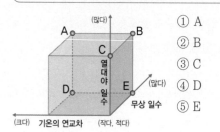

① A
② B
③ C
④ D
⑤ E

**04** A~E 지역의 기후 특징을 비교한 설명으로 옳지 <u>않은</u> 것은?

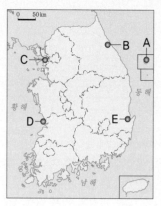

① 겨울철 강수량은 A가 E보다 많다.

② 봄꽃의 개화 시기는 B가 E보다 빠르다.

③ 하계 강수 집중률은 C가 A보다 높다.

④ 기온의 연교차는 C가 B보다 크다.

⑤ 최한월 평균 기온은 D가 C보다 높다.

**05** (가), (나) 지도에 표현된 기후 지표를 옳게 연결한 것은?

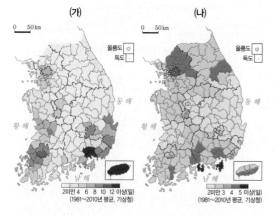

| | (가) | (나) |
|---|---|---|
| ① | 하천 결빙 일수 | 집중 호우 일수 |
| ② | 집중 호우 일수 | 하천 결빙 일수 |
| ③ | 집중 호우 일수 | 열대야 발생 일수 |
| ④ | 열대야 발생 일수 | 하천 결빙 일수 |
| ⑤ | 열대야 발생 일수 | 집중 호우 일수 |

**06** 다음은 (가)~(다) 기후 현상과 관련된 재난 대비 문자 메시지이다. 이에 대한 설명으로 옳은 것은?

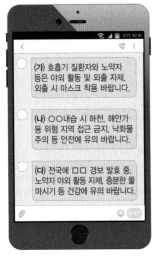

(가) 호흡기 질환자와 노약자 등은 야외 활동 및 외출 자제, 외출 시 마스크 착용 바랍니다.

(나) ○○내습 시 하천, 해안가 등 위험 지역 접근 금지, 낙하물 주의 등 안전에 유의 바랍니다.

(다) 전국에 □□ 경보 발효 중. 노약자 야외 활동 자제, 충분한 물 마시기 등 건강에 유의 바랍니다.

① (가)는 봄철보다 여름철에 자주 발생한다.
② (나)는 북서 계절풍의 영향으로 서해안에서 자주 발생한다.
③ (다)는 북태평양 고기압이 발달할 때 주로 발생한다.
④ (가)는 (나)보다 해일 피해를 유발하는 경우가 많다.
⑤ (나)는 (다)보다 장마 전선이 정체되었을 때 주로 발생한다.

**07** 지도는 우리나라의 식생 분포를 나타낸 것이다. A~C에 대한 설명으로 옳지 않은 것은?

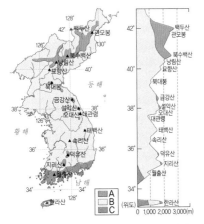

① A는 여러 수종이 복잡하게 섞여 있다.
② A는 북부 지방과 고산 지대에 주로 분포한다.
③ B는 상록 침엽수와 낙엽 활엽수가 혼합되어 있다.
④ C에는 동백나무와 후박나무 등이 분포한다.
⑤ A~C 식생을 모두 볼 수 있는 곳은 한라산이다.

**08** ㉠~㉣에 대한 옳은 설명을 〈보기〉에서 고른 것은?

( ㉠ )은/는 기후와 식생의 특성을 반영하는 토양으로, 온대림 지역의 갈색 삼림토와 냉대림 지역의 ( ㉡ )이/가 주를 이룬다. ( ㉢ )은/는 모암의 특성을 반영하는 토양으로, 붉은색의 ( ㉣ )와/과 흑갈색의 현무암 풍화토가 대표적이다.

**보기**

ㄱ. ㉠은 대체로 위도와 평행하게 발달한다.
ㄴ. ㉡에는 '회백색토'가 들어간다.
ㄷ. ㉢은 중·남부 지방의 혼합림 지대에 분포한다.
ㄹ. ㉣은 성숙토에 속하며, 화산회토가 대표적이다.

① ㄱ, ㄴ    ② ㄱ, ㄷ    ③ ㄴ, ㄷ
④ ㄴ, ㄹ    ⑤ ㄷ, ㄹ

### 주관식+서술형 문제

**09** 그림은 A 바람의 모식도를 나타낸 것이다. 이를 보고 물음에 답하시오.

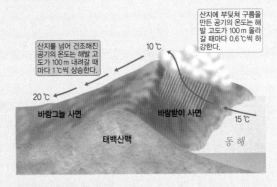

산지를 넘어 건조해진 공기의 온도는 해발 고도가 100 m 내려갈 때마다 1 ℃씩 상승한다.

산지에 부딪쳐 구름을 만든 공기의 온도는 해발 고도가 100 m 올라갈 때마다 0.6 ℃씩 하강한다.

10 ℃
20 ℃
바람그늘 사면
15 ℃
바람받이 사면
태백산맥
동해

(1) A 바람의 명칭을 쓰시오.

(2) 영서 지방과 영동 지방의 기온 차이가 발생하는 이유를 제시된 용어를 활용하여 서술하시오.

• 북동풍        • 푄 현상
• 태백산맥      • 오호츠크해 기단

**내공 점검** Ⅳ. 거주 공간의 변화와 지역 개발

점수 /100점

**01** 다음은 형태에 따라 촌락을 분류한 것이다. (가) 유형과 비교한 (나) 유형의 상대적인 특징으로 옳은 것을 그림의 A~E 중에서 고른 것은?

| 유형 | 특징 |
|------|------|
| (가) | • 특정 장소에 가옥이 밀집<br>• 벼농사 지대, 동족촌, 용수가 한정된 지역 등에 분포 |
| (나) | • 가옥이 흩어져 분포하여 밀집도가 낮음<br>• 밭농사나 과수원 지대, 산간이나 구릉지, 새로 개간한 지역 등에 분포 |

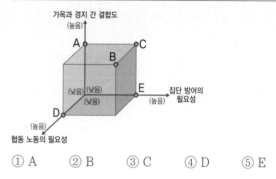

① A　　② B　　③ C　　④ D　　⑤ E

**02** 강원도 화천의 토고미 마을에 대한 글이다. 토고미 마을의 지역 변화 모습으로 적절하지 <u>않은</u> 것은?

> 강원도 화천의 토고미 마을은 친환경 오리쌀로 전국적인 인지도를 높인 주민 주도형 농촌 마을이다. 1차 산업인 친환경 농산물 생산으로 소비자들에게 신뢰를 얻었고, 이를 바탕으로 소비자 맞춤형 가공을 통해 2차 산업화를 달성하였다. 여기에 토고미 자연 학교(농촌 관광), 마을 공동 민박 운영, 도시와의 활발한 교류를 통해 3차 산업화를 추진하여 마을 농산물의 상표 가치를 더욱 높였다. 토고미 마을은 6차 산업을 통해 생산자와 소비자 모두에게 유익한 지속 가능한 마을 공동체를 운영한다.

① 지역 내 소득원이 다양해졌을 것이다.
② 지역으로의 유동 인구가 증가하였을 것이다.
③ 경지 면적과 농가 인구가 증가하였을 것이다.
④ 지역 내 정주 기반 시설이 증가하였을 것이다.
⑤ 지역 내 3차 산업 종사자가 증가하였을 것이다.

**03** 지도는 일일 인구 이동을 통해 살펴본 우리나라의 도시 체계이다. 이를 통해서 알 수 있는 내용으로 옳지 <u>않은</u> 것은?

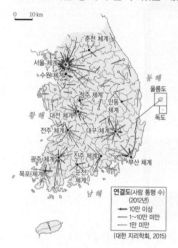

① 서울의 도시 영향권이 가장 넓다.
② 상위 계층일수록 통행하는 사람의 수가 많다.
③ 울릉도는 주로 포항시에 기능적으로 의존한다.
④ 일일 인구 이동은 인근 가장 가까운 상위 도시로의 통행만 나타난다.
⑤ 대체로 중심 도시의 규모가 클수록 통행 가능한 지역의 범위가 넓다.

**04** 그래프는 서울시 두 구(區)의 주간 인구 지수와 상주인구를 나타낸 것이다. (가), (나) 지역의 특성으로 옳은 것을 〈보기〉에서 고른 것은?

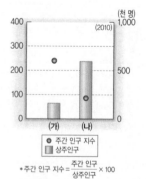

**보기**

ㄱ. (가)는 출근 시간대에 유입 인구가 많다.
ㄴ. (가)는 상업지 평균 지가가 낮은 편이다.
ㄷ. (나)는 업무 기능보다 주거 기능이 주를 이룬다.
ㄹ. (가)보다 (나)는 주민들의 평균 통근 거리가 짧다.

① ㄱ, ㄴ　　② ㄱ, ㄷ　　③ ㄴ, ㄷ
④ ㄴ, ㄹ　　⑤ ㄷ, ㄹ

**05** 그림은 대도시권의 공간 구조를 나타낸 것이다. A∼E에 대한 설명으로 옳은 것은?

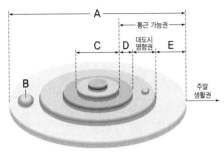

① A는 대도시를 중심으로 일상적인 생활이 이루어지는 범위이다.
② C는 도심과 부도심이 발달한 단핵 구조를 형성한다.
③ E는 교통이 발달할수록 그 범위가 축소된다.
④ D는 E에 비해 농업에 종사하는 인구의 비율이 높다.
⑤ E의 주민은 B의 주민보다 C로의 통근 비율이 높다.

**06** 다음 글에 나타난 문제점을 해결하기 위한 지역 개발 방식을 그림의 A∼E에서 고른 것은?

수도권은 인구 및 산업 시설의 과도한 집중으로 다양한 도시 문제를 겪고 있다. 수도권에서는 인구 증가에 비해 주택 공급이 부족하여 주택 가격 상승 문제가 나타나고 있으며, 도시 지역의 교통 체증과 주차 공간의 부족 문제도 심각하다. 수도권으로의 집중이 심화될수록 다른 지역은 정체하거나 상대적으로 낙후되어 인구 감소와 지역 경제 침체 등의 문제가 발생하고 있다.

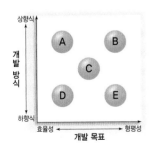

① A    ② B    ③ C    ④ D    ⑤ E

**07** 밑줄 친 ㉠∼㉤에 대한 설명으로 옳지 않은 것은?

우리나라는 산업화 과정에서 ㉠ 특정 지역에 자본을 집중 투자하여 효율성을 높이는 개발 방식을 채택하였다. 그 결과, ㉡ 자본이 집중 투자된 지역과 주변 지역 간 격차가 커지는 문제가 발생하였다. 이러한 ㉢ 공간 불평등 문제를 해결하고자 노력하였으나, ㉣ 수도권 집중 현상은 지속되고 있다. 또한, 환경 파괴 등의 문제가 발생하여 ㉤ 지속 가능한 발전에 대한 논의가 확산되고 있다.

① ㉠은 정부 주도의 성장 거점 개발 방식이다.
② ㉡은 파급 효과보다 역류 효과가 클 때 발생한다.
③ ㉢의 사례로는 혁신 도시 지정, 기업 도시 지정 등이 있다.
④ ㉣로 인해 수도권과 비수도권과의 격차가 발생하였다.
⑤ ㉤은 환경과 경제를 개별적 차원에서 다루고 효율성을 고려하는 발전이다.

📖 주관식+서술형 문제

**08** 다음에서 설명하는 현상을 쓰시오.

도심에서 주간에는 유동 인구가 많고 야간에는 상주 인구가 적어 주야간 인구 밀도가 차이나는 현상

**09** 다음은 대구의 토지 이용을 나타낸 것이다. ㉠과 ㉡ 지역에서 우세한 도시 기능이 무엇인지 쓰고, 그러한 차이가 발생한 원인을 접근성, 지대 지불 능력 등의 용어를 사용해 서술하시오.

# 내공 점검

## V. 생산과 소비의 공간

점수
/100점

**01** 그래프는 지역별 1차 에너지 공급을 나타낸 것이다. A~E에 대한 설명으로 옳은 것은? (단, A~E는 석유, 석탄, 수력, 원자력, 천연가스 중 하나이다.)

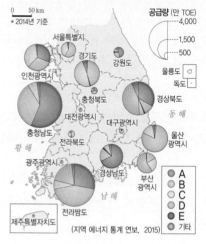

(지역 에너지 통계 연보, 2015)

① A는 전량을 해외에서 수입하고 있다.
② B는 수송용 연료로 사용되는 비중이 높다.
③ C는 주로 산업용으로 사용된다.
④ D는 소비 비중이 지속적으로 증가하고 있다.
⑤ E는 고갈의 위험을 안고 있다.

**02** 그래프는 주요 신·재생 에너지원별 발전소 분포를 나타낸 것이다. A~C 에너지에 대한 설명으로 옳지 <u>않은</u> 것은?

(한국 전력 통계, 기타, 2016)

① A는 바람이 지속적으로 부는 곳에서 유리하다.
② B는 조수 간만의 차를 이용하여 에너지를 생산한다.
③ C는 일조량이 풍부한 지역에서 유리하다.
④ A는 C보다 에너지 공급 비중이 더 높다.
⑤ A~C 에너지는 초기 투자 비용이 많이 드는 단점이 있다.

**03** 그래프는 작물별 재배 면적 비중의 변화를 나타낸 것이다. A~C에 대한 옳은 설명을 〈보기〉에서 고른 것은? (단, A~C는 쌀, 맥류, 채소·과실 중 하나이다.)

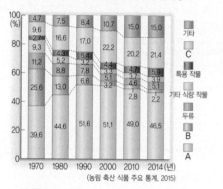

(농림 축산 식품 주요 통계, 2015)

> **보기**
> ㄱ. A는 논보다 밭에서 많이 재배된다.
> ㄴ. B는 최근 1인당 소비량이 감소하고 있다.
> ㄷ. B는 주로 A의 그루갈이 작물로 재배된다.
> ㄹ. C는 A보다 국내 자급률이 높다.

① ㄱ, ㄴ     ② ㄱ, ㄷ     ③ ㄴ, ㄷ
④ ㄴ, ㄹ     ⑤ ㄷ, ㄹ

**04** 지도는 공업별 생산액과 종사자 수를 나타낸 것이다. (가), (나) 공업에 대한 설명으로 옳은 것은?

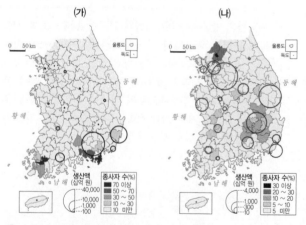

① (가)는 노동 집약적 경공업에 속한다.
② (가)는 최근 생산 공장을 중국으로 이전하고 있다.
③ (나)는 원료 지향 공업에 속한다.
④ (가)와 (나) 모두 운송용 장비를 생산한다.
⑤ (가)는 (나)보다 최종 제품의 무게가 무겁다.

**05** 그래프는 세 공업의 출하액 기준 상위 5개 지역의 비중을 나타낸 것이다. A, B 지역을 옳게 연결한 것은? (단, (가)~(다)는 제철, 자동차, 석유 화학 공업 중 하나이다.)

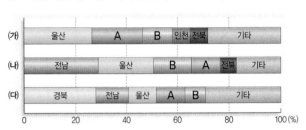

| | A | B |
|---|---|---|
| ① | 경기 | 충남 |
| ② | 경기 | 강원 |
| ③ | 충남 | 경기 |
| ④ | 충남 | 경남 |
| ⑤ | 경남 | 경기 |

**06** 지도는 서비스업의 분포를 소비자의 유형에 따라 구분한 것이다. A, B 서비스업에 대한 설명으로 옳은 것은?

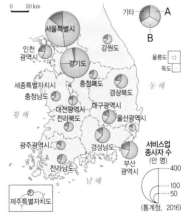

① A는 주로 기업에게 필요한 재화와 용역을 공급한다.
② B의 종사자 비중은 1차 산업 종사자 비중이 높은 지역일수록 높다.
③ A는 B에 비해 총 종사자 수가 적다.
④ A는 B에 비해 지역 간 분포가 불균등하다.
⑤ B는 A에 비해 산업 구조의 고도화에 따른 성장률이 높다.

**07** 그래프는 교통수단별 운송비 구조를 나타낸 것이다. A~D에 대한 옳은 설명을 〈보기〉에서 고른 것은?

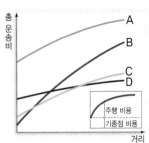

*총운송비: 운반 거리 비용 + 기종점 비용
*주행 비용: 거리에 따라 증가하는 운송 비용
*기종점 비용: 창고비, 하역비, 보험료 등 운송 업무에 관련된 모든 비용

**보기**

ㄱ. D는 국내 화물 수송에서 분담률이 가장 높은 교통수단이다.
ㄴ. A는 B보다 기상 조건의 제약을 적게 받는다.
ㄷ. B는 A~C 중 기동성과 문전 연결성이 가장 높다.
ㄹ. C는 B에 비해 정시성과 안전성이 뛰어나다.

① ㄱ, ㄴ    ② ㄱ, ㄷ    ③ ㄴ, ㄷ
④ ㄴ, ㄹ    ⑤ ㄷ, ㄹ

**📖 주관식+서술형 문제**

**08** 지도는 부산광역시의 소매 업체 분포를 나타낸 것이다. 이를 보고 물음에 답하시오.

(1) A, B에 해당하는 소매 업체를 각각 쓰시오.

(2) A, B 소매 업체의 특징을 제시어를 활용하여 비교하시오.

- 최소 요구치
- 하루 평균 방문 횟수
- 재화의 도달 범위
- 점포 간의 평균 거리

**01** 지도는 1940년대 우리나라의 인구 분포를 나타낸 것이다. 이와 같은 인구 분포의 원인으로 가장 적절한 것은?

① 경지 비율
② 이촌 향도 현상
③ 과학 기술 발달
④ 산업 시설 입지
⑤ 교육·문화 시설 집중

**02** (가), (나) 지도에 대한 옳은 설명만을 〈보기〉에서 있는 대로 고른 것은?

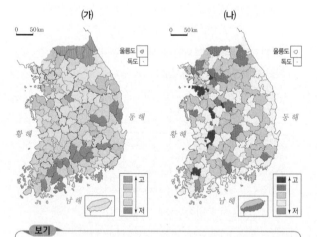

〈보기〉
ㄱ. (가)는 중화학 공업이 발달한 지역의 수치가 대체로 높다.
ㄴ. (나)는 자연적 요인보다 사회·경제적 요인의 영향을 크게 받는다.
ㄷ. (가), (나) 모두 대도시에서 수치가 높게 나타난다.
ㄹ. (가)는 성비 분포, (나)는 인구 순이동을 표현한 지도이다.

① ㄱ, ㄷ      ② ㄴ, ㄷ      ③ ㄱ, ㄴ, ㄹ
④ ㄱ, ㄷ, ㄹ      ⑤ ㄴ, ㄷ, ㄹ

**03** (가), (나) 지역의 상대적인 특징으로 옳은 것은? (단, (가), (나) 는 동부(洞部), 면부(面部) 중 하나이다.)

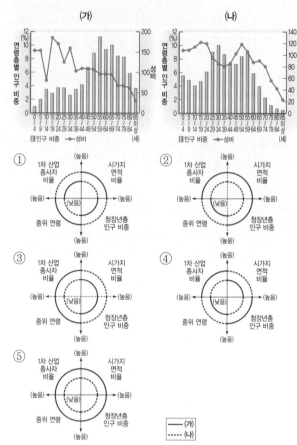

**04** 자료는 귀촌 가구와 관련된 것이다. 이에 대한 옳은 설명 및 추론을 〈보기〉에서 고른 것은?

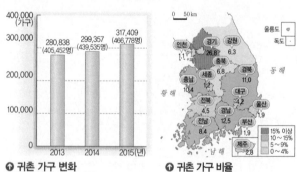

❶ 귀촌 가구 변화    ❶ 귀촌 가구 비율

〈보기〉
ㄱ. 오늘날 역도시화 현상을 반영하고 있다.
ㄴ. 산업화의 영향을 받은 인구 이동 유형이다.
ㄷ. 귀촌 가구 비율은 영남권보다 수도권이 높다.
ㄹ. 귀촌 인구는 청장년층보다 노년층이 많을 것이다.

① ㄱ, ㄴ      ② ㄱ, ㄷ      ③ ㄴ, ㄷ
④ ㄴ, ㄹ      ⑤ ㄷ, ㄹ

**05** 그래프는 시·도별 인구 부양비를 나타낸 것이다. 이에 대한 설명으로 옳은 것은? (단, A~D는 경기, 세종, 울산, 전남 중 하나이다.)

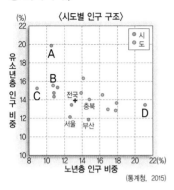

〈시도별 인구 구조〉

① A는 B보다 유소년 부양비가 낮다.
② B는 D보다 노령화 지수가 낮다.
③ C는 전국 평균보다 중위 연령이 높다.
④ D는 A보다 총 부양비가 낮다.
⑤ A는 울산, D는 경기이다.

**06** 그래프는 우리나라의 총 부양비와 노령화 지수 변화를 나타낸 것이다. 이에 대한 설명 및 추론으로 옳지 않은 것은?

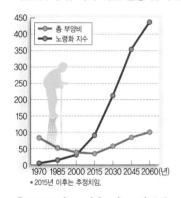

* 2015년 이후는 추정치임.

① 1970년 노년층 인구 비중은 10% 정도이다.
② 2015년 이후 중위 연령은 지속적으로 높아질 것이다.
③ 2030년 유소년 부양비보다 노년 부양비가 높을 것이다.
④ 2045년 노년층 인구는 청장년층 인구보다 많을 것이다.
⑤ 1970~2015년 청장년층 인구 비중은 지속적으로 증가하였다.

**07** 밑줄 친 ㉠~㉤에 대한 설명으로 옳은 것은?

2015년 기준 우리나라에 체류하는 외국인은 전체 인구의 약 3.7%를 차지하며, 외국인의 출신 국가와 ㉠ 체류 목적이 점차 다양해지고 있다. 이들은 ㉡ 수도권과 도시 지역에 주로 분포하고 있으며, 농어촌 지역에도 분포한다. ㉢ 국내 외국인 근로자는 1990년대부터 급격히 증가하였다. 이들은 주로 저임금 외국인 근로자이며, ㉣ 2차 산업에 종사하는 경우가 많다. 국내 체류 외국인과 다문화 가정이 증가하면서 출신 국가별 이주민 공동체가 형성됨에 따라 ㉤ 다문화 공간이 증가하고 있다.

① ㉠ - 국제결혼으로 인한 경우가 가장 많다.
② ㉡ - 국내 기업의 해외 진출이 활발한 곳이기 때문이다.
③ ㉢ - 국내 인구 감소로 노동력이 부족해졌기 때문이다.
④ ㉣ - 연구 개발, 국제 금융 등과 같은 업종에 종사한다.
⑤ ㉤ - 서울 이태원 이슬람 성원, 안산 원곡동 국경 없는 마을 등이 대표적이다.

### 주관식+서술형 문제

**08** 그래프는 우리나라의 시기별 인구 변화를 나타낸 것이다. 1920년대와 2000년대 이후에 해당하는 인구 변천 모형 단계를 각각 쓰시오.

* 1945년 이후는 남한 인구
(통계청, 인구 이동 통계 연보, 각 연도)

**09** 그래프는 우리나라의 출생아 수 및 합계 출산율을 나타낸 것이다. 이로 인해 나타날 수 있는 문제를 두 가지 이상 서술하시오.

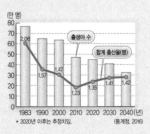

* 2020년 이후는 추정치임.
(통계청, 2016)

# 내공 점검  VII. 우리나라의 지역 이해

**01** 지역 구분을 나타낸 글에서 ㉠~㉤에 대한 설명으로 옳지 <u>않은</u> 것은?

우리나라의 전통적 지역 구분은 지형지물이나 시설물을 기준으로 이루어졌다. 함경도 안변군과 강원도 회양군 사이에 있는 ( ㉠ )을/를 기준으로 북쪽을 관북, 서쪽을 관서, 동쪽을 관동 지방으로 구분하였다. 관동 지방의 영서 지방과 영동 지방을 나누는 경계는 ( ㉡ )이며, 영남 지방은 ( ㉢ )의 남쪽이라는 의미이며, 호남 지방은 ( ㉣ )의 남쪽 혹은 전라북도 김제 벽골제 남쪽이라는 의미이다.
그리고 우리나라는 위치에 따라 ㉤ 북부 지방, 중부 지방, 남부 지방으로 구분하기도 하고, 행정 구역에 따라 전국을 경기·충청·전라·경상·강원·황해·평안·함경도 8개 지역으로 나누기도 한다.

① ㉠에는 '철령관'이 들어간다.
② ㉡은 소백산맥에 위치한 고개이다.
③ ㉢은 문경새재를 뜻하는 고개이다.
④ ㉣은 '금강'으로 '호강'이라고도 불린다.
⑤ ㉤은 멸악산맥을 경계로 두 지역을 구분한다.

**02** 그래프는 남북한 1차 에너지 공급량을 나타낸 것이다. A~C 에너지에 대한 설명으로 옳은 것은?

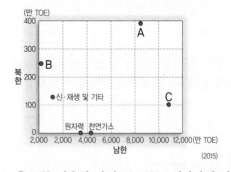

(2015)

① A를 이용한 발전소는 주로 해안가에 입지한다.
② B는 발전소 건설시 지형 조건의 영향을 받는다.
③ 남한에서 A는 C보다 수송용으로 이용되는 비중이 높다.
④ 남한은 C보다 A의 해외 의존도가 높다.
⑤ A, B는 재생 불가능한 자원, C는 재생 가능 자원에 해당한다.

**03** 다음 지도가 나타내는 지표로 옳은 것은?

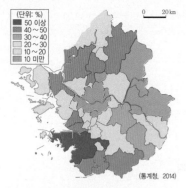

(통계청, 2014)

① 전 산업 대비 취업자 수 비율
② 전 산업 대비 농업 종사자 수 비율
③ 전 산업 대비 제조업 종사자 수 비율
④ 전 산업 대비 서비스업 종사자 수 비율
⑤ 전 산업 대비 지식 기반 산업 종사자 수 비율

**04** 자료는 강원도에 대한 지역 조사 보고서의 일부이다. (가)에 들어갈 제목으로 가장 적절한 것은?

• 제목: _____(가)_____

• 사례1
석탄은 우리나라의 에너지 자원으로서 생활 연료 공급과 기간 산업의 중추적인 역할로 경제 발전에 기여해 왔으나 물질 문명의 발달과 청정에너지 사용 증대로 그 수요가 급격히 줄어들고 있다. 이에 열악한 작업 환경 속에서도 산업 역군으로서 석탄 생산에 종사한 광산 근로자들의 업적을 알리고 석탄 산업에 대해 직접 체험할 수 있는 학습장을 조성하였다.
　　　　　　　　　　　　　　　－ ○○ 석탄 박물관 홈페이지 －

• 사례2
□□ 레일바이크는 구절리역에서 아우라지역까지 7.2km를 시속 15~20km의 속도로 운행할 수 있도록 제작된 철길 자전거이다. 수려한 자연 경관과 아름다운 경치를 구경할 수 있고, 철길따라 열심히 발을 젓다보면 바람을 가르며 자연에 다가가는 시간이 될 것이다.
　　　　　　　　　　　　　　　－ □□ 레일바이크 홈페이지 －

① 자연환경을 활용한 체험 관광 개발
② 교통 발달에 따른 관광 산업의 변화
③ 자원 개발이 관광 산업에 미치는 영향
④ 탄광촌 주민들의 환경 문제 해결 노력
⑤ 폐광 지역의 산업 유산을 활용한 관광 개발

**05** A~C 지역의 탐구 주제로 옳은 것을 〈보기〉에서 골라 옳게 연결한 것은?

> **보기**
> ㄱ. 충청남도청 입지로 인한 지역 발전 현황
> ㄴ. 혁신 도시 지정 이후 주거 환경 변화 모습
> ㄷ. 기업 도시로 지정된 이후의 지역 경제 변화
> ㄹ. 수도권 전철 연장에 따른 베드타운으로의 변화 모습

| | A | B | C | | A | B | C |
|---|---|---|---|---|---|---|---|
| ① | ㄱ | ㄴ | ㄷ | ② | ㄴ | ㄱ | ㄷ |
| ③ | ㄴ | ㄱ | ㄹ | ④ | ㄷ | ㄴ | ㄱ |
| ⑤ | ㄷ | ㄴ | ㄹ | | | | |

**06** 다음은 한국지리 수업 장면이다. 교사의 질문에 옳게 답한 학생을 〈보기〉에서 고른 것은?

지도의 A~E 지역에 대해 발표해 보세요.

> **보기**
> ㄱ. 갑: A에서는 한옥 마을을 방문할 수 있고, 한지 문화 축제, 소리 축제가 열려요.
> ㄴ. 을: B에서는 산비탈을 따라 펼쳐진 푸른 녹차 밭의 장관을 볼 수 있어요.
> ㄷ. 병: C에서는 우리나라에서 오래된 축제 중 하나인 춘향제가 열리고 있어요.
> ㄹ. 정: D에서는 잘 보존된 읍성과 람사르에 등록된 습지를 볼 수 있어요.
> ㅁ. 무: E에서는 매화마을을 방문할 수 있고 철강 생산 공장을 볼 수 있어요.

① ㄱ, ㄴ      ② ㄱ, ㄷ      ③ ㄴ, ㄹ
④ ㄷ, ㅁ      ⑤ ㄹ, ㅁ

**07** 밑줄 친 ㉠~㉤에 대한 설명으로 옳지 않은 것은?

> 제주도는 신생대 화산 활동으로 형성되었다. 섬 중앙부에는 ㉠ 한라산이 솟아 있고, 정상에는 화구호인 백록담이 있다. ㉡ 완만한 한라산 사면에는 400여 개에 달하는 '오름'이라고 불리는 ㉢ 기생 화산이 있으며, 섬 곳곳에 ㉣ 용암동굴, 주상 절리 등이 발달해 있다. 제주도는 우리나라 남쪽에 위치하고 주변에 난류가 흐르고 있어 ㉤ 온화한 해양성 기후가 나타난다.

① ㉠ - 산정부는 경사가 급한 종 모양 화산체이다.
② ㉡ - 점성이 강한 조면암질 용암이 분출하여 형성되었다.
③ ㉢ - 소규모의 용암 분출에 의해 형성되었다.
④ ㉣ - 유동성이 큰 용암이 분출하면서 형성되었다.
⑤ ㉤ - 기온의 연교차가 작고 겨울이 온화하다.

📖 주관식+서술형 문제

**08** (가), (나)에 해당하는 영남 지방의 도시를 쓰시오.

> (가) 신라의 수도였으며, 일부 문화 유적은 세계 문화 유산으로 등재되었다.
> (나) 과거 신발 산업의 중심지였으며, 오늘날 우리나라 제1의 항만 도시이다.

**09** 다음 글을 읽고 물음에 답하시오.

> 제주도의 지표는 다공질의 ( ㉠ )(으)로 덮여 있어 물이 지하로 잘 스며든다. 제주도는 연 강수량이 많은 편이지만, 비가 내릴 때에만 하천에 물이 흐르는 건천(乾川)이 대부분이다. 지하로 스며든 물은 ㉡ 해안 지역에서 솟아 용천을 형성한다.

(1) ㉠에 들어갈 암석의 명칭을 쓰시오.

(2) 제주도의 전통 취락 분포와 농업 특징을 밑줄 친 ㉡과 관련지어 서술하시오.

memo

내공의 힘

# 정답과 해설

한국지리

## 우리나라의 위치 특성과 영토

 **1단계 개념 짚어 보기**

본문 9쪽

**01** (1) ✕ (2) ◯ **02** ㉠ 동안 ㉡ 대륙성 ㉢ 계절풍 **03** (1) 12해리 (2) 통상 (3) 증가 **04** (1) ㄱ, ㄴ, ㄷ, ㅂ (2) ㄹ, ㅁ **05** (1) 조경 수역 (2) 천연 보호 구역

**2단계 내신 다지기**

본문 10~12쪽

| | | | | |
|---|---|---|---|---|
| 01 ② | 02 ① | 03 ⑤ | 04 ③ | 05 ② |
| 06 ① | 07 ⑤ | 08 ④ | 09 ④ | 10 ③ |
| 11 ④ | 12 ② | | | |

**01** (가)는 수리적 위치, (나)는 지리적 위치, (다)는 관계적 위치에 대한 설명이다. ㄱ. 유라시아 대륙의 동쪽, 태평양의 서쪽에 위치한 우리나라는 대륙의 영향을 받아 기온의 연교차가 큰 대륙성 기후가 나타난다. 이는 지리적 위치의 특징이다. ㄴ. 우리나라는 위도상으로 북위 33°~43°의 북반구 중위도에 위치하여 계절 변화가 뚜렷한 냉·온대 기후가 나타난다. 이는 수리적 위치의 특징이다. ㄷ. 우리나라는 빠른 경제 성장과 민주주의의 발전을 바탕으로 동북아시아의 중심 국가로 도약하고 있다. 이는 관계적 위치의 특징이다. 따라서 (가)는 ㄴ, (나)는 ㄱ, (다)는 ㄷ과 연결된다.

**02** ㉠, ㉡은 우리나라의 수리적 위치, ㉢은 지리적 위치, ㉣은 관계적 위치를 나타낸다. ② 우리나라는 삼면이 바다로 둘러싸인 반도국으로, 대륙과 해양 양방향으로 진출하기 유리하여 임해 공업이 발달하였다. ③ 우리나라는 경제가 성장하고, 정치적 역량이 강화되면서 태평양 시대의 중심 국가로 성장하고 있다. ④ 위도는 기후와 식생 분포, 계절 등에 영향을 미친다. 한편, 경도는 국가의 표준시 결정에 영향을 미친다. ⑤ 수리적·지리적 위치는 변하지 않는 절대적 특징을 갖지만, 관계적 위치는 상대적이고 가변적인 특징을 갖는다.

바로 알기 ① 동경 124°~132°에 있는 우리나라는 동경 135°를 표준 경선으로 정하여 본초 자오선을 기준으로 9시간 빠른 표준시를 채택하고 있다.

**03** 제시된 지도는 위도와 경도로 우리나라의 수리적 위치를 표현하고 있으며, 대륙과 해양을 제시하여 지리적 위치를 표현하고 있다. ① 우리나라는 북반구 중위도(북위 33°~43°)에 위치하여 사계절의 변화가 뚜렷하다. ② 우리나라는 유라시아 대륙 동안에 위치하여 계절풍 기후와 대륙성 기후가 나타난다. ③ 우리나라는 삼면이 바다로 둘러싸인 반도국으로 대륙과 해양 양방향으로 진출에 유리하다. ④ 대척점은 지구 위의 한 지점에 대하여 지구의 반대쪽에 있는 지점을 의미한다. 대척점에 해당하는 두 지점의 위도는 절댓값이 같으나 적도를 기준으로 한 반구(半球)가 다르며, 경도는 서로 180° 차이가 난다. 우리나라 북위 38°00′, 동경 127°30′ 지점의 대척점은 남위 38°00′, 서경 52°30′이다. 이곳은 우리나라와 계절 및 낮과 밤이 반대이다.

바로 알기 ⑤ 우리나라의 표준 경선은 동경 135°선으로, 독도의 동쪽을 통과한다.

**04** 사례 1은 유라시아 횡단 철도가 우리나라 철도와 연결되면 우리나라가 유라시아 대륙과 태평양을 연결하는 물류 네트워크의 중심이 될 수 있음을 보여 주며, 사례 2는 북극해 항로가 상용화 된다면 우리나라가 물류 중심지로 성장할 수 있음을 보여준다. 따라서 두 사례를 통해 우리나라는 중국, 일본, 러시아 등을 연결하는 중심지로서 동아시아 경제권의 핵심으로 주목받고 있음을 알 수 있다.

**05** 지도는 아시안 하이웨이를 나타낸 것이다. 아시아 32개국을 지나는 도로인 아시안 하이웨이는 기존의 도로망을 이용하여 현대판 실크로드로 발전시키겠다는 구상으로 진행되는 사업이다. ㄱ. 아시안 하이웨이의 AH1, AH6 도로가 모두 연결되면 우리나라는 유라시아 대륙과 태평양의 물류 중심지 역할이 강화될 것이다. ㄹ. 아시안 하이웨이는 유럽과 연결되는 도로로 아시안 하이웨이가 완공되면 유럽과 우리나라 간 육로를 이용한 화물 수송량이 증가할 것이다.

바로 알기 ㄴ. 아시안 하이웨이는 유럽과 우리나라의 접근성을 높인다. 미국이 위치한 아메리카 대륙은 태평양 건너에 위치하므로 아시안 하이웨이와는 관련이 없다. 특히 여행객의 경우는 신속성을 특징으로 하는 항공의 수요가 지속적으로 증가하고 있기 때문에 미국까지 항공을 이용하는 여행객의 수가 줄어들 것으로 보기는 어렵다. ㄷ. 아시안 하이웨이의 노선은 총 8개가 있으며 우리나라를 지나가는 노선은 AH1, AH6로 총 2개 노선이다.

**06** 그림의 A는 영공, B는 영토, C는 영해, D는 배타적 경제 수역, E는 기선이다. ① 영공은 영토와 영해의 수직 상공이다. 영공의 범위는 일반적으로 대기권에 한정되며, 대기권 밖의 우주 공간은 어느 국가든 자유롭게 이용할 수 있다.

바로 알기 ② 영토는 국가의 영역이 미치는 지표상의 범위이며, 간척 사업에 의해 면적이 넓어질 수 있다. ③ 영해는 해안선으로부터 일정한 범위 내에 있는 바다를 의미하며, 해수면에서 해저에 이르는 곳을 포함한다. ④ 배타적 경제 수역에서 연안국은 해양 자원 탐사, 개발, 이용, 보전, 관리 등의 권리가 있기 때문에 다른 국가의 자원 탐사선은 탐사 활동을 할 수 없다. ⑤ 영해의 기선은 가장 낮은 수위가 나타나는 썰물 때의 바다와 육지의 경계선인 최저 조위선을 기준으로 한다.

**07** (가)는 통상 기선에서부터 12해리까지인 동해에서의 영해이다. (나)는 직선 기선에서부터 3해리까지 인정하는 대한 해협에서의 영해이다. 영해의 범위는 일반적으로 해안선으로부터 12해리까지이며 최저 조위선이 영해 설정의 기준이 된다. 우리나라는 영해의 범위를 정할 때 해안선의 특징에 따라 통상 기선과 직선 기선을 적용한다. 서·남해안은 해안선이 복잡하고 섬이 많아 최외곽 섬을 직선으로 연결한 직선 기선을 적용한다. 동해안, 제주도, 울릉도, 독도는 최저 조위선이 기준이 되는 통상 기선을 적용한다. 동해안은 대부분 통상 기선을 사용하지만, 예외적으로 영일만과 울산만은 직선 기선을 사용한다.

**바로알기** ⑤ 대한 해협은 우리나라와 일본이 서로 마주보는 좁은 바다이다. 대한 해협에서는 우리나라와 일본 간 거리가 가까워 직선 기선에서 3해리까지를 영해로 설정하고, 그 사이의 해역은 공해로 남겨 두었다.

| **극비노트** | **우리나라의 영역** |
|---|---|
| 영토 | 한반도와 부속 도서 |
| 영해 | • 기선으로부터 12해리까지 인정(단, 대한 해협은 3해리)<br>• 동해안, 제주도, 울릉도, 독도: 통상 기선에서부터 12해리까지<br>• 서해안, 남해안: 직선 기선에서부터 12해리까지 |
| 영공 | 영토와 영해의 수직 상공으로 일반적으로 대기권까지 인정 |

**08** A는 한·중 잠정 조치 수역, B는 우리나라의 배타적 경제 수역, C는 한·일 중간 수역, D와 E는 우리나라의 영해이다. ① 한·중 잠정 조치 수역(A)에서는 우리나라와 중국의 어선만 조업 활동을 할 수 있다. ② 배타적 경제 수역에서는 연안국의 자원 탐사 및 개발에 관한 권리가 인정된다. 하지만 다른 국가의 선박과 항공기 등이 배타적 경제 수역을 자유롭게 통행하는 것을 제한할 수는 없다. 따라서 우리나라의 사전 허가 없이 B에서 일본 여객선의 항행이 허용된다. ③ 한·일 중간 수역(C)에서는 우리나라와 일본의 어선만 조업 활동을 할 수 있다. ⑤ E는 우리나라의 영해이기 때문에 우리나라의 해양 경찰이 경비 활동을 할 수 있다.

**바로알기** ④ D는 우리나라의 영해로, 그 수직 상공은 우리나라의 영공이다. 따라서 러시아의 비행기가 우리나라의 허가 없이 통과할 수 없다.

**09** 지도의 A는 울릉도, B는 독도, C는 이어도이다. 독도는 울릉도에서 동남쪽으로 87.4㎞ 떨어져 있으며, 맑은 날이면 육안으로 울릉도에서 독도를 볼 수 있다. 독도는 신라 지증왕 때 이사부가 우산국을 정복한 이후 우리나라의 영토가 되었다. 우리나라는 2003년 이어도에 종합 해양 과학 기지를 건설하여 태풍의 이동 경로, 해수 온도 변화 등 해양 관측 자료를 얻고 있다.

**바로알기** ④ 영해는 기선에서부터 12해리까지이므로 동해안에 위치한 죽변항을 출발하여 울릉도로 이동하면 영해를 벗어나 배타적 경제 수역을 항해하다가 다시 울릉도 주변 12해리의 우리나라 영해를 항해하게 된다. 이후 울릉도를 거쳐 독도로 이동하면 영해를 벗어나 배타적 경제 수역을 항해하다가 다시 독도 주변 12해리의 우리나라 영해를 항해하게 된다.

**10** 사진은 독도를 나타낸 것이다. 독도는 우리나라의 가장 동쪽에 위치한 섬으로, 약 460만~250만 년 전 해저 화산 활동으로 형성되었다. 경상북도 울릉군에 속하는 독도는 동도와 서도 및 89개의 부속 도서로 이루어져 있다. 독도는 배타적 경제 수역 설정의 기준이 되므로 그 영역적 가치가 매우 크며, 주변 바다에는 미래의 에너지로 주목받는 메탄하이드레이트가 분포한다.

**바로알기** ③ 독도는 생태적 가치도 지니고 있어 섬 전체가 천연 보호 구역으로 지정되어 있다. 세계 자연 유산으로 지정된 섬은 제주도이다.

**11** (가)는 「팔도총도」, (나)는 「조선일본유구국도」이다. 「팔도총도」는 「신증동국여지승람」의 첫머리에 수록된 지도로 울릉도와 위치는 바뀌었지만 독도가 우산도로 표시되어 있다. 「조선일본유구국도」에는 조선, 일본, 유구국이 등장하며, 우리나라 동쪽의 바다가 동해로 표현되어 있다. 「팔도총도」와 「조선일본유구국도」는 모두 조선에서 제작된 지도이다.

**바로알기** ㄷ. 「조선일본유구국도」는 「팔도총도」보다 조선의 영토가 사실적으로 표현되어 있다.

**12** 동해(東海)라는 명칭은 「삼국사기」 고구려 본기, 광개토대왕릉비의 비문 등을 비롯하여 우리나라의 수많은 고문헌, 고지도 등에 기록되어 있다.

**바로알기** 을. 1929년 우리나라를 식민 지배하던 일본이 국제 수로 기구(IHO)에 우리나라의 합의 없이 '일본해'로 등록하였다. 정. 우리나라의 존재는 중국을 통해 유럽인들에게 알려졌기 때문에 동해는 한국해라는 명칭으로 알려지게 되었다. 그 결과 18세기까지 유럽에서 편찬된 세계 지도에는 대부분 한국해(Sea of Corea)로 표기되어 있다. 오늘날 우리나라는 국제 사회에 동해와 일본해를 모두 표기해야 한다고 주장해 왔고, 그 노력으로 공동 표기 비율이 1990년 이후 꾸준히 증가하고 있다.

## 3단계 등급 올리기

본문 13쪽

01 ③　　02 ②　　03 ②
04 (1) (가) 수리적 위치 (나) 지리적 위치 (다) 관계적 위치 (2) 해설 참조

**01** 지도의 A는 우리나라 최북단 온성군, B는 백령도, C는 최남단 마라도, D는 양구군, E는 최동단 독도이다. ③ A는 C보다 고위도에 위치해 있어 최한월 평균 기온이 낮다.

**바로알기** ① 우리나라 영토의 최서단(극서)은 평안북도 용천군 마안도(비단섬)이다. ② 우리나라의 표준 경선은 동경 135°를 지난다. 따라서 D는 표준 경선이 지나는 곳보다 서쪽에 위치한다. ④ 일몰 시각은 동쪽에 위치한 지역이 서쪽에 위치한 지역보다 이르다. 따라서 D보다 서쪽에 위치한 B가 일몰 시각이 늦다. ⑤ 마라도(C)와 독도(E)는 영해 설정 시 통상 기선을 적용한다.

**02** ① 우리나라의 영토는 한반도와 그 부속 도서로, 사람이 거주하는 유인도는 물론 사람이 거주하지 않는 무인도도 포함한다. ③ 해안의 저조선은 썰물 때의 바다와 육지의 경계선을 기준으로 하며 이는 해수면이 가장 낮을 때의 해안선이다. ④ 지리적으로 특수 사정이 있는 경우 직선 기선을 적용하는데 동해안의 영일만, 울산만 등과 같은 지역에서도 적용되었다. ⑤ 기선으로부터 육지 쪽에 있는 수역은 우리나라가 주권을 행사하는 곳으로 타국 선박의 해저 자원 탐사 활동이 제한된다.

**바로알기** ② 영해의 범위는 일반적으로 해안선으로부터 12해리까지이다.

**03** (가)는 북위 33°07′00″에 위치한 마라도이다. (나)는 동경 131° 52′00″에 위치한 독도이다. 독도는 마라도보다 가장 가까운 유인 도와의 거리가 멀고, 최한월 평균 기온이 낮으며, 해 뜨는 시각이 더 이르다. 이는 그림의 B에 해당한다.

### 서술형 문제

**04** (2) **예시 답안** (가)는 위도와 경도로 표현하고, (나)는 대륙, 해양 등 지형지물로 표현하며, (다)는 주변국과의 정치 및 경제적 관계에 따라 결정된다. (가), (나)는 변하지 않는 절대적인 특징을 갖지만, (다)는 상대적이고 가변적인 특징을 갖는다.

| 채점 기준 | 배점 |
|---|---|
| (가)~(다)의 위치 표현 방법의 특징에 대해 세 가지 모두 정확히 서술한 경우 | 상 |
| (가)~(다)의 위치 표현 방법의 특징에 대해 두 가지를 서술한 경우 | 중 |
| (가)~(다)의 위치 표현 방법의 특징에 대해 한 가지만 서술한 경우 | 하 |

## 02 국토 인식의 변화
## ~03 지리 정보와 지역 조사

### 1단계 개념 짚어 보기
본문 15쪽

**01** (1) ○ (2) × (3) ○ (4) ○  **02** ㉠ 혼일강리역대국도지도 ㉡ 조선  **03** 지리 정보 시스템(GIS)  **04** ㉠ 통치 ㉡ 관찰 ㉢ 백과사전 ㉣ 실학 ㉤ 사찬 ㉥ 택리지  **05** ㉠ 조사 주제 선정 ㉡ 실내 조사 ㉢ 지리 정보 분석 ㉣ 보고서 작성

### 2단계 내신 다지기
본문 16~18쪽

**01** ①   **02** ③   **03** ②   **04** ②   **05** ⑤
**06** (가) 생리 (나) 지리   **07** ③   **08** ⑤   **09** ④
**10** ②   **11** ⑤   **12** ③   **13** ④

**01** 제시된 그림은 풍수지리 사상의 명당도를 나타낸 것이다. ㄱ. 우리 조상들은 국토를 살아있는 생명체로 인식하고 자연과 조화를 이루고자 하였다. 이러한 전통적 국토 인식을 체계화한 것이 풍수지리 사상이다. ㄴ. 풍수지리 사상은 국가의 도읍지 선정뿐만 아니라 마을 입지, 개인의 주거지 등을 선정하는 데 영향을 주었다. **바로 알기** ㄷ. 풍수지리 사상과 오늘날의 행정 구역 구분은 직접적인 연관이 없다. 오늘날의 행정 구역 구분은 각 지역의 자연 및 인문 환경을 고려하여 이루어졌다. ㄹ. 풍수지리 사상에서 중국 중심의 중화사상을 확인하기는 어렵다.

**02** (가)는 「혼일상리역대국도지도」, (나)는 「천하도」이다. ③ 「혼일강리역대국도지도」는 조선 전기에 국가에서 통치를 위해 행정적·군사적 측면에서 제작되었다. 반면, 「천하도」는 조선 중기 이후에 민간에서 제작되었으며 도교적 세계관이 반영되어 상상의 국가와 지명이 다수 표현되어 있다. **바로 알기** ① 「혼일강리역대국도지도」에서는 지도표를 볼 수 없다. 지도표를 활용하여 각종 지리 정보를 표현한 것은 「대동여지도」이다. ② 「천하도」는 세계를 원형으로 나타냈다. 세계가 구(救)라는 인식을 바탕으로 제작된 지도는 조선 후기 서양의 지도 제작 방법이 도입된 이후 나타났다. ④ (가)는 조선 전기에 제작된 지도로 현존하는 지도 중 우리나라에서 가장 오래된 지도이다. 반면 (나)는 조선 중기 이후 민간에서 제작되었다. ⑤ (가)와 (나)는 모두 중국을 세계의 중심으로 여긴 중화사상의 영향을 받았다.

**03** (나)의 「동국대지도」는 18세기 중반에 제작되었으며 정상기의 「동국지도」의 필사본이다. 「동국대지도」는 백리척이라는 축척을 활용해 지도의 정확도를 높였으며 이를 통해 거리 계산이 가능하다. **바로 알기** ① 「조선방역지도」는 정척과 양성지가 제작한 「동국지도」의 필사본으로 원본을 옮겨 그린 지도이다. 목판본으로 제작되어 대량 생산 및 보급에 유리한 지도로는 「대동여지도」가 있다. ③ 「동국대지도」는 「조선방역지도」보다 압록강과 두만강의 유로가 현재의 지도와 차이가 없을 정도로 세밀해졌고, 북부 지방의 모습이 실제

와 가깝게 표현되어 있다. ④ 「동국대지도」는 조선 후기, 「조선방역지도」는 조선 전기에 제작되었다. ⑤ 「조선방역지도」는 관청에서 전국의 공물 진상 내용을 파악하기 위해 제작되었으나, 「동국대지도」는 실학사상의 영향을 받아 개인이 제작하였다.

극비 노트 **조선방역지도와 동국대지도**

| 조선방역지도 | • 조선 전기(1557~1568년) 관청에서 제작<br>• 전국의 공물 진상 내용을 파악하기 위해 제작<br>• 중·남부 지방은 실제와 가깝지만, 북부 지방은 다소 왜곡<br>• 산줄기는 풍수지리 사상의 영향으로 서로 연결되어 표현 |
|---|---|
| 동국대지도 | • 조선 후기(18세기 중반) 개인이 제작<br>• 정상기의 「동국지도」의 필사본<br>• 백리척이라는 축척 사용으로 거리 계산 가능<br>• 조선 전기의 지도보다 북부 지방이 자세하게 표현 |

**04** 제시된 자료는 「대동여지도」의 일부와 지도표이다. ㄱ. A는 읍치를 표현한 것이다. 읍치는 중앙에서 관리가 파견된 지방 행정 중심지로 관아가 위치한다. ㄷ. A와 B 사이에는 산줄기가 두 개 있으므로 A에서 B로 이동할 때 고개는 두 번 이상 넘어야 한다.
바로 알기 ㄴ. 「대동여지도」에서는 도로 위에 10리마다 방점(눈금)을 찍어 지역 간 거리를 알게 하였다. A와 B 사이에는 방점이 2개 있으므로 A와 B의 거리는 약 30리이다. ㄹ. 빗물은 땅에 내린 후 대체로 해발 고도가 높은 곳에서 낮은 곳으로 흘러간다. 해당 지도에서는 북쪽에 바다가 위치하고 있다. 해발 고도가 해안에서 낮기 때문에 해당 지도에서는 육지 내에 위치한 C 지점보다 북쪽의 해안 일대의 해발 고도가 낮다. 따라서 C에 내린 빗물은 북쪽의 바다로 흘러가는 하천으로 유입한다.

**05** 제시된 자료는 조선 시대에 제작된 지리지의 일부로, (가)는 「신증동국여지승람」, (나)는 「택리지」이다. ⑤ 「신증동국여지승람」은 조선 전기에 국가 통치의 기초 자료를 확보하기 위해 관청의 주도로 제작된 관찬 지리지이며, 「택리지」는 조선 후기에 이중환이 실학사상의 영향을 받아 제작한 사찬 지리지이다.
바로 알기 ① 실학사상은 조선 후기에 나타난 사상이다. 조선 전기에 제작된 「신증동국여지승람」에서는 실학사상을 찾아볼 수 없다. ② 「택리지」는 국토에 대한 개인적인 관심을 토대로 이중환이 조선 후기에 편찬한 사찬 지리지이다. 국가 통치에 필요한 자료를 수집해 편찬한 지리지로는 조선 전기에 제작된 「신증동국여지승람」과 「세종실록지리지」가 있다. ③ 저자의 해석은 「신증동국여지승람」보다 「택리지」에서 많이 담고 있다. 조선 전기에 제작된 「신증동국여지승람」에는 저자의 해석보다는 효율적인 통치를 위한 기초 자료가 주로 서술되어 있다. ④ 조선 후기에 제작된 「택리지」는 조선 전기에 제작된 「신증동국여지승람」보다 제작된 시기가 늦다.

**06** 제시된 자료는 「택리지」의 일부를 나타낸 것이다. 「택리지」의 복거총론에서는 '사람이 살만한 땅'인 가거지(可居地)를 지리, 생리, 인심, 산수의 네 가지 요소로 설명하였다. (가)는 비옥한 땅과 물자 교류의 편리성 등 경제적으로 유리한 특성을 갖춘 지역에 대해 서술하고 있으므로 생리이며, (나)는 풍수지리 사상의 명당에 대해 서술하고 있으므로 지리와 관련이 있다.

극비 노트 **택리지의 가거지(可居地) 조건**

| 지리 | 풍수지리의 명당 |
|---|---|
| 생리 | 비옥한 땅, 물자 교류의 편리성 등 경제적으로 유리한 특성을 갖춘 곳 |
| 인심 | 당쟁이 없으며 이웃의 인심이 온순하고 순박한 곳 |
| 산수 | 산과 물이 조화를 이루며, 경치가 좋아 풍류를 즐길 수 있는 곳 |

**07** 제시된 대화에서 1960년 이후에 나타난 국토관이고, 경제적 효율성을 추구하는 국토 인식이라는 것을 통해 산업화 시대의 국토 인식임을 알 수 있다. ③ 우리나라에서는 산업화 시대의 국토 인식을 바탕으로 적극적인 국토 개발이 이루어졌다. 그 결과 경제적으로 비약적인 성장을 이루었지만 수도권의 과도한 인구 집중과 같은 지역 간 불균형 문제가 나타났다.
바로 알기 ① 생태 지향적 국토 인식은 산업화로 인하여 나타난 다양한 문제점들을 해결하고자 하는 관점에서 제시된 것으로 산업화 시대 이후의 국토 인식이다. ② 부정적이고 소극적인 국토 인식은 일제 강점기에 일제가 식민 지배를 정당화하기 위해 우리나라에 강요한 국토 인식이다. ④ 습지 보호 지역 지정, 생태 공원 조성 등은 지속 가능한 발전을 추구하는 생태 지향적 국토 인식의 사례이다. ⑤ 산업화 시대의 국토 개발은 국토의 잠재력을 높이고, 국민의 소득 수준을 향상시켰다는 긍정적인 면도 있다.

**08** (가)는 「근역강산맹호기상도」, (나)는 제1차 국토 종합 개발 계획, (다)는 람사르 협약 등록 습지와 관련된 지도이다. ㄴ. (나)는 제1차 국토 종합 개발 계획과 관련된 지도로 당시에는 경제 기반 확충을 위한 개발 사업이 집중되었으며 경제적 효율성을 우선적으로 추구하였다. ㄷ. (다)는 우리나라의 람사르 협약 등록 습지이다. 람사르 협약은 다양한 생물종이 서식하여 생태학적으로 중요한 공간인 습지를 보호하기 위해 만들어진 국제 협약이다. 람사르 협약은 현 세대뿐만 아니라 미래 세대까지 고려한 지속 가능한 발전을 추구하고 있다. ㄹ. (나)는 인간은 자연환경의 범위 안에서 필요한 것을 선택하여 이용할 수 있다고 보는 가능론, (다)는 인간과 자연은 서로 영향을 주고 받는 관계라고 보는 생태학적 관점을 반영하고 있다.
바로 알기 ㄱ. (가)를 통해 우리 조상들은 국토를 하나의 살아 있는 생명체로 인식하였음을 알 수 있다.

**09** 제시된 자료는 강원도 양구군의 지리 정보이다. 지리 정보는 크게 공간 정보, 속성 정보, 관계 정보로 구분된다. (가)는 2016년의 세대 수와 순이동 인구, 경로당의 수 등 해당 지역의 인문적 특성을 나타낸 속성 정보이다. (나)는 경위도의 극점과 지역 간 거리 등 장소의 위치를 나타낸 정보로 공간 정보이다. (다)는 교통 환경의 개선을 언급하면서 주변 지역과 농산물 수송이 원활해지고 있음을 밝히는 것 등을 통해 다른 장소나 지역과의 상호 작용이나 관계를 나타낸 관계 정보임을 알 수 있다.

**10** (가)는 점묘도로 지리 현상의 밀도나 분포를 표현하는 데 적절하며 〈보기〉 중에서 ㄴ. 백화점 분포가 가장 적절하다. (나)는 단계 구분도로 통계 값을 몇 단계로 구분하고 음영, 패턴 등을 달리하여 표현한다. 〈보기〉 중에서 ㄱ. 경지 이용률이 가장 적절하다.

**바로알기** ㄷ. 수도권 전출자는 인구의 이동을 나타낸 것으로 지역 간 이동 방향과 이동량을 화살표로 표현한 유선도가 가장 적절하다. ㄹ. 지역별 수출액은 막대, 원, 등 다양한 도형을 이용하여 자료의 공간적 차이를 표현하는 도형 표현도가 가장 적절하다.

### 극비노트 통계 지도의 유형

| | |
|---|---|
| 점묘도 | 통계 값을 일정한 크기의 점으로 표현 예 인구 분포, 젖소 분포 등 |
| 등치선도 | 같은 값을 가진 지점을 선으로 연결하여 표현 예 단풍 예정일, 8월 평균 기온 등 |
| 단계 구분도 | 통계 값을 몇 단계로 구분하고 음영, 패턴 등을 달리하여 표현 예 경지 이용률, 경지율 등 |
| 도형 표현도 | 통계 값을 막대, 원 등 다양한 도형을 이용하여 표현 예 주요 기업 본사 수, 시도별 1, 2, 3차 산업 생산액 등 |
| 유선도 | 지역 간 이동을 화살표의 방향과 굵기를 이용하여 표현 예 인구 이동, 물자 이동 등 |

**11** 지리 정보 시스템은 다양한 지리 정보를 수치화하여 컴퓨터에 입력·저장하고, 이용자의 요구에 따라 가공·분석·처리하여 다양하게 표현해 주는 종합 정보 시스템이다. 따라서 이용자의 요구를 반영한 지리 정보의 분석이 가능하다. 지리 정보 시스템은 서로 다른 정보를 담고 있는 데이터 층을 출력하고 이를 결합하여 분석하는 중첩 분석을 할 수 있다. 이러한 중첩 분석 기능은 어떤 시설물의 최적 입지를 선정하는 데 도움을 준다.
**바로알기** ㄱ. 지리 정보 시스템은 지역 정보가 변경될 경우 이를 비교적 쉽게 반영하여 새로운 최적 입지를 선정할 수 있다. ㄴ. 지리 정보 시스템은 컴퓨터를 활용하며 정보의 대부분을 컴퓨터에 입력·저장 및 수정하여 축적한다.

**12** 지역 조사는 주제 및 지역 선정 → 실내 조사 → 야외 조사 → 자료 분석 및 보고서 작성 순으로 이루어진다. 학생들의 대화 중에서 을은 조사 주제를 선정하는 단계로 가장 먼저 이루어져야 하며, 다음으로 갑의 지도나 통계 자료를 살펴보는 실내 조사가 이루어져야 한다. 다음으로 조사 지역에 가서 주민들에게 설문 조사를 하는 정의 야외 조사가 이루어지며, 자료를 분석하여 보고서를 작성하는 병의 단계는 가장 나중에 이루어져야 한다. 따라서 지역 조사는 을 - 갑 - 정 - 병의 순서로 하는 것이 적절하다.

**13** 제시된 그림에서 (가) 단계는 실내 조사이며, (나) 단계는 도표·주제도 작성과 관련이 있다. (가) 실내 조사 단계에서는 조사 지역과 관련하여 조사 목적에 부합되는 자료를 인터넷, 문헌 등을 통해 수집하고 주민들에게 배부할 설문지 문항을 작성한다. (나) 도표·주제도 작성 단계에는 수집된 지리 정보를 항목별로 분류·정리하여 자료를 분석·가공한 후 자료의 특징이 잘 드러나도록 지역의 특징을 그래프나 주제도 등의 통계 자료로 표현한다.
**바로알기** ㄱ. 조사 지역을 방문해 관찰, 측정, 촬영하는 단계는 야외 조사 단계이다. ㄹ. 분석한 결론의 핵심 내용을 명확하고 체계적으로 기술하는 것은 지역 조사의 가장 마지막 단계인 보고서 작성 단계이다.

---

### 3단계 등급 올리기

본문 19쪽

**01** ③　　**02** ②　　**03** ①　　**04** (1) (가) 지형도 (나) 위성 사진 (2) 해설 참조

**01** (가)는 『신증동국여지승람』, (나)는 『택리지』의 내용 중 일부이다. ㄱ. 『신증동국여지승람』은 전국 각지의 건치 연혁, 풍속, 자연 등을 백과사전식으로 서술하였다. ㄴ. 『신증동국여지승람』은 조선 전기에 각 지방의 지리 정보를 국가 경영과 지방 통치를 위한 기초 자료로 삼기 위해 국가 주도로 제작되었다. ㄷ. 『택리지』는 실학사상을 바탕으로 제작되었다. 이중환은 『택리지』에 국토의 실제 모습을 실용적으로 인식하는 관점을 반영하였다.
**바로알기** ㄹ. 『택리지』의 ⊙은 단순하게 '광주의 서편은 수리산이며 안산 동쪽에 있다'는 위치적 특성을 서술하고 있다. 가거지의 조건 중 생리(生利)는 비옥한 땅과 물자 교류의 편리성 등 경제적으로 유리한 특성을 갖춘 지역에 대해 서술한 경우에 해당한다.

**02** 『대동여지도』는 다양한 기호를 사용하여 지리 정보를 표현하였다. ① 『대동여지도』에서는 배가 다닐 수 있는 하천은 쌍선으로, 배가 다닐 수 없는 하천은 단선으로 표현하였다. A는 단선이므로 배가 다닐 수 없는 하천이다. ③ C는 읍치로 행정 중심지이다. 교통·통신 기관은 역참으로 가장 가까운 역참은 동남쪽 10리 이내에 위치한다. ④ E는 산줄기를 나타낸 것이다. 산줄기는 일반적으로 하천 유역을 나누는 분수계의 역할을 한다. ⑤ 『대동여지도』는 산줄기의 굵기를 달리하여 규모를 구분하였다. 산줄기가 굵을수록 규모가 큰 산지이다. 따라서 E는 D보다 규모가 큰 산지이다.
**바로알기** ② B는 역참으로 국가의 명령과 공문서 전달을 수행하기 위해 설치된 교통·통신 기관이다.

**03** 제시된 자료는 지도의 중첩을 통해 최적 입지를 선정하는 것이다. 〈조건〉을 대입하여 계산한 최종 점수는 아래의 표와 같다.

| 구분 | A | B | C | D | E |
|---|---|---|---|---|---|
| 도로와의 거리 점수 | 1점 | 3점 | 2점 | 3점 | 3점 |
| 지가 점수 | 3점 | 1점 | 2점 | 1점 | 1점 |
| 고도 점수 | 3점 | 2점 | 2점 | 1점 | 3점 |
| 최종 점수 | 7점 | 6점 | 6점 | 5점 | 7점 |

따라서 최종 점수가 가장 높은 지역은 A와 E이다. 이 중 평가 항목 점수의 합이 동일한 경우 지가가 저렴한 지역에 입지하므로 지가가 더 저렴한 A가 최적 입지가 된다.

### 서술형 문제

**04** (2) **예시답안** (가)는 (나)보다 지명 및 행정 구역 경계 파악에 유리하며 (나)는 (가)보다 공간 정보의 실시간 반영, 주기적인 지리 정보 수집, 접근이 어려운 지역의 지리 정보 수집에 유리하다.

| 채점 기준 | 배점 |
|---|---|
| (가)와 (나)의 상대적인 특성을 모두 정확하게 서술한 경우 | 상 |
| (가)와 (나)의 상대적인 특성을 한 가지만 정확하게 서술한 경우 | 하 |

# 한반도의 형성과 산지 지형

## 1단계 개념 짚어 보기
본문 21쪽

**01** (1) × (2) × (3) ○ (4) × **02** ㉠ 퇴적 ㉡ 침식 **03** ㉠ 1차 ㉡ 2차 ㉢ 경동성 요곡 운동 ㉣ 지질 구조선 ㉤ 한국 ㉥ 중국 ㉦ 랴오둥 **04** 고랭지 **05** (1) ㄴ, ㄹ, ㅁ (2) ㄱ, ㄷ, ㅂ

## 2단계 내신 다지기
본문 22~24쪽

**01** ① **02** ③ **03** ⑤ **04** ②
**05** (가) 조선 누층군, 석회암 (나) 평안 누층군, 무연탄 (다) 대동 누층군, (대보) 화강암 **06** ① **07** ② **08** ③
**09** ③ **10** ⑤ **11** ④ **12** ② **13** ⑤

**01** 제시된 그래프에서 A는 시·원생대에 형성된 변성암, B는 고생대와 중생대에 주로 형성된 퇴적암, C는 중생대에 형성된 화성암이다. ㄱ. A(변성암)는 퇴적암이 지하에서 압력을 받아 변성된 것으로 주로 공원이나 정원의 조경석으로 활용된다. ㄴ. B(퇴적암)는 퇴적물이 호수나 바다 밑에 쌓여 형성되며, 호수에서 퇴적된 육성층과 바다에서 퇴적된 해성층으로 분류된다.
**바로알기** ㄷ. C(화성암)는 크게 마그마가 관입해 형성된 화강암과 마그마가 분출해 형성된 화산암으로 구분할 수 있다. 화강암은 주로 돌산의 기반암을 이루며, 화산암은 화산의 기반암을 이룬다. ㄹ. A는 편마암이 대표적인 암석이며, B는 석회암, C는 화강암과 화산암(현무암, 조면암 등)이 대표적인 암석이다.

### 극비노트 한반도의 다양한 암석

| 변성암 | | • 시·원생대에 형성된 편마암이 가장 대표적임<br>• 한반도에서 가장 널리 분포, 조경석으로 활용 |
|---|---|---|
| 화성암 | 화강암 | • 주로 중생대에 형성, 한반도 지각의 약 30% 차지<br>• 돌산의 기반암, 흰색을 띠며 가공이 쉬운 편임 |
| | 화산암 | • 주로 신생대 화산 활동으로 형성<br>• 화산의 기반암, 현무암과 조면암이 대표적임 |
| 퇴적암 | | 고생대와 중생대 퇴적암이 대부분이며, 신생대 퇴적암 분포는 협소함 |

**02** (가)는 시·원생대에 형성된 지체 구조, (나)는 중생대에 형성된 경상 분지에 대한 설명이다. 시·원생대에 형성된 지체 구조로는 지도의 B에 제시된 평북·개마 지괴, 경기 지괴, 영남 지괴 등이 있으며, 중생대 경상 분지는 지도의 D에 분포한다.
**바로알기** A는 두만 지괴와 길주·명천 지괴로, 신생대에 형성된 지체 구조이다. C는 평남 분지와 옥천 습곡대이다. 평남 분지와 옥천 습곡대는 고생대에 형성된 지체 구조로 조선 누층군과 평안 누층군이 분포한다.

**03** (가)는 조선 누층군과 평안 누층군이 제시된 것을 통해 고생대 지층임을 알 수 있으며, (나)는 변성암의 분포가 제시된 것을 통해

시·원생대 지층임을 알 수 있다. (다)는 퇴적암과 화강암의 분포를 나타낸 지도로 중생대에 형성된 지층이며, (라)는 화산암과 협소한 지역에 분포하는 퇴적암을 통해 신생대 지층임을 알 수 있다. 따라서 오래된 지질 시대부터 배열하면 (나) 시·원생대 → (가) 고생대 → (다) 중생대 → (라) 신생대 순이다. 한편, A는 평안 누층군, B는 변성암, C는 관입암, D는 퇴적암이다.
**바로알기** ① A(평안 누층군)는 고생대 후기에 형성된 육성층으로 무연탄이 매장되어 있다. ② B(변성암)를 기반암으로 하는 산지는 대체로 흙산을 이룬다. 돌산은 기반암이 화강암인 경우에 형성된다. ③ C(관입암)는 주로 화강암으로 구성되어 있다. 갈탄이 매장되어 있는 것은 신생대 두만 지괴, 길주·명천 지괴이다. ④ D(퇴적암)는 퇴적물들이 시간이 지남에 따라 암석으로 변한 것이다.

**04** 제시된 그림은 동해 지각 생성에 따른 2차적 횡압력에 의해 한반도에서 경동성 요곡 운동이 일어난 것을 표현한 것이다. 한반도는 경동성 요곡 운동에 의해 동쪽은 높고 서쪽은 낮은 비대칭 지형을 형성하였으며 함경산맥, 태백산맥 등 해발 고도가 높은 1차 산맥이 나타나게 되었다.
**바로알기** ① 경동성 요곡 운동이 일어난 시기는 신생대 제3기이다. ③ 동쪽으로 치우친 비대칭 요곡 운동인 경동성 요곡 운동에 의해 큰 규모의 하천은 대부분 황·남해로 유입하게 되었다. ④ 북동 – 남서 방향(중국 방향)의 지질 구조선은 중생대 대보 조산 운동에 의해 형성되었다. ⑤ 지하 깊은 곳에 마그마가 관입하여 화강암이 형성된 시기는 중생대이다.

**05** 제시된 도표는 한반도의 암석 분포를 나타낸 것이다. (가)는 고생대 전기에 형성된 지층으로 조선 누층군이다. 조선 누층군은 얕은 바다에서 형성된 해성층으로 석회암이 주로 분포하고 있다. (나)는 고생대 후기부터 중생대 초기에 걸쳐 형성된 평안 누층군이다. 평안 누층군은 해안 습지에 식물 등이 퇴적되어 형성된 육성층으로 무연탄이 주로 분포한다. (다)는 중생대 중기에 형성된 대동 누층군으로, 대보 조산 운동에 의해 지하 깊은 곳에서 마그마가 관입하여 대보 화강암이 형성되었다.

**06** 제시된 도표에서 A는 송림 변동으로 중생대 초 북부 지방을 중심으로 발생하였다. 송림 변동에 의해 랴오둥 방향(동북동 – 서남서)의 지질 구조선이 형성되었다. B는 중생대 중기에 일어난 대보 조산 운동이다. 대보 조산 운동은 중·남부 지방을 중심으로 발생한 격렬한 지각 운동으로 한반도 전체에 큰 영향을 주었다.
**바로알기** ㄷ. C는 요곡 단층 운동으로 대표적으로 경동성 요곡 운동을 들 수 있다. 영남 지방을 중심으로 소규모로 발생한 것은 불국사 변동과 관련이 있다. ㄹ. 1차 산맥은 주로 경동성 요곡 운동(C)에 의해 형성되었다. 반면, 2차 산맥은 중생대 지각 운동에 의해 형성된 지질 구조선을 따라 차별적인 풍화와 침식 작용을 거쳐 형성되었으며 송림 변동(A)과 대보 조산 운동(B)의 지질 구조선 방향과 대체로 일치한다.

**07** 제시된 그래프는 최후 빙기 해수면 변동을 나타낸 것이다. (가)는 해수면이 상승하고 현재와 가까운 시기이므로 후빙기임을 알 수 있다. (나)는 해수면이 가장 낮은 시기로 빙하 최성기인 빙기이

다. 빙기는 후빙기에 비해 하천 하류의 침식 작용이 활발하며(A, B, C), 침식 기준면이 낮고(A, B, E), 물리적 풍화 작용이 활발하다(B, C, E). 따라서 모든 조건을 만족하는 것은 B이다.

**극비 노트 빙기와 후빙기의 특성**

| 구분 | 빙기 | 후빙기 |
|------|------|--------|
| 기후 | 한랭 건조 | 온난 습윤 |
| 식생 변화 | 냉대림 확대 | 난대림 확대 |
| 풍화 작용 | 물리적 풍화 작용 활발 | 화학적 풍화 작용 활발 |

**08** 제시된 지도는 우리나라의 산맥 분포를 나타낸 것으로, A는 함경산맥, B는 묘향산맥, C는 태백산맥, D는 소백산맥이다. 함경산맥(A)은 융기에 의해 형성된 1차 산맥으로 지질 구조선을 따라 차별적인 풍화와 침식을 받은 묘향산맥(B)보다 산지의 평균 해발 고도가 높다.
**바로 알기** ① 함경산맥(A)은 신생대 제3기 경동성 요곡 운동의 영향을 받았다. ② 묘향산맥(B)은 중생대 송림 변동에 따라 형성된 랴오둥 방향의 지질 구조선이 차별적인 침식 및 풍화 작용을 받아 형성된 것이다. ④ 1차 산맥인 태백산맥(C)이 2차 산맥인 묘향산맥(B)보다 산맥의 연속성이 뚜렷하다. ⑤ 묘향산맥(B)은 랴오둥 방향, 소백산맥(D)는 중국 방향의 산맥이다.

**09** 제시된 자료는 우리나라의 산지 형성 과정을 나타낸 것이다. (나) 단계는 중생대 지각 운동 이후 오랜 기간 침식 작용을 받아 한반도가 평탄해진 것을 표현한 것이다. (다) 단계는 신생대 제3기 경동성 요곡 운동이 일어난 이후 지질 구조선을 따라 서쪽으로 하천이 흐르고 있는 것을 표현한 것이다.
**바로 알기** ㄱ. (가)는 중생대 지각 운동으로 습곡, 단층 등이 형성되고 지질 구조선이 만들어진 것을 표현한 것이다. 경동성 요곡 운동은 (다) 단계에서 일어났다. ㄹ. 땅 속의 화강암이 지표에 드러난 후 풍화 작용을 받아 형성되는 것은 돌산이다.

**10** 제시된 단면도에서 ⓒ 산지는 동쪽의 산지보다 상대적으로 해발 고도가 낮은 특성을 보인다. 이는 지질 구조선을 따라 차별적인 침식과 풍화 작용을 받은 후 남은 산지 부분이기 때문이다. 따라서 이들 산지의 기반암은 대체로 중생대에 관입한 화강암이다. ⓒ은 낭림산으로 낭림산맥의 일부이다. 낭림산맥은 한국 방향으로 뻗은 산맥으로 신생대 경동성 요곡 운동으로 형성되었다.
**바로 알기** ㄱ. 북부 지방의 산지는 1차 산맥인 함경산맥과 낭림산맥의 영향으로 대체로 해발 고도가 높다. 따라서 (다)가 A의 단면도이다. B는 우리나라 중부 지방으로 동쪽에 치우친 융기 운동에 의해 동고서저의 지형이 형성된다. 이와 같은 산지 분포를 보이는 것은 (나)이다. C는 소백산맥이 분포하는 지역과 관련이 있으며 대체로 중부 지방이 해발 고도가 높은 편으로 제시된 단면도 중 (가)가 이에 해당한다. ㄴ. ⓒ은 남부 지방에 위치한 산지이다. 남부 지방의 주요 산맥은 모두 중국 방향으로 뻗어 있다. 랴오둥 방향 산맥은 북부 지방에서 많이 나타난다.

**11** 제시된 자료의 A 지형은 고위 평탄면이다. 고위 평탄면은 여름철에 강수량이 많은 편이며, 해발 고도가 높고 수분 증발량이 적어 겨울철에 눈이 많이 내린다. 따라서 같은 위도의 저지대에 비해 상대 습도가 높은 편이다.
**바로 알기** ① 고위 평탄면은 신생대 제3기 경동성 요곡 운동 과정에서 해발 고도가 높아진 곳에 주로 분포한다. 차별 침식 작용으로 해발 고도가 낮아진 곳은 침식 분지이다. ② 지질 구조선을 따라 차별 침식을 받아 형성된 것은 2차 산맥이다. ③ 고위 평탄면은 오랜 기간 침식을 받아 낮고 평탄해진 땅이 솟아 올라 형성된 것으로 지표의 기복이 작고 경사가 완만하다. ⑤ 고위 평탄면에서는 여름철에 노지에서 고랭지 농업을 한다. 비닐하우스 등을 통한 시설 재배는 대체로 대도시 주변에서 이루어진다.

**12** 제시된 자료는 우리나라의 산지를 나타낸 것이다. (가)는 흙산인 지리산, (나)는 돌산인 설악산이다. A는 흙산이 상대적으로 수치가 높은 것으로 식생 밀도, 기반암의 형성 시기 등이 들어갈 수 있다. B는 돌산이 상대적으로 수치가 높은 것으로 기반암의 노출 정도가 될 수 있다.
**바로 알기** ①, ③ 토양층 두께는 흙산이 돌산보다 두껍다. ④ 식생 밀도는 흙산이 돌산보다 높다. ⑤ 흙산의 기반암은 시·원생대에 형성된 변성암이고 돌산의 기반암은 중생대에 형성된 화강암이다. 따라서 흙산의 형성 시기가 돌산의 형성 시기보다 이르다.

**13** 제시된 자료는 우리나라의 산지 이용과 관련된 것이다. (가)는 계단식 경작을 하고 있는 경상남도 산청군 일대에 대한 내용으로 제시된 지도의 C에 해당한다. 남부 지방은 중부 및 북부 지방보다 기온이 높고 강수량이 많기 때문에 벼농사에 유리하다. 하지만 신지는 논에 물을 대기 어렵기 때문에 해당 지역의 주민들은 논에 물을 댈 수 있도록 계단식 경작지를 마련해 벼농사를 실시하고 있다. (나)는 남한강 수계에 위치하며 댐을 설치해 전력 생산, 용수 확보 등을 한다는 내용을 통해 충북 충주시의 충주댐에 대한 내용임을 알 수 있다. 제시된 지도에서는 B에 해당한다.
**바로 알기** A는 강원도 평창군 일대이다. 이 지역에는 고위 평탄면이 나타나 여름철에는 고랭지 농업, 목축업 등이 이루어지며 겨울철 눈이 많이 내리는 특성을 활용해 스키장이 건설되어 있다.

**3단계 등급 올리기**

본문 25쪽

| 01 ② | 02 ① | 03 ③ | 04 (1) 1차 산맥 − A, D, F, 2차 산맥 − B, C, E (2) 해설 참조 |
|------|------|------|------|

**01** 제시된 자료는 우리나라의 지각 운동을 설명한 것이다. 화강암은 지하 깊은 곳에서 마그마가 굳어 형성된 암석으로 오랜 세월 침식을 받으면서 지표에 모습을 드러내며 돌산을 형성한다.
**바로 알기** ① 대보 조산 운동(㉠)은 중생대 중기에 한반도 전체에 큰 영향을 주었으며 이에 따라 북동−남서 방향의 지질 구조선이 형성되었다. 남북 방향의 1차 산맥이 형성된 것은 신생대 제3기 경동성 요곡 운동과 관련이 있다. ③ 관입된 암석과 주변 암석 간의 차

별 침식으로는 침식 분지가 형성되었다. 함경산맥 등 연속성이 강한 산맥이 형성된 것은 신생대 제3기 경동성 요곡 운동의 결과이다. ④ 불국사 변동(㉢)은 중생대 말에 영남 지방을 중심으로 소규모 화강암이 관입한 운동이다. 동고서저 지형 형성의 주요 원인은 신생대 제3기 경동성 요곡 운동이다. ⑤ 경상 분지(㉤)는 중생대 중기부터 말기에 거대한 습지 또는 호수였다. 이곳은 오랜 시간 퇴적물이 두껍게 쌓이면서 경상 누층군이 형성되었다. 해성 퇴적층으로 석회암이 분포하는 곳은 고생대에 형성된 조선 누층군이다.

**02** 제시된 지도에서 A는 평남 분지, B는 경기 지괴, C는 경상 분지이다. 경상 분지는 과거 거대한 습지 또는 호수였던 곳에 퇴적물이 두껍게 쌓여 형성된 육성층이다. 경상 누층군에서는 당시 이곳에 살았던 공룡의 발자국 화석과 뼈 화석이 발견되었다. 한편 제시된 도표에서 (가)는 중생대, (나)는 고생대로, A(평남 분지)는 고생대에, C(경상 분지)는 중생대에 형성된 지층이다.

(바로알기) ㄷ. B(경기 지괴)의 기반암은 변성암이다. 변성암은 시·원생대에 형성되었다. ㉠(대보 조산 운동)으로 인해 관입한 것은 화강암이다. ㄹ. ㉠(대보 조산 운동)은 중국 방향(북동-남서), ㉡(송림 변동)은 랴오둥 방향(동북동-서남서)의 지질 구조선 형성에 영향을 주었다.

**03** 제시된 지도에서 (가) 시기의 해안선은 오늘날과 비교할 때 바다 쪽으로 더 많이 치우쳐 있다. 따라서 해수면 하강으로 육지 면적이 넓어진 최종 빙기의 해안선임을 알 수 있다. 반면 (나) 시기는 오늘날의 해안선과 거의 일치하는 것을 통해 후빙기의 해안선임을 알 수 있다. 후빙기는 빙기보다 온난 다습한 기후 환경으로 강수량이 많고 하천의 유량이 전반적으로 많다. 따라서 (나) 시기 하천의 하류 지점인 ㉠은 빙기인 (가) 시기보다 하천의 유량이 많다.

(바로알기) ① 최종 빙기인 (가) 시기 하류 지역인 ㉠ 지점은 침식 작용이 탁월하였다. 반면, 후빙기인 (나) 시기에 ㉠ 지점은 상대적으로 퇴적 작용이 탁월하게 나타난다. 따라서 ㉠ 지점에서 하천 퇴적층이 두꺼운 시기는 (나) 시기이다. ② 최종 빙기인 (가) 시기에 하천의 상류인 ㉡ 지점은 해수면 하강으로 인해 해발 고도가 후빙기인 (나) 시기보다 높았다. ④ 후빙기인 (나) 시기에 상류인 ㉡ 지점은 최종 빙기인 (가) 시기보다 식생 밀도가 높다. 최종 빙기는 후빙기보다 한랭 건조한 기후 환경으로 인해 식생의 밀도가 전반적으로 낮다. ⑤ 최종 빙기인 (가) 시기에는 물리적 풍화 작용이, 후빙기인 (나) 시기에는 화학적 풍화 작용이 활발하다.

### 서술형 문제

**04** (2) (예시답안) 1차 산맥은 경동성 요곡 운동의 영향으로 형성되었으며, 해발 고도가 높고 험준하다. 2차 산맥은 중생대 지각 운동 이후의 차별적 풍화와 침식을 받아 형성되어 상대적으로 해발 고도가 낮다.

| 채점 기준 | 배점 |
|---|---|
| 1차 산맥과 2차 산맥의 형성 과정과 특징을 모두 정확히 서술한 경우 | 상 |
| 1차 산맥과 2차 산맥의 특징만 서술한 경우 | 하 |

## 02~03 하천 지형과 해안 지형 / 화산 지형과 카르스트 지형

1단계 개념 짚어 보기 본문 28쪽

**01** (1) ○ (2) × (3) ○ (4) × (5) ○ **02** (1) ㄴ (2) ㄱ (3) ㄷ **03** ㉠ 해식애 ㉡ 시 스택 ㉢ 융기 ㉣ 사빈 ㉤ 사주 **04** ㉠ 기생 화산 ㉡ 주상 절리 **05** 돌리네

2단계 내신 다지기 본문 28~31쪽

| | | | | |
|---|---|---|---|---|
| 01 ④ | 02 ① | 03 ④ | 04 ⑤ | 05 ① |
| 06 ② | 07 ② | 08 ④ | 09 ① | 10 ④ |
| 11 ② | 12 ③ | 13 ④ | 14 ⑤ | 15 ② |

**01** 제시된 하계망에서 ㉠ 지점은 상류, ㉡ 지점은 하류이다. 일반적으로 상류에서 하류로 갈수록 하천 바닥의 경사는 완만해진다.

(바로알기) ① 여러 지류가 모이는 하류는 상류보다 평균 유량이 많다. ② 상류에서 하류로 갈수록 하천의 평균 하폭은 넓어진다. ③ 원마도는 퇴적물이 둥근 정도로 상류에서 하류로 갈수록 높아진다. ⑤ 퇴적물은 상류에서 하류로 가면서 지속적으로 깎여 평균 입자 크기가 작아진다.

**극비노트** 하천 유역과 분수계

| 하천 유역 | • 하계망을 통해 물이 모여드는 전체 범위<br>• 우리나라의 하천은 대체로 유역 면적이 좁음 |
|---|---|
| 분수계 | 유역과 유역의 경계 예 태백산맥 등 |

**02** 우리나라는 국토의 약 70%가 산지로 구성되어 있다. 산지가 많이 분포할수록 능선이나 고개 등을 의미하는 분수계가 많이 나타나며 이로 인해 우리나라 하천의 유역 분지는 좁은 편이다.

(바로알기) ② ㉡ - 감조 구간은 조류의 영향을 받는 하천에서 나타나며, 황·남해로 유입하는 하천에서 볼 수 있다. ③ ㉢ - 동고서저 지형의 영향으로 황·남해보다 동해로 흐르는 하천의 유로가 짧고 경사가 급하다. ④ ㉣ - 하천 중·상류 지역에서는 하방 침식이 활발하여 감입 곡류 하천이 발달한다. ⑤ ㉤ - 감입 곡류 하천과 선상지는 하천 중·상류 지역에서 주로 발달하는 지형이다.

**03** (가)는 산지 사이를 깊게 파고들며 흐르는 감입 곡류 하천이며, (나)는 평야 위를 자유롭게 구불구불 흐르는 자유 곡류 하천이다. 감입 곡류 하천은 신생대 제3기 이후 경동성 요곡 운동으로 지반이 융기함에 따라 형성되었다. 하천 중·상류에 발달한 감입 곡류 하천은 하천 중·하류에 위치한 자유 곡류 하천보다 하천의 바닥을 깎는 하방 침식 작용이 탁월하다. 반면, 자유 곡류 하천은 감입 곡류 하천보다 측방 침식이 활발하여 유로 변경이 심하며 하천의 범람이 빈번하다.

**바로알기** ㄴ. 하천 중·하류에 위치한 자유 곡류 하천에는 범람원, 하중도, 우각호, 구하도 등이 발달한다. 하안 단구와 침식 분지는 하천 중·상류에 발달하는 지형이다.

**04** 제시된 지도는 감입 곡류 하천이 흐르는 지역을 나타낸 것이다. A 주변은 유속이 느리고 퇴적 작용이 활발한 퇴적 사면, C 주변은 등고선이 조밀하게 나타나는 지역으로 유속이 빠르고 침식 작용이 활발한 공격 사면에 해당한다. 한편, B는 해당 지역의 고도가 하천과 차이가 거의 없는 것을 통해 과거 하천이 흘렀던 구하도임을 알 수 있다. D는 감입 곡류 하천 주변의 하안 단구로 융기 이전에 하천 바닥이었던 곳이다. 하안 단구의 단구면은 고도가 높아 홍수 위험성이 작으므로 농경지나 취락 등으로 이용된다. 구하도(B)와 하안 단구(D)는 과거 하천이 흘렀던 곳으로 바닥에서 둥근 자갈을 발견할 수 있다.

**바로알기** ⑤ ㈎ 하천은 감입 곡류 하천으로 지반 융기 이후 주로 하방 침식이 진행되어 형성되었다. 주로 측방 침식에 의해 형성된 하천은 자유 곡류 하천이다.

**05** 제시된 지도는 침식 분지를 나타낸 것이다. 침식 분지는 두 개 이상의 하천이 합류하거나 화강암이 관입한 지역에서 암석의 차별적인 풍화와 침식으로 형성된다.

**바로알기** ② A의 기반암은 변성암으로, 주로 퇴적암이 지하 깊은 곳에서 열과 압력에 의해 변성된 것이다. 지하에서 마그마가 굳어서 형성된 것은 화강암으로 B에서 볼 수 있다. ③ 침식 분지는 여러 하천이 유입되는 곳으로, 일찍부터 주거지와 농경지로 이용되었다. 침수 위험이 커서 취락이 발달하기 어려운 곳은 범람원의 배후 습지이다. ④ A의 기반암은 변성암으로 B의 기반암인 화강암보다 풍화와 침식에 강하다. ⑤ B의 기반암인 화강암은 중생대에 형성되었으며 A의 기반암인 변성암은 시·원생대에 형성되었다. 따라서 A가 B보다 형성 시기가 이르다.

**06** 제시된 그림에서 ㈎는 선상지, ㈏는 범람원, ㈐는 삼각주이다. ㄱ. 선상지는 산지와 평지가 만나 지형의 경사가 급변하는 곳에서 주로 발달한다. ㄹ. 선상지에서 삼각주로의 이동은 하천 상류에서 하류로의 이동에 해당한다. 하천 상류에서 하류로 갈수록 퇴적 물질의 평균 입자 크기는 작아진다.

**바로알기** ㄴ. 감입 곡류 하천은 산지 사이의 골짜기를 구불거리면서 흐르는 하천으로 자유 곡류 하천보다는 상대적으로 범람이 자주 나타나지 않기 때문에 범람원의 발달이 미약하다. ㄷ. 조차가 큰 해안에서는 조류에 의해 하천 퇴적 물질이 쉽게 제거되어 삼각주의 발달이 미약하다.

---

**극비노트 충적 평야**

| 선상지 | • 하천 중·상류의 골짜기 입구에 형성<br>• 우리나라는 해발 고도가 낮은 구릉성 산지가 많아 발달이 미약함 |
| --- | --- |
| 범람원 | • 하천 중·하류의 자유 곡류 하천 주변에 형성<br>• 자연 제방은 밭, 과수원, 취락 등으로 활용, 배후 습지는 배수 시설 설치 후 논으로 이용 |
| 삼각주 | • 하천이 바다로 유입하는 하구 부근에서 발달<br>• 우리나라의 큰 하천은 조류에 의해 하천 퇴적 물질이 쉽게 제거되어 삼각주의 발달이 미약함 |

**07** 제시된 지도는 범람원을 나타낸 것이다. A는 유로의 변동으로 형성된 우각호이며, B는 하천 주변에 경지를 정리하여 논농사를 하는 것을 통해 배후 습지임을 알 수 있다. 배후 습지는 배수가 불량하기 때문에 배수 시설을 갖춘 후 논으로 이용하고 있다. C는 하천 가까이에 밭으로 이용되는 곳으로 자연 제방이다.

**바로알기** ① 우각호는 하천의 유로 변동으로 인해 자연적으로 형성된 호수이다. ③ 자연 제방은 후빙기 이후 퇴적 작용에 의해 형성된 지형이다. ④ 점토질 토사로 구성된 배후 습지는 모래질 토사로 구성된 자연 제방보다 퇴적 물질의 평균 입자 크기가 작다. ⑤ 배후 습지보다 고도가 높고 물 빠짐이 좋은 자연 제방이 취락 입지에 유리하다.

**08** 제시된 지도는 하천 충적 지형을 나타낸 것으로, ㈎는 선상지, ㈏는 삼각주이다. 삼각주는 하천 하구에서 유속 감소로 토사가 쌓여 형성되며, 자연 제방과 배후 습지로 구성되어 있다.

**바로알기** ① A는 선단, B는 선앙, C는 선정이다. 선상지에서 퇴적물의 평균 입자 크기는 선정(C)에서 선단(A)으로 갈수록 작아진다. ② 선앙(B)에서는 하천이 지하로 복류해 지표수가 부족하다. 용천대가 위치해 논농사가 발달한 곳은 선단이다. ③ 선정(C)은 계곡의 입구에 위치하며 계곡에서 식수를 비롯한 생활용수를 확보할 수 있기 때문에 곡구 취락이 형성된다. ⑤ 우리나라는 높은 산지가 많지 않고 오랜 침식으로 경사 급변점을 찾아보기 어려워 선상지의 발달이 미약한 편이다. 또한, 우리나라는 대부분의 큰 하천이 조차가 큰 황해나 남해로 유입되어 하구에서 퇴적 물질이 쉽게 제거되기 때문에 삼각주의 발달이 미약한 편이다.

**09** 제시된 사진은 우리나라 서·남해안과 동해안의 해안선을 나타낸 것으로, ㈎는 서·남해안, ㈏는 동해안이다. 서·남해안은 해안선과 교차하는 산맥에서 뻗어 나온 골짜기가 바닷물에 침수되어 섬이 많고 해안선이 복잡한 리아스 해안을 이룬다.

**바로알기** ② 동해안은 신생대 제3기 지반 융기의 영향을 받아 형성되었다. 후빙기 해수면 상승 이후 형성된 침수 해안은 서·남해안이다. ③ 서·남해안은 동해안보다 지반 융기의 영향을 적게 받았다. ④ 우리나라에서 조류의 작용은 동해안보다 조차가 큰 서·남해안에서 활발하다. ⑤ 동해안은 융기의 영향으로 해안 단구가 발달하며, 조류의 작용이 활발한 서·남해안에는 갯벌이 발달한다.

**10** 제시된 사진은 다양한 해안 지형을 나타낸 것이다. A는 해식애, B는 파식대, C는 육계 사주, D는 육계도이다. A는 해안 절벽인 해식애로 암석 해안에 나타난다. 암석 해안은 일반적으로 파랑에너지가 집중하여 파랑의 침식 작용이 활발한 곳에서 잘 발달한다. 육계 사주(C)는 파랑이나 연안류에 의해 모래가 퇴적되어 육지와 섬을 연결하는 해안 지형이다. 육계 사주(C)에 의해 육지와 연결된 섬을 육계도(D)라고 한다.

**바로알기** ㄴ. 파식대(B)는 파랑의 침식 작용으로 형성된 평평한 바위 면이다. 지반 융기로 형성된 계단 모양의 지형은 해안 단구이다.

**11** 제시된 지도에서 A는 해안 단구, B는 석호, C는 사주이다. 해안 단구(A)는 해수면 하강이나 지반의 융기로 현재 해수면보다 높은 곳에 위치하게 된 계단 모양의 지형으로 과거 해안에서 퇴적되

었던 둥근 자갈이 발견된다. 사주(C)는 석호의 형성 이후 해안과 평행하게 이동하는 연안류를 따라 바다 쪽으로 퇴적된 지형이다. 해안 단구(A)는 신생대 제3기의 지반 융기의 영향을 받았으며, 석호(B)는 후빙기 해수면 상승의 영향을 받았다. 둘 다 동해안에서 주로 나타나는 지형이다.

바로알기 ② 석호(B)의 물은 바닷물보다는 염도가 낮지만 비교적 염도가 높아 농업용수 및 생활용수로 활용하기 어렵다.

**12** 제시된 자료는 태안군 일대의 해안 퇴적 지형을 모식적으로 나타낸 것이다. A는 갯벌, B는 사빈, C는 해안 사구이다. 모래사장으로 이루어져 있는 사빈(B)은 여름철에 주로 해수욕장으로 이용되며, 해안 사구(C) 밑에는 많은 양의 지하수가 있어 생활용수로 유용하게 이용된다.

바로알기 ㄱ. 사빈(B)의 모래가 쓸려나가는 것을 막기 위해 모래 포집기를 설치한다. ㄹ. 갯벌(A)은 점토 등 미립질의 퇴적물로 이루어져 있으므로 퇴적물의 입자 크기가 가장 작다. 그러나 해안 사구(C)에 퇴적되어 있는 모래의 평균 입자 크기가 사빈(B)보다 작으므로 퇴적물의 입자 크기는 A < C < B 순으로 크다.

**13** 제시된 자료는 제주도의 화산 지형과 관련된 것이다. ㉠ 제주도 해안에서는 용암의 급속한 냉각에 의해 형성된 다각형 기둥 모양의 주상 절리를 볼 수 있다. ㉡ 제주도의 기반암은 절리가 많은 현무암으로 빗물이 쉽게 지하로 스며든다. 지하로 스며든 물은 해안에 위치한 용천대를 따라 솟아오르는데 이 때문에 제주도에서는 취락이 주로 해안에 위치한다. ㉢ 한라산에는 기생 화산이 분포하는데 대체로 점성이 큰 용암 분출로 형성되었으며 제주도에서는 오름이라고 부른다. ㉤ 제주도에서는 용암의 냉각 속도 차이로 형성된 용암동굴을 볼 수 있는데 용암동굴의 내부는 석회동굴에 비해 비교적 넓은 특징을 갖고 있다.

바로알기 ㉣ 분화구 함몰로 형성된 지형은 칼데라이다. 백록담은 화구 형성 이후 호수가 만들어졌으므로 화구호이다.

---

극비노트 **제주도의 지형 특징과 취락 분포**

| 지형 특징 | 기반암이 절리가 많은 현무암으로 이루어져 있음 → 빗물이 쉽게 지하로 스며들어 용수를 구하기 어려움 |
|---|---|
| 취락 분포 | 지하수가 솟아오르는 해안의 용천대를 따라 취락이 발달함 |

---

**14** 제시된 지도는 울릉도의 화산 지형과 강원도 철원군 한탄강 일대의 용암 대지를 나타낸 것이다. A는 나리 분지, B는 종상 화산의 사면, C는 용암 대지, D는 변성암 산지이다. ⑤ 용암 대지(C)의 기반암은 현무암으로 신생대에 형성되었으나 변성암 산지(D)의 기반암은 시·원생대에 형성되었다.

바로알기 ① 나리 분지(A)는 화구가 함몰되어 형성된 칼데라 분지이다. ② 종상 화산의 사면(B)의 기반암은 유동성이 작은 조면암질 용암이 굳어 형성되었다. ③ 용암 대지(C)의 기반암은 현무암으로 투수성이 높다. 이 지역에서 논농사가 활발한 것은 기반암 위로 충적층이 형성되었고 양수장을 설치하여 한탄강의 물을 농업용수로 공급하였기 때문이다. ④ 변성암 산지(D)에서는 흙산이 형성된다. 주상 절리가 나타나는 곳은 한탄강의 양쪽 절벽면이다.

**15** 제시된 지도는 카르스트 지형을 나타낸 것이다. 카르스트 지형의 기반암은 석회암이다. 석회암은 주로 고생대 전기에 산호초나 조개껍데기가 해저에서 쌓여 형성된 퇴적암이다. A는 돌리네를 지도에 표현한 것이다. 돌리네는 빗물 등에 의해 기반암이 용식되면서 깔대기 모양으로 땅이 움푹 파인 것으로 화학적 풍화 작용으로 형성되었다. A의 남쪽으로는 채석장이 있는데 석회석을 채석하는 과정에서 지형이 훼손되기도 한다. 또한 해당 지역 주변에는 석회동굴이 형성되어 있는데, 석회동굴의 내부에는 종유석과 석순, 석주 등이 발달해 있다.

바로알기 ② 여름철 기후가 서늘해 목축업이 발달한 곳은 고위 평탄면이다. 카르스트 지형이 나타나는 곳은 배수가 양호한 토양의 특성을 활용하여 밭농사가 주로 이루어진다.

---

**3단계 등급 올리기** 본문 32~33쪽

| 01 ③ | 02 ⑤ | 03 ④ | 04 ② | 05 ② |
|---|---|---|---|---|
| 06 ③ | 07 해설 참조 | 08 해설 참조 | 09 해설 참조 | |

---

**01** 우리나라는 하천의 하상계수가 크기 때문에 물 자원을 안정적으로 공급하기 어려우며, 홍수와 가뭄 등의 영향을 많이 받을 수 있다. 이를 극복하기 위해 한강 등 여러 하천에 다목적 댐을 건설하였다. 이렇게 댐을 건설하게 되면서 한강을 비롯한 여러 하천의 하상계수는 작아졌다.

바로알기 ① 삼각주는 하천에서 유입되는 퇴적물이 조류 등에 의해 제거되는 양보다 많은 곳에서 발달한다. 우리나라에서는 압록강, 낙동강 하구에 삼각주가 형성되어 있으나, 금강, 한강, 영산강 등의 하구에는 삼각주가 형성되어 있지 않다. ② 영산강 유역은 낙동강 유역보다 면적이 좁다. ④ B에 떨어진 빗물은 금강 유역으로 유입하지만 A에 떨어진 빗물은 서쪽으로 흘러 황해로 유입한다. ⑤ (가)는 금강 하구, 영산강 하구, 낙동강 하구에 설치된 하굿둑을 나타낸다. 하굿둑은 밀물 때 바닷물의 유입을 막기 위해 설치한 것으로, 이를 통해 염해나 홍수 피해 등을 방지할 수 있다.

---

극비노트 **하굿둑**

| 의미 | 밀물 때 바닷물이 유입되지 못하도록 하구에 쌓은 둑 |
|---|---|
| 효과 | 염해 방지, 홍수 방지, 용수 확보 등 |
| 건설 지역 | 밀물과 썰물의 영향을 많이 받는 서·남해안으로 유입하는 하천 → 금강, 영산강, 낙동강 하구에 건설 |

---

**02** 제시된 지도는 상대적으로 상류와 하류에 위치한 하천을 나타낸 것이다. 하천 주변으로 등고선의 간격이 조밀한 (가)는 상류, 하천 주변에서 상대적으로 평야가 나타나는 (나)는 하류이다. D는 상대적으로 하천의 하류에 위치하며 밭농사가 이루어지는 것을 통해 자연 제방임을 알 수 있다. 반면, E는 자연 제방 배후에 형성되었으며 논농사가 이루어지는 것을 통해 배후 습지임을 알 수 있다. 자연 제방은 모래질 토사로 구성되어 있으나 배후 습지는 점토질

토사로 구성되어 있다. 따라서 ⑤ 배후 습지(E)의 토양은 자연 제방(D)의 토양보다 배수가 불량하다.

**바로 알기** ① 하천의 상류로 갈수록 하방 침식 작용이 탁월하게 나타난다. (가)는 감입 곡류 하천으로 지반 융기 이후 하방 침식이 강화되어 형성되었다. ② A는 하천과 고도 차가 크지 않으며 등고선의 배열을 통해 과거의 유로를 유추할 수 있다. 이러한 지형은 과거 하천이 흘렀던 구하도에 해당한다. ③ B와 하천 사이에는 등고선이 2개 있으나, C와 하천 사이에는 등고선이 없다. 따라서 B는 C보다 인근 하상과의 고도 차가 크다. ④ C는 E보다 상류에 위치한 지역이다. 따라서 퇴적물의 평균 입자 크기는 C가 E보다 크다.

**03** (가)는 용암 대지, (나)는 침식 분지의 단면도를 나타낸 것이다. ㄴ. (나)의 B 암석은 변성암으로 화강암보다 상대적으로 풍화와 침식에 강하며 배후 산지를 형성한다. 변성암은 일반적으로 오랜 기간 풍화되어 두꺼운 토양층을 형성해 흙산을 이룬다. ㄹ. (가)는 점성이 약한 현무암질 용암이 지각의 갈라진 틈을 따라 분출하는 열하 분출에 의해 형성되었으며, (나)는 화강암이 변성암보다 하천에 의해 빠르게 침식을 받아 중앙부가 깊게 파이는 차별 침식의 영향을 많이 받았다.

**바로 알기** ㄱ. 강수 시 일시적으로 흐르는 건천은 기반암이 절리가 발달하는 석회암이나 현무암으로 구성되어 있는 경우에 형성된다. (가)의 A 하천이 흐르는 곳은 기반암이 변성암으로 구성되어 있어 물이 지하로 스며들지 않으므로 건천으로 보기 어렵다. ㄷ. (가)의 현무암은 신생대에 화산 활동으로 형성되었다. 따라서 중생대에 관입한 (나)의 화강암보다 형성 시기가 늦다.

**04** 제시된 지도는 서해안과 동해안의 해안 지형을 나타낸 것이다. A는 암석 해안, B는 갯벌, C는 석호, D는 사주이다. 갯벌(B)은 조차가 크고 파랑의 작용이 약하며, 하천에 의한 토사 공급량이 많은 곳에 잘 발달한다. 반면, 곶에 위치한 암석 해안(A)은 만에 위치한 갯벌(B)보다 파랑 에너지가 집중된다. 점토 등의 미립질 토사가 퇴적되어 형성된 갯벌(B)은 모래의 퇴적으로 형성된 사주(D)보다 퇴적물의 평균 입자 크기가 작다. 지도에 제시된 A~D 지형은 모두 후빙기 해수면 상승 이후 파랑의 침식 및 퇴적 작용에 의해 형성되었다.

**바로 알기** ② 석호(C)는 시간이 지날수록 하천에 의한 퇴적 물질의 유입으로 인해 면적이 점차 작아진다.

**05** 제시된 지도에서 A는 해안 단구, B는 시 스택, C는 갯벌, D는 사빈, E는 해안 사구이다. 해안 단구는 해수면의 하강이나 지반의 융기로 파식대나 해안의 퇴적 지형이 현재의 해수면보다 위로 올라온 지형으로 단구면인 A의 바닥에서는 둥근 자갈이 발견된다. 갯벌(C)은 조류의 퇴적 작용에 의해 형성되며, 사빈(D)은 파랑의 퇴적 작용에 의해 형성된다.

**바로 알기** ㄴ. 시 스택(B)은 파랑의 침식 작용으로 해식애가 후퇴할 때 약한 부분은 깎이고 단단한 부분이 작은 바위섬으로 떨어져 남게 된 지형이다. ㄹ. 해안 사구(E)는 사빈(D)의 모래가 바람에 날려 만들어진 모래 언덕으로 사빈의 모래 중 비교적 가벼운 모래가 이동하게 된다. 따라서, 퇴적물의 평균 입자 크기는 갯벌(C)이 가장 작고, 해안 사구(E), 사빈(D)의 순으로 커진다.

**06** 제시된 지도의 (가)는 화산 지형(제주도), (나)는 카르스트 지형을 나타낸 것이다. A는 경사가 완만한 순상 화산체, B는 기생 화산, C는 돌리네이다. ③ 돌리네(C)에서는 기반암인 석회암이 용식되면서 석회암에 포함된 철분 등 불순물이 녹지 않고 풍화되어 붉은색을 띠는 토양이 발달한다.

**바로 알기** ① A는 등고선의 간격이 B보다 넓게 나타난다. 이는 A가 B보다 점성이 작고 유동성이 큰 용암이 굳어 형성되었기 때문이다. ② 기생 화산(B)은 화산의 중턱에 새로 용암과 화산 쇄설물이 분출하여 형성된 것이다. 화구의 함몰로 형성된 칼데라는 백두산 천지(칼데라 호)가 대표적이다. ④ 화산 지형인 (가)의 기반암은 현무암으로 신생대에 형성되었으나 카르스트 지형인 (나)의 기반암은 석회암으로 고생대에 형성되었다. 따라서 (가)의 기반암이 (나)의 기반암보다 형성 시기가 늦다. ⑤ (가)와 (나)에서는 모두 기반암에 절리가 발달하여 투수성이 높다. 따라서 두 지역 모두 논농사보다 밭농사가 주로 이루어진다.

### 서술형 문제

**07** **예시 답안** (가)는 하굿둑, (나)는 뜬다리 부두이다. (가)는 염해를 방지하기 위해, (나)는 썰물 때 물이 빠지더라도 배를 정박할 수 있도록 하기 위해 설치하였다.

| 채점 기준 | 배점 |
| --- | --- |
| (가), (나)의 명칭을 쓰고 (가), (나) 시설물을 설치한 이유를 구분하여 정확하게 서술한 경우 | 상 |
| (가), (나)의 명칭만 쓴 경우 | 하 |

**08** (1) A는 석호, B는 사주, C는 시 스택, D는 해식애이다. 해안 침식 지형은 시 스택(C)과 해식애(D)이며, 해안 퇴적 지형은 석호(A)와 사주(B)이다.

(2) **예시 답안** 해수면 상승으로 골짜기가 침수되어 만이 형성되었다. 이후 파랑과 연안류에 의해 퇴적된 사주가 성장하면서 만의 입구를 막아 석호가 형성되었다.

| 채점 기준 | 배점 |
| --- | --- |
| 석호의 형성 과정을 해수면 변동을 포함하여 정확하게 서술한 경우 | 상 |
| 만의 입구에 사주가 성장하여 석호가 형성되었다고만 서술한 경우 | 하 |

**09** **예시 답안** A(석회동굴)는 석회암, B(용암동굴)는 현무암이 주요 기반암이다. 석회동굴은 석회암이 지하수의 용식 작용을 받아 형성되었으며, 용암동굴은 용암의 냉각 속도 차이에 의해 상층의 용암은 굳었는데 내부의 용암이 흘러가면서 틈을 만들어 형성되었다.

| 채점 기준 | 배점 |
| --- | --- |
| A, B 동굴의 명칭과 주요 기반암을 쓰고, 동굴의 형성 과정을 각각 구분하여 정확하게 서술한 경우 | 상 |
| A, B 동굴의 명칭과 주요 기반암은 정확하게 썼으나 형성 과정에 대한 서술이 미흡한 경우 | 중 |
| A, B 동굴의 명칭과 주요 기반암만 쓴 경우 | 하 |

## 01 우리나라의 기후 특성
## ~ 02 기후와 주민 생활

### 1단계 개념 짚어 보기
본문 35쪽

01 (1) × (2) ○ (3) ○  02 ㉠ 북서 계절풍 ㉡ 수심  03 ㄷ, ㄹ, ㅁ
04 높새바람  05 (1) 긴 (2) 터돋움집 (3) 우데기

### 2단계 내신 다지기
본문 36~38쪽

| 01 ⑤ | 02 ② | 03 ③ | 04 ④ | 05 ③ |
| 06 ③ | 07 ① | 08 ① | 09 ⑤ | 10 ④ |
| 11 ③ | 12 ④ | | | |

01 우리나라는 북반구 중위도에 위치하여 계절의 변화가 뚜렷한 냉·온대 기후가 나타난다. 또한 유라시아 대륙의 동안에 위치하여 연교차가 큰 대륙성 기후와 계절풍 기후가 나타난다.
바로알기 ⑤ 우리나라는 겨울에는 냉각된 대륙의 영향으로 비슷한 위도의 대륙 서안보다 기온이 낮지만, 여름에는 따뜻한 바다의 영향으로 기온이 높다. 따라서 우리나라는 대륙 서안보다 기온의 연교차가 크게 나타난다.

02 ㄱ. 우리나라는 국토가 남북으로 길어서 남북 간의 기온 차가 동서 간의 기온 차보다 크다. ㄷ. A 지역은 함경산맥이 지나는 곳으로 해발 고도에 따라 기온 차이가 커 등온선이 해안을 따라 평행하게 나타나고 있다.
바로알기 ㄴ. 1월 평균 기온이 가장 낮은 중강진은 −16℃ 정도이고, 1월 평균이 가장 높은 제주도는 6℃ 정도로 지역에 따라 약 22℃의 차이가 난다. ㄹ. 육지의 영향을 많이 받는 내륙 지역은 겨울에는 기온이 낮으며, 여름에는 기온이 높아 해안 지역에 비해 기온의 연교차가 크게 나타난다.

03 지도의 A는 인천, B는 홍천, C는 대관령, D는 울릉도이다. 최한월 평균 기온이 가장 높고 1월 강수량이 가장 많은 ⟮라⟯는 동해안에 위치한 D이다. 한편 다른 지역에 비해 여름철에는 서늘하고 겨울철에는 기온이 낮은 ⟮가⟯는 태백산맥 근처에 있어 해발 고도가 높은 C이다. ⟮나⟯, ⟮다⟯ 중 최한월 평균 기온이 더 낮은 ⟮나⟯는 내륙에 위치한 B이고, ⟮다⟯는 서해안에 위치한 A이다.

04 ⟮가⟯는 제주도의 2월 1일을 시작으로 고위도로 갈수록 늦어지는 것으로 볼 때 서리 마지막 날, ⟮나⟯는 대관령 부근의 10월 11일을 시작으로 저위도로 갈수록 늦어지는 것으로 볼 때 서리 첫날이다. ㄴ. ⟮가⟯의 서리 마지막 날부터 ⟮나⟯의 서리 첫날까지의 기간은 서리가 내리지 않는 무상 기간에 해당한다. 고위도로 갈수록 서리 마지막 날은 늦고, 서리 첫날은 빨라지므로 무상 기간은 짧아진다. ㄹ. ⟮나⟯에서 ⟮가⟯까지의 기간은 서리가 내리는 기간으로 주로 겨울철에 해당한다. 비슷한 위도에서 겨울철 기온은 동해안이 서해안보다 높다. 따라서 비슷한 위도 상에서 동해안 지역이 서해안 지역보다 서리 첫날이 늦고, 서리 마지막 날이 이르기 때문에 서리가 내리는 기간이 짧다.

바로알기 ㄱ. ⟮가⟯가 가장 이른 지역은 제주도이고, ⟮나⟯가 가장 이른 지역은 대관령 부근이다. ㄷ. 단풍이 드는 시기는 연평균 기온이 낮은 지역일수록 이르므로 서리 첫날의 분포 경향과 유사하며, 봄꽃 개화 시기는 연평균 기온이 높은 지역일수록 이르므로 서리 마지막 날의 분포 경향과 유사하다.

05 지도의 A는 청천강 중·상류 일대, B는 대동강 하류 일대, C는 한강 중·상류 일대, D는 낙동강 중·상류 지역, E는 남해안 일부 지역이다. 여름철 우리나라로 유입하는 남서 기류의 바람받이 지역인 A, C, E는 강수량이 많고, 바람그늘 지역인 D와 평평한 지형인 B는 강수량이 적다.

06 우리나라의 겨울철은 시베리아 고기압의 영향으로 건조한 기후가 나타난다. 하지만 일부 지역에서는 저기압, 풍향, 바다와 지형적인 요인의 영향을 받아 많은 눈이 내리기도 한다. 제시된 지도의 A는 소백산맥 서사면 일대, B는 영동 지방, C는 울릉도이다. 강원도 영동 지방은 바다를 건너온 북동 기류가 태백산맥에 부딪칠 때 많은 눈이 내린다.
바로알기 ㄱ. 우리나라의 연 강수량은 남쪽에서 북쪽으로 가면서 대체로 줄어들어 연 적설량의 지역별 분포와 다르게 나타난다. ㄹ. 울릉도와 소백산맥 서사면 일대는 북서 계절풍이 상대적으로 따뜻한 바다를 지나면서 눈구름을 형성해 많은 눈이 내린다.

07 ⟮가⟯ 시기는 북서풍이 부는 겨울철이며, ⟮나⟯ 시기는 남서·남동 계절풍이 부는 여름철에 해당한다. 겨울철에는 주로 시베리아 지역에서 한랭 건조한 북서풍이 불어오고, 여름철에는 북태평양에서 고온 다습한 남풍 계열의 바람이 불어온다. 우리나라는 여름철보다 겨울철에 대륙과 해양의 평균적인 기압 차가 더 크기 때문에 바람의 세기는 겨울철이 여름철보다 일반적으로 더 강하게 나타난다.
바로알기 ① 겨울철에는 대륙에 시베리아 고기압이 발달하고, 바다에 저기압이 발달하여 서고동저형 기압 배치가 나타난다.

08 지도의 A는 시베리아 기단, B는 오호츠크해 기단, C는 북태평양 기단, D는 적도 기단이다. 한랭 습윤한 오호츠크해 기단(B)은 주로 늦봄에서 초여름에 영향을 미치며, 고온 다습한 북태평양 기단(C)과 만나 여름철 장마 전선을 형성한다. 장마가 끝나면 북태평양 기단이 확장하면서 남고북저형 기압 배치가 나타난다. 적도 기단(D)은 여름철 태풍이 북상할 때 우리나라에 영향을 준다.
바로알기 ① 봄철에 시베리아 기단(A)의 세력이 일시적으로 강해질 때 꽃샘추위가 나타난다.

### 극비 노트 우리나라에 영향을 미치는 기단

| 기단 | 발달 시기 | 성질 | 영향 |
| --- | --- | --- | --- |
| 시베리아 기단 | 겨울 | 한랭 건조 | 한파, 폭설, 꽃샘추위 |
| 오호츠크해 기단 | 늦봄~초여름, 가을 | 냉량 습윤 | 장마, 높새바람 |
| 북태평양 기단 | 여름 | 고온 다습 | 장마, 무더위, 열대야 |
| 적도 기단 | 여름 | 고온 다습 | 태풍 |

**09** 한반도 북쪽에 저기압이 발달하고, 일본 남쪽 바다에 북태평양 고기압이 발달하여 남고북저형 기압 배치가 나타나는 것으로 볼 때 한여름의 일기도임을 알 수 있다. 이 시기에는 불볕더위가 자주 나타나고, 한밤중과 새벽에도 일 최저 기온이 25 ℃ 이하로 떨어지지 않는 열대야 현상이 발생하여 냉방기 사용에 의한 전력 소비량이 증가한다.

**바로알기** ① 솜옷이나 가죽옷은 조상들이 추운 겨울철에 즐겨 입던 옷이다. ② 단풍이 드는 시기는 가을철이다. ③ 농촌 지역에서 모내기를 하는 시기는 4월 말에서 5월 초 정도이다. ④ 폭설에 대비하여 자동차 스노 체인을 준비해야 하는 시기는 겨울철이다.

**10** (가)는 방을 'ㅡ'자형으로 배치하고, 덥고 습한 여름철의 생활 공간인 대청마루가 있는 것으로 볼 때 남부 지방에서 볼 수 있는 전통 가옥이다. (나)는 방을 '田'자형으로 배치하고, 부엌의 열기를 난방에 활용할 수 있도록 한 시설인 정주간이 있는 것으로 볼 때 관북 지방에서 볼 수 있는 전통 가옥이다. ㄴ, ㄹ. 관북 지방은 남부 지방에 비해 고위도에 위치하며, 최한월 평균 기온이 낮다.

**바로알기** ㄱ. 관북 지방은 남부 지방에 비해 연평균 기온이 낮고, 기온의 연교차가 크다. ㄷ. 겨울이 비교적 온화한 남부 지방은 김치가 쉽게 시어지기 때문에 북부 지방에 비해 짜고 맵게 김치를 담근다.

**11** 염전에서 소금을 생산하는 천일제염업은 강수량이 적고 일조 시간이 긴 서해안 지역에서 발달하였다. 사과를 재배하는 과수 농업은 기온의 일교차가 크고, 일조량이 풍부한 경북 내륙 지역에서 발달하였다. 이들 지역은 모두 연 강수량이 적어 일조 시수가 길다.

**12** 기후는 주민 생활의 형성과 변화뿐만 아니라 경제생활에도 큰 영향을 미친다. 기상 정보를 경영에 활용하는 날씨 경영은 유통업, 관광 산업, 에너지 산업, 농수산업 등 다양한 분야에 적용할 수 있다. 최근 날씨 경영의 영역이 점차 넓어지며, 날씨는 계절상품을 생산하고 판매하는 제조업에도 많은 영향을 준다. 계절상품을 생산 및 판매하는 업체에서는 원자재 구매, 생산 및 출고량 조절 등에 기상 정보를 효율적으로 활용하고 있으며, 이를 통해 재고량을 줄이고 매출액을 늘리고 있다.

**3단계 등급 올리기**　　　　　본문 39쪽

01 ⑤　　　02 ③　　　03 ③　　　04 (1) 울릉도
(2) 해설 참조

**01** 지도에 표시된 관측 지점은 인천, 대관령, 울릉도이다. 그래프의 A는 세 지역 중 겨울 강수량이 다른 지역에 비해 많다. 이곳은 울릉도로 차가운 북서 계절풍이 상대적으로 따뜻한 바다를 지나면서 눈구름을 형성하여 많은 눈이 내린다. B는 세 지역 중 여름 강수량과 겨울 강수량의 합이 가장 크다. 이에 해당하는 곳은

대관령이다. 대관령은 해발 고도가 높고 비구름이 상승하는 바람받이 지역으로 지형성 강수가 많이 내린다. 겨울에는 동해에서 불어오는 북동 기류가 태백산맥에 부딪치며 많은 눈이 내린다. 울릉도와 대관령은 다설지에 속한다. C는 여름철 남서 기류 및 장마 전선의 영향을 받아 여름 강수량이 많은 인천이다. ㄷ. 대관령은 인천보다 해발 고도가 높다. ㄹ. 인천이 울릉도보다 기온의 연교차가 크다.

**바로알기** ㄱ. 울릉도는 겨울에 강설량이 많아 울릉도의 전통 가옥에는 방설벽인 우데기가 설치되어 있다. ㄴ. 울릉도는 대관령보다 여름 강수 집중률이 낮다.

**02** ③ 장마 전선은 냉량 습윤한 대륙성 한대 기단인 오호츠크해 기단과 고온 다습한 해양성 열대 기단인 북태평양 기단이 만나 정체되어 형성된다.

**바로알기** ① 꽃샘추위는 봄철 시베리아 기단의 일시적인 확장으로 발생한다. ② 높새바람은 오호츠크해 기단에서 발원한 북동풍이 태백산맥을 넘으면서 영서 및 경기 지방에 부는 고온 건조한 바람이다. 높새바람이 지속되면 영서 지방에서 가뭄이나 이상 고온 현상이 나타난다. ④ 소나기는 강한 일사에 의해 공기가 상승하면서 발생하는데, 이는 대류성 강수에 속한다. ⑤ 북동 기류의 영향으로 폭설이 발생하는 지역은 영동 지방과 대관령 등지이다.

**03** 지도의 A는 인천, B는 울릉도, C는 제주도 서귀포이다. (가)는 제주도 서귀포에서 수치가 가장 높고, 인천에서 수치가 가장 낮은 것으로 볼 때 최한월 평균 기온이다. 제주도 서귀포는 세 지역 중 위도가 가장 낮고 해안에 위치해 있어 최한월 평균 기온이 가장 높다. 인천과 울릉도는 비슷한 위도에 위치해 있지만 동해에 위치한 울릉도에서는 해양성 기후의 특징이 나타난다. 따라서 인천이 세 지역 중 최한월 평균 기온이 가장 낮다. (나)는 울릉도에서 수치가 가장 높고, 인천에서 수치가 가장 낮은 것으로 볼 때 1월 상수량이다. 울릉도는 우리나라에서 최다설지로 다른 지역에 비해 1월 강수량이 많다.

**바로알기** 기온의 연교차는 인천, 울릉도, 제주도 서귀포 순으로 크다. 최난월 평균 기온은 제주도 서귀포, 인천, 울릉도 순으로 높다. 8월 강수량은 제주도 서귀포, 인천, 울릉도 순으로 많다.

**서술형 문제**

**04** (2) **예시답안** 우데기. 울릉도에서는 겨울철 강설량이 많아 생활 공간을 확보하기 위해 방설벽인 우데기를 설치한다.

| 채점 기준 | 배점 |
|---|---|
| 우데기라고 쓰고, 겨울철 강설량이 많아 생활 공간을 확보하기 위해 방설벽을 설치하였다고 정확히 서술한 경우 | 상 |
| 우데기라고 썼으나, 겨울철 강설량이 많다고만 서술한 경우 | 중 |
| 우데기라고만 쓴 경우 | 하 |

# 03 자연재해와 기후 변화

## 1단계 개념 짚어 보기
본문 41쪽

**01** ㄱ, ㄴ, ㄹ, ㅁ **02** (1) × (2) ○ **03** (1) – ⓒ (2) – ㉠ (3) – ⓒ
**04** (1) 한류성 (2) 파리 협정 **05** ㉠ 위도 ⓒ 냉대림 **06** (1) 충적토
(2) 성대 토양

## 2단계 내신 다지기
본문 42~44쪽

| | | | | |
|---|---|---|---|---|
| 01 ④ | 02 ③ | 03 ② | 04 ① | 05 ④ |
| 06 ④ | 07 ② | 08 ③ | 09 ④ | 10 ③ |
| 11 ② | 12 ③ | | | |

**01** 그래프에서 A는 겨울철에 주로 발생하는 대설, B는 여름철에 주로 발생하는 호우, C는 한여름에서 가을 사이에 주로 발생하는 태풍이다. ① 대설이 내리면 비닐하우스, 축사 등 시설물이 붕괴되며, 교통이 마비되어 도로가 혼잡해진다. ② 호우는 여름철에 장마 전선이 정체하면서 많은 비가 내릴 때 주로 발생한다. ③ 태풍은 강한 바람과 많은 비를 동반하여 풍수해를 일으킨다. ⑤ 대설은 서고동저형의 기압 배치가 나타나는 겨울철에 주로 발생한다. 남고북저형 기압 배치는 한여름의 기압 배치이다.
**바로 알기** ④ 우리나라는 연 강수량의 대부분이 여름철에 집중된다. 따라서 우리나라 연 강수량에는 호우(B)가 대설(A)보다 큰 영향을 준다.

**02** A는 여름에서 초가을에 걸쳐 발생하는 것으로 볼 때 태풍이다. 태풍은 중심 부근의 최대 풍속이 17m/s 이상인 열대 저기압으로 저위도 해상에서 발생하여 중위도 지역으로 북상한다. 태풍은 바다에서 위력이 강해 내륙 지역보다는 섬과 해안 지역에 더 큰 피해를 준다. 특히 태풍이 통과하는 지역의 오른쪽인 위험 반원에 자주 놓이는 남동 해안 지역이 서해안 지역보다 피해가 크게 나타난다.
**바로 알기** ① 외출 시 마스크를 착용해야 하며 호흡기 환자에게 특히 위험한 것은 봄철에 주로 발생하는 황사 현상이다. ② 진행 속도가 느린 반면, 피해 지역의 범위가 넓은 자연재해는 가뭄이다. ④ 피해를 줄이기 위해 신속한 제설 작업이 필요한 자연재해는 대설이다. 태풍의 피해를 줄이려면 정확한 태풍 예보와 체계적인 대비책이 필요하다. ⑤ 한랭 건조한 기류가 바다를 건너는 과정에서 눈구름이 형성되어 많은 눈이 내리는 현상은 대설이다.

**03** (가)는 홍수, (나)는 대설로 인한 피해 모습을 나타낸 것이다. 홍수는 주로 장마 전선의 영향을 받거나 태풍이 통과할 때 내리는 집중 호우로 많이 발생한다. 대설은 짧은 시간에 많은 양의 눈이 오는 기상 현상이다. 홍수에 대비하기 위해서는 하천에 댐이나 보 등을 건설하고, 폭설의 피해를 줄이기 위해서는 시설물을 미리 보강하는 등의 대비가 필요하다.

**바로 알기** ㄴ. 가뭄에 대한 설명이다. ㄹ. 대설은 북서 계절풍이 주로 부는 겨울철에, 홍수는 남동·남서 계절풍이 주로 부는 여름철에 발생한다.

**04** (가)는 황사, (나)는 태풍 발생 시 행동 요령이다. ① 황사는 중국과 몽골 내륙의 사막 등지에서 발생한 모래 먼지가 편서풍을 타고 우리나라로 날아오는 현상이다.
**바로 알기** ② 태풍은 적조 현상을 완화시켜 준다. ③ 태풍이 우리나라에 상륙하면 여름철 무더위가 한풀 꺾이기도 한다. ④ 황사는 봄철, 태풍은 여름에서 초가을에 걸쳐 주로 발생한다. ⑤ 황사는 과거에는 주로 봄에 나타났으나, 최근에는 중국 내 사막화 현상의 확대로 가을, 겨울에도 나타나면서 발생 빈도는 점점 높아지고 있다.

**05** 지도를 보면 과일의 재배 지역이 점점 북상하고 있다. 이러한 변화는 지구 온난화에 따른 기온 상승을 반영하고 있다. ㄱ. 삼림은 광합성 작용을 통해 대기 중 이산화탄소 농도를 낮추는 역할을 한다. 따라서 열대림 파괴는 기후 변화의 원인이 된다. ㄷ. 지구 공전 궤도의 변화로 지구와 태양 간의 거리가 달라지면서 지구의 기온이 변화한다. ㄹ. 석탄, 석유 등 화석 연료의 사용량 증가로 대기 중에 이산화탄소, 메탄 등 온실 기체의 농도가 높아지면서 온실 효과를 가중시켜 기후 변화 현상이 심화되고 있다.
**바로 알기** ㄴ. 풍력, 태양광 등 신·재생 에너지 보급률이 증가하면 상대적으로 화석 연료에 대한 의존도가 낮아져 기후 변화 현상이 완화될 수 있다.

**06** 자료와 같이 우리나라의 평균 기온이 상승하면 지표에 눈이 쌓여 있는 날인 적설 일수가 줄어들고, 일 최저 기온이 25℃ 이하로 떨어지지 않는 열대야 일수와 서리 마지막 날과 서리 첫날 사이의 기간인 무상 일수는 증가한다. 이는 그림의 D에 해당한다.

**07** 표를 보면 1920년대와 비교한 1990년대의 서울은 봄과 여름의 시작일이 빨라졌고, 가을과 겨울의 시작일은 늦어졌다. ② 겨울의 시작일이 늦어졌다는 것은 가을의 종료일도 늦어졌다는 것을 뜻한다.
**바로 알기** ① 여름의 시작일이 빨라졌고 가을의 시작일이 늦어졌으므로 여름의 길이가 늘어났다. ③ 봄이 일찍 시작되므로 봄꽃의 개화 시기가 빨라졌을 것이다. ④ 가을이 늦게 시작하므로 단풍이 드는 시기가 늦어졌을 것이다. ⑤ 여름의 길이는 늘어났고, 겨울의 길이는 줄어들었는데 이는 서울의 평균 기온이 높아졌기 때문이다.

**08** 제시된 지도에서 사과 재배 적지와 가능지의 면적이 줄어들고 있는데, 이는 지구 온난화로 기온이 상승하기 때문이다. 지구 온난화가 심화되면 해수 온도가 상승하여 한류성 어종의 어획량은 감소하고, 난류성 어종의 어획량은 증가할 것이다. 또한 농작물의 재배지는 북상하는 경향을 보일 것이다.
**바로 알기** 지구 온난화가 심화되면 봄꽃의 개화 시기는 빨라지고, 고산 식물의 분포 범위는 줄어들게 된다.

**09** 지구 온난화에 따른 기후 변화를 줄이기 위해 우리나라는 온실 기체 배출량 감소 대책을 마련하고 있다. 2015년 아시아권 최초로 배출권 거래제를 도입하였으며, 에너지 절약형 자동차 개발을 지원하고, 교통 혼잡을 줄이기 위해 지능형 교통 조정 시스템을 확충해 나가고 있다. 또한, 신·재생 에너지의 이용을 늘리고 자원 절약형 산업을 육성하는 정책도 시행하고 있다.

**바로 알기** ④ 해외 석유 및 석탄 개발을 통해 에너지를 확보한다고 해서 온실 기체 감축이 이루어지는 것은 아니다.

**10** 지도는 우리나라 식생의 수평적 분포와 수직적 분포를 나타낸 것이다. 식생은 기온의 영향을 크게 받는데, 식생의 수평적 분포는 위도와 밀접한 관련이 있다. 식생의 수평적 분포는 남쪽에서 북쪽으로 가면서 난대림, 온대림, 냉대림 순서로 나타난다. 우리나라 대부분의 지역에는 온대림이 분포하며, 남해안과 제주도 및 울릉도의 저지대에는 난대림이 분포한다. 개마고원과 일부 고산 지역에는 냉대림이 분포한다. 위도가 높아질수록 냉대림이 분포하는 고도의 하한선은 낮아진다. 한편 식생의 수직적 분포는 해발 고도의 영향을 받는데, 이는 해발 고도가 상승함에 따라 기온이 하강하기 때문이다. 한라산은 이러한 식생의 수직적 분포가 가장 뚜렷하게 나타난다.

**바로 알기** ③ 한라산에는 난대림, 온대림, 냉대림이 모두 분포하지만, 백두산에는 온대림과 냉대림만 분포한다. 따라서 한라산이 백두산보다 식생의 수직적 분포가 다양하다.

---

**극비 노트** **식생의 수평적 분포**

| 난대림 | 남해안, 제주도, 울릉도의 저지대 등 → 동백나무, 후박나무 등의 상록 활엽수 분포 |
|---|---|
| 온대림 | 고산 지역을 제외한 대부분 지역 · 낙엽 활엽수와 침엽수가 섞인 혼합림 분포 |
| 냉대림 | 개마고원 및 고산 지역 → 전나무 등의 침엽수 분포 |

---

**11** 지도의 A는 갈색 삼림토, B는 석회암 풍화토, C는 화산회토, D는 염류토, E는 충적토이다. ② 석회암 풍화토는 기반암(모암)인 석회암이 용식된 후 남은 철분 등이 산화되어 형성된 붉은색의 토양으로, 주로 고생대 지층에 분포한다.

**바로 알기** ① 갈색 삼림토(A)는 토양의 생성 기간이 길어 층리가 뚜렷하게 발달하였다. ③ 화산회토(C)는 화산 지형이 나타나는 제주도, 울릉도, 철원 등지에 주로 분포한다. ④ 염류토(D)는 간척지에 주로 분포하며, 염분을 제거하면 농사를 지을 수 있다. ⑤ 충적토(E)는 홍수 때 하천에 의해 운반되어 온 토사가 고도가 낮은 지역에 퇴적되어 형성된 토양으로 비옥하다.

**12** 도시 농업이 활성화할 경우 도시 내 녹지 공간이 늘어나 공기 정화 효과가 나타나며, 도시의 열섬 현상이 완화되어 열대야 발생 일수가 줄어들 것이다.

**바로 알기** ㄹ. 도시는 농촌보다 인공 열의 발생이 많아 농촌에 비해 기온이 높은 열섬 현상이 나타난다. 도시 농업을 통해 녹지 면적을 증가시키면 도시와 농촌 간의 기온 차가 감소할 것이다.

---

**3단계 등급 올리기** 본문 45쪽

**01** ④   **02** ③   **03** ③   **04** (1) 지진
(2) 해설 참조

**01** (가)는 3, 4월의 발생 비중이 높고, 외출 시 마스크를 착용해야 하는 것으로 볼 때 황사이다. (나)는 7, 8월의 발생 비중이 높고, 가벼운 옷차림을 해야 하는 것으로 볼 때 폭염이다. ④ 폭염은 남고북저형 기압 배치가 전형적으로 나타나는 여름철에 주로 발생한다.

**바로 알기** ① 오호츠크해 기단에서 불어오는 북동풍이 태백산맥을 넘으면서 영서 지방에 고온 건조한 바람이 부는데 이를 높새바람이라고 한다. 높새바람이 불 때 영서 지방에서는 이상 고온 현상과 가뭄이 나타난다. ② 우데기는 겨울철 많은 눈이 내리는 울릉도의 전통 가옥 시설이다. ③ 열대 해상에서 발생하여 고위도로 북상하는 자연재해는 태풍이다. ⑤ 최근 중국 내 사막화 현상이 확대되면서 황사의 피해 규모는 점차 늘어나고 있다.

**02** 그래프를 통해 한반도의 기온 상승으로 결빙 일수가 감소하고, 식물 성장 가능 기간이 증가할 것으로 예상된다.

**바로 알기** 갑. 기온이 상승하면 내장산에서 단풍이 드는 시기는 늦어질 것이다. 정. 해수의 온도 역시 상승하기 때문에 난류성 어종이 차지하는 비중이 증가하는 반면 한류성 어종이 차지하는 비중은 감소할 것이다.

**03** 생성 기간이 길어 층리가 뚜렷하게 발달한 성숙토 중 주로 냉대림 지대에 분포하는 토양은 회백색토이다. ③ 회백색토는 기후와 식생의 특성이 반영된 성대 토양이다.

**바로 알기** ① 기반암의 특성이 반영된 토양은 간대토양이다. ② 서해안의 간척지에 주로 분포하는 토양은 염류토이다. ④ 고생대 퇴적암 분포 지역에서 볼 수 있는 토양은 석회암 풍화토이다. ⑤ 하천에 의해 운반된 물질이 퇴적된 토양은 충적토이다.

---

**서술형 문제**

**04** (2) **예시 답안** 지진에 대비하기 위해서는 건물을 지을 때 내진 설계를 강화하고, 지진 발생 시 행동 요령에 관한 교육을 확대해야 한다.

| 채점 기준 | 배점 |
|---|---|
| 내진 설계 강화 및 지진 발생 시 행동 요령에 관한 교육 확대 등 대책 두 가지를 정확히 서술한 경우 | 상 |
| 내진 설계 강화 및 지진 발생 시 행동 요령에 관한 교육 확대 등 대책을 한 가지만 서술한 경우 | 하 |

## 01 촌락의 변화와 도시 발달

### 1단계 개념 짚어 보기
본문 47쪽

01 (1) ○ (2) ○ (3) × (4) × 　02 (1) ㄴ, ㅂ (2) ㄹ, ㅁ (3) ㄱ, ㄷ
03 (1) 집촌 (2) 종착 (3) 종주 도시화 (4) 도농 통합시 　04 ㉠ 수출
㉡ 남동 임해

### 2단계 내신 다지기
본문 48~50쪽

| 01 ⑤ | 02 ③ | 03 ① | 04 ② | 05 ⑤ |
| 06 ① | 07 ④ | 08 ⑤ | 09 ② | 10 ③ |
| 11 ④ | 12 ② | | | |

**01** 제시된 지도는 안동 하회마을이다. 이 마을은 우리나라 전통 문화를 잘 간직하고 있어 유네스코 세계 문화유산으로 지정되어 있다. 마을 뒤에는 산이 있고 앞으로는 강이 흐르는 배산임수의 지형상에 위치하고 있어 용수 및 땔감 확보에 유리하다. 또한 낙동 강이 만들어놓은 범람원의 자연 제방에 위치하고 있다.
**바로 알기** ⑤ 하회마을은 삼면이 강으로 둘러 싸여 있으며 뒤쪽은 산으로 막혀 있어서 육로를 통해 다른 지방으로 가기에는 불편한 요소가 많다.

**02** 교통과 관련된 취락으로 육상 교통의 요지에 역원 취락이 발달하였다. 역(驛)은 과거에 말을 바꿔주던 관청이 있던 곳이며 원(院)은 관리들이 쉬어갈 수 있는 숙박 시설이 있었다. 대표적인 역원 취락으로는 역삼동, 이태원, 조치원 등이 있다.
**바로 알기** ① 배수가 양호하고 홍수의 위험이 적은 곳은 범람원의 자연 제방이다. ② 제주도에서 물을 얻기 쉬운 곳은 용천이 분포하는 해안 지역이다. ④, ⑤ 중강진, 통영 등은 군대가 주둔했던 지역에 발달한 병영촌으로 방어와 관련된 취락이며, 나루터 취락의 사례로는 노량진, 마포 등이 있다.

**03** 산업화와 도시화로 인한 이촌 향도 현상으로 농촌 인구가 감소하였는데, 특히 청장년층 인구의 유출이 컸다. 그 결과 농촌은 노령화 현상이 심각해졌으며 노동력 부족 문제가 나타나게 되었다.
**바로 알기** ㄷ. 농가 인구의 감소가 농지 면적의 감소보다 컸기 때문에 농가당 경지 면적은 오히려 증가하였다. ㄹ. 대가족을 이루고 있던 농가에서 젊은 층이 떠나고 노년층만 남아 있게 되면서 농촌의 가구당 인구수는 감소하였다.

**04** 지도의 A는 강원도 평창군, B는 경상북도 안동시, C는 전라북도 임실군, D는 전라남도 보성군이다. 이중에서 고랭지 농업을 체험하기에 가장 적합한 곳은 평창군이며, 치즈가 특산물인 지방은 임실군이다. 또한 전통문화를 보존하고 있는 고택 체험을 할 수 있는 곳으로는 안동시가 가장 적합하다.

**05** 농업을 주로 하는 농촌은 농경지와 배후 산지가 만나는 곳, 즉 배산임수의 지형에 마을이 입지한다. 용수 확보가 제한된 지역

에서는 물이 있는 곳에 사람들이 모여 살기 때문에 집촌을 이루는 경우가 많다. 우리나라 대부분의 어촌은 농업과 어업을 겸하는 반농 반어촌인 경우가 많으며, 산촌은 주로 밭농사 지대, 산간 지역, 신 개척지 등에서 볼 수 있다.
**바로 알기** ⑤ 집들이 모여 있는 집촌은 경지와 가옥이 분리되어 있는 반면, 자신의 경지 주변에 가옥이 위치하는 경우가 많은 산촌은 가옥과 경지의 결합도가 높다.

#### 극비 노트 집촌과 산촌

| 구분 | 특징 |
| --- | --- |
| 집촌(集村) | • 특정 장소에 가옥이 밀집<br>• 벼농사와 같이 협동 노동이 필요한 지역, 동족촌, 용수가 한정된 지역 등에 분포<br>• 가옥과 경지의 결합도가 낮음, 협동 노동에 유리함 |
| 산촌(散村) | • 가옥이 흩어져 분포하여 밀집도가 낮음<br>• 밭농사나 과수원 지대, 산간이나 구릉지, 새로 개간한 지역 등에 분포<br>• 가옥과 경지의 결합도가 높음, 협동 노동에 불리함 |

**06** 1960년대는 도시화율이 약 40%로 도시 인구보다 농촌 인구가 많았으며, 1970년~1990년 사이는 이촌 향도 현상으로 농촌의 인구가 도시로 몰려들면서 도시 인구가 급증하는 가속화 단계에 해당한다. 그리고 1990년대 이후는 도시화 곡선이 완만해지는 종착 단계에 해당한다.
**바로 알기** ㄷ. 이촌 향도 현상은 1970년대가 2000년 이후보다 심하였다. ㄹ. 교외화 현상은 주로 도시에서 도시로의 인구 이동이기 때문에 도시화율에 큰 영향을 주지 않는다.

**07** 남동 임해 공업 지역은 1970년대 수출 위주의 중화학 공업 육성 정책에 따라 정부의 집중 투자와 지원이 이루어졌으며, 이것이 이 지역 도시 발달에 큰 영향을 주었다.
**바로 알기** ① 군산, 목포 등은 우리나라의 자원이나 쌀 등을 일본으로 반출하기 위해서 개항한 항구 도시이다. ② 병참 기지로 조성된 지역에서는 중화학 공업이 발달하였다. ③ 이촌 향도 현상은 농촌의 인구가 도시로 몰려드는 현상이며, 교외화 현상은 대도시의 인구가 주변으로 빠져나가는 현상이다. ⑤ 교외화 현상으로 대도시 주변에 만들어진 신도시들은 일반적으로 자족 기능이 약한 편이다.

#### 극비 노트 우리나라의 도시 발달

| 1960년대 | 경제 개발에 따른 이촌 향도 → 급속한 도시화로 서울, 부산 등 대도시 성장 |
| --- | --- |
| 1970년대 | 지방 중심 도시 성장, 수출 위주의 공업화 정책 추진으로 남동 임해 지역에 공업 도시 발달 |
| 1980년대 이후 | 대도시의 과밀 완화를 위해 인구 분산 정책 시행 → 신도시와 위성 도시 성장 |

**08** 지도를 보면 우리나라의 도시 발달이 대도시를 중심으로 이루어졌음을 알 수 있으며, 특히 수도권과 영남권을 연결하는 경부 축을 중심으로 도시가 성장하였음을 알 수 있다. 또한 서울, 부산

등 대도시의 주변에는 대도시의 일부 기능을 분담하는 많은 신도시들이 생겨났는데 이는 대도시로의 지나친 집중으로 교외화 현상이 발생했기 때문이다.

**바로알기** ㄱ. 지방 중소도시의 성장은 둔화되었다. ㄴ. 도시 인구 분포의 지역차는 심화되었다.

**09** 그림의 A, B, C 중심지 중에서 A가 가장 고차 중심지이며 C가 가장 저차 중심지이다. 고차 중심지는 저차 중심지에 비해서 중심지 간의 거리가 멀다.

**바로알기** ① 중심지의 수는 저차 중심지인 C가 가장 많다. ③ 고차 중심지인 A가 그보다는 저차 중심지인 B보다 중심지 기능이 다양하다. ④ 고급 서비스 기능은 최고차 중심지인 A에 가장 많이 입지해 있다. ⑤ 고차 중심지는 저차 중심지보다 최소 요구치가 크고 더 넓은 배후지를 갖는다. 따라서 최소 요구치는 A > B > C 순으로 크게 나타난다.

**10** 도농 통합시는 도시와 인근 농촌을 결합하여 만든 하나의 행정 단위이다. 이러한 행정 구역 개편은 생활권이 같은 도시와 주변 농촌을 하나의 행정 단위로 개편하여 행정 업무를 간소화하고, 도시와 농촌의 상호 보완적 관계를 통해 지역 발전을 이루려는 데 그 목적이 있다. 도농 통합으로 주민 생활권과 행정 구역의 일치, 도시와 농촌 간의 지역 격차 해소, 농촌의 생활 수준 향상, 도시의 과밀 문제 및 농촌의 과소 문제 해결, 지방 도시와 배후 농촌의 경쟁력 강화 등 다양한 효과를 기대할 수 있다.

**바로알기** ③ 도시의 무질서한 팽창을 막기 위해서 만든 것은 개발 제한 구역이다.

**11** 지도의 (개)는 상주시, (내)는 구미시, (대)는 대구시이다. 면적은 큰 차이를 보이지 않지만 인구와 서비스 산업의 규모는 대구가 가장 크고 다음으로 구미, 상주 순이다. 즉 대구가 가장 규모가 큰 고차 중심지이며 상주가 가장 규모가 작은 저차 중심지에 해당한다. 배후지의 면적은 고차 중심지일수록 넓다.

**바로알기** ① 인구 밀도는 구미가 상주보다 높다. ② 종합병원과 대학 등의 고차 기능은 구미가 상주보다 많다. ③ 상주와 비슷한 규모의 도시가 대구 규모의 도시보다 도시 수가 더 많다. ⑤ 구미와 비슷한 규모의 도시 간의 거리가 대구와 비슷한 규모의 도시 간의 거리보다 가깝다.

**12** 제시된 그래프를 보면 주요 대도시의 인구는 꾸준히 증가하였으나 2000년 이후에는 정체되는 현상이 나타나고 있는데 이는 교외화 현상이 영향을 주고 있다. 이러한 현상은 특히 서울에서 두드러지게 나타난다. 서울의 인구는 소폭이지만 감소하고 있는데 이는 주변의 신도시로 인구가 빠져나가고 있기 때문이다. 1990년 이후 인천의 인구가 빠르게 성장하였는데 여기에는 강화도와 영종도가 행정 구역에 포함된 영향도 있다. 1970~1990년은 도시 인구 성장의 가속화 단계에 해당하는 시기로 이 시기 부산의 인구 성장은 이촌 향도 현상이 주 원인이다.

**바로알기** ② 1955년에는 수위 도시인 서울 인구에 비해 2위 도시인 부산의 인구가 절반 이상이다. 따라서 당시에는 종주 도시화 현상이 나타났다고 볼 수 없다.

## 3단계 등급 올리기

본문 51쪽

**01** ②     **02** ⑤     **03** ②

**04** (1) (개) 집촌 (내) 산촌 (2) 해설 참조

**01** 1990년에 비해 2015년 ○○군의 인구를 보면 유소년과 청장년 인구는 감소한 반면 노년 인구는 증가하였음을 알 수 있다. 따라서 전체 인구를 연령 순으로 세웠을 때 중간에 위치하는 사람의 연령인 중위 연령은 높아졌으며, 유소년 인구 대비 노년 인구의 비율인 노령화 지수는 높아졌다. 반면 유소년 인구의 감소로 인해서 초등학교 학생 수는 감소하였다. 따라서 그림의 B에 해당한다.

**02** 제시된 그래프는 시기별 우리나라 주요 도시의 인구 규모와 순위 변화를 나타낸 것이다. 그래프를 보면 1980년 ~2015년 사이에 인천의 인구는 약 세 배 가까이 증가하였으나 광주의 인구 증가율은 두 배가 안 되므로 인천의 인구 증가율이 광주의 인구 증가율보다 높다.

**바로알기** ① 1960년에 이미 서울의 인구가 부산 인구의 2배를 넘어서고 있어서 종주 도시화 현상이 나타나고 있다. ② 2015년 수도권 도시 중 10대 도시에 포함된 도시는 서울, 인천, 수원, 고양으로 10개 중 절반이 되지 않는다. ③ 2015년 서울의 인구는 광역시의 인구를 모두 합한 것보다 적다. ④ 1960년에는 수도권 신도시가 10대 도시에 포함되어 있지 않다.

**03** 제시된 자료에서 A는 2015년 도시 수 비중은 가장 작지만 도시 인구 비중은 가장 크다. 따라서 A는 100만 명 이상의 도시군이다. D는 2015년 도시 수 비중이 가장 크지만, 도시 인구 비중은 가장 작다. 따라서 D는 20만 명 미만 도시군이다. 같은 방식으로 B와 C를 분석하면 B는 50~100만 명, C는 20~50만 명 도시군에 해당한다. ① 20만 명 미만 도시군인 D의 1975년 도시 수 비중은 60% 이상이었으나 2015년에는 약 40%로 감소하였다. ③ 1975년 대비 2015년 도시 인구 비중의 증가 폭은 C 도시군이 가장 크다. ⑤ 인구 규모 50~100만 명인 B가 인구 규모 20~50만 명인 D보다 고차 중심지이므로, B 도시군의 도시들이 D 도시군의 도시들보다 다양한 중심지 기능을 보유하고 있다.

**바로알기** ② 100만 명 이상 도시군의 도시 수 비중은 증가하였지만, 도시 인구 비중은 감소하였다.

### 서술형 문제

**04** (2) **예시 답안** 논농사가 발달한 평야 지대에 주로 분포하는 집촌과 달리 산촌은 경지가 좁고 과수 재배나 밭농사가 주로 이루어지는 구릉지나 산간 지역, 새롭게 개간된 간척지 등에서 나타난다.

| 채점 기준 | 배점 |
| --- | --- |
| 집촌과 비교한 산촌의 분포 특징을 자연적 조건과 연결지어 정확하게 서술한 경우 | 상 |
| 집촌과 비교한 산촌의 분포 특징을 서술하였으나 자연적 조건과의 연결이 미흡한 경우 | 중 |
| 산촌의 분포 특징을 간략하게 서술한 경우 | 하 |

## 1단계 개념 짚어 보기

본문 53쪽

**01** (1) ○ (2) ○ (3) ×　**02** ㉠ 집심 ㉡ 이심　**03** (1) ㄱ (2) ㄷ
(3) ㄴ (4) ㄹ　**04** ㉠ 중심 도시 ㉡ 대도시 영향권 ㉢ 통근

## 2단계 내신 다지기

본문 54~56쪽

| | | | | |
|---|---|---|---|---|
| **01** ② | **02** ① | **03** ⑤ | **04** ④ | **05** ② |
| **06** ② | **07** ④ | **08** ⑤ | **09** ④ | **10** ② |
| **11** ⑤ | **12** ② | | | |

**01** (가)는 평균 지가가 높은 것으로 보아 도심이며, (나)는 그보다는 지가가 낮은 것으로 보아 주거지가 주로 분포하는 주변 지역이다. 평균 지가가 비싼 도심은 토지를 최대한 효율적으로 이용하기 위해서 주변 지역에 비해 업무용 건물의 평균 층수가 높고, 평균 주차 요금이 비싼 편이다. 또한 상주인구는 적지만 주간에 유동 인구가 많아서 주간 인구 지수가 높다. 이는 그림의 B에 해당한다.

**02** 그래프의 A는 상업·업무, B는 공업, C는 주거이다. 도시의 규모가 작을 때는 도심에 하나의 상업·업무 기능 지역이 존재하지만 도시의 규모가 커지면 외곽의 주요 도로가 교차하는 지점에 또 따른 상업·업무 기능의 핵, 즉 부도심이 생겨서 다핵 도시로 발전한다.

**바로 알기** ② 탈공업화 사회로 가면서 공업 지구의 면적은 좁아진다. ③ 접근성은 공업 지구보다는 상업·업무 지구가 더 높다. ④ 지대 지불 능력은 상업·업무 기능이 공업 기능에 비해 크다. ⑤ 공업 기능과 주거 기능은 모두 이심 현상이 나타나는 기능이다.

**03** 도심과 주변 지역을 연결하는 교통의 결절점에 형성되며 도심의 기능 분담과 교통난 해소 등의 역할을 담당하는 것은 C의 부도심이다. 상대적으로 지대(지가)가 낮은 도시 외곽에 주거, 학교, 공장 등이 입지해 있는 곳은 D의 주변 지역이며, 도심 주변에 주택과 상가, 공장이 혼재된 지역으로 불량 주거 지역을 형성하기도 하는 곳은 B의 중간 지역이다.

### 극비 노트 도시 내부 구조

| 도심 | 상업·업무 기능이 밀집, 인구 공동화 현상이 나타나고, 건물의 평균 층수가 높음 |
|---|---|
| 부도심 | 도심의 역할을 분담, 도심과 외곽을 연결하는 교통의 결절점에 형성 |
| 중간 지역 | 주택, 상가, 공장이 혼재, 불량 주거 지역의 재개발 추진 |
| 주변 지역 | 대규모 아파트 단지 형성, 주간 인구 지수가 낮음 |
| 개발 제한 구역 | 도시의 무질서한 팽창을 막고 녹지대를 보전하기 위해 설치 |

**04** E는 개발 제한 구역이다. 개발 제한 구역은 도시의 무질서한 팽창을 막고 녹지 공간을 확보하여 도시의 환경을 보전하려는 목적으로 지정된 구역이다. 그러나 개발 제한 구역에서는 건물의 신축이나 개축 등에 제한적 요소가 많아서 주민들의 재산권 행사를 막는다는 문제점도 안고 있다.

**바로 알기** ㄴ. 최근에는 개발 제한 구역으로 지정되어 있던 일부 구간이 해제되어 면적이 조금씩 줄어들고 있다.

**05** 지도를 보면 서울의 도심에서 주변 지역으로 이동하고 있는 기능임을 알 수 있다. 이것은 대표적인 이심 기능인 주거 기능이 도심에서 주변 지역으로 이전함에 따라 함께 주변 지역으로 이전하고 있는 학교를 보여주는 것이다.

**바로 알기** ① 대형 마트는 처음부터 도심에 위치해 있지 않았다. ③ 상업·업무 기능은 도심과 일부 부도심에만 집중된다. ④ 서울의 경우 공업 기능은 더 먼 지역으로 분산되었다. ⑤ 금융 기관이 도시 외곽에 새로 만들어지기는 하지만 도심에 있던 금융 기관이 이전한 것은 아니다.

### 극비 노트 집심 현상과 이심 현상

| 집심 현상 | 지대 지불 능력이 높은 상업·업무 기능이 접근성이 높은 도심에 집중하는 현상 |
|---|---|
| 이심 현상 | 지대 지불 능력이 낮은 공업, 주거 기능이 도심을 떠나 주변으로 분산되는 현상 |

**06** 그래프의 A는 상주인구(야간 인구)는 적지만 주간 인구가 많은 것으로 보아 도심 지역이다. 상업·업무 공간이 많은 도심은 낮에는 사람들이 많지만 밤에는 사람들이 주거 지역으로 귀가하면서 텅 비게 되는 인구 공동화 현상이 나타난다. 이 때문에 출퇴근시 이곳으로 진출·입하는 차량으로 인해 도로 정체가 심하다.

**바로 알기** ㄴ, ㄷ. 도심은 상주인구로 등록된 인구수가 주변 지역보다 적은 반면 주간 유동 인구가 많아서 주간 인구 지수가 주변 지역보다 높다.

**07** 대도시권은 대도시를 중심으로 일상생활이 이루어지는 범위로 교외 지역과 대도시 영향권, 배후 농촌을 포함하는 지역이며, 중심 도시로 통근이 가능한 범위이다. 대도시권의 중심 도시는 도심과 부도심이 발달한 다핵 구조를 이루고 있으며, 대도시권의 바깥쪽은 주말 생활권으로 도시민들의 여가 공간으로 이용된다.

**바로 알기** ④ 배후 농촌 지역은 도시에서 멀리 떨어진 농촌에 비해 지가가 비싸기 때문에 토지 이용을 효율적으로 하기 위해서 시설 재배 방식으로 집약적 농업을 한다.

**08** 지도는 서울 주변의 1기와 2기 신도시들을 보여주고 있다. 이러한 신도시들은 중심 도시인 서울에 지나치게 인구가 밀집되면서 주변 지역으로 인구가 빠져나가는 교외화 과정에서 생겨났다. 신도시에는 대규모 아파트 단지가 조성되어 있으며 대중교통을 통해 서울로 통근하는 사람들이 많다.

**바로 알기** ⑤ 신도시 주민의 대다수는 여전히 직장이 중심 도시에 있는 경우가 많다.

**09** 제시된 자료는 대도시 주변의 다양한 토지 이용을 나타낸 것으로 ⑦는 화성시, ⑭는 고양시, ⑮는 이천시에 대한 설명이다. 화성시(D)는 저렴한 부지와 편리한 교통을 바탕으로 전자, 자동차, 제약 기업이 들어서 있으며, 수도권 신도시로 건설된 고양시(A) 일산은 대규모 아파트 단지가 있어 주거 기능이 탁월하다. 이천시(E)에는 대형 주차장을 확보한 쇼핑센터가 들어서 있어 도시민들이 이곳에서 나들이를 겸한 쇼핑을 즐긴다.

바로알기 B는 안산시이며, C는 의왕시이다.

**10** A는 서울의 위성 도시인 남양주시이며 B는 서울의 근교 농촌에 해당하는 안성시이다. 안성시는 남양주시에 비해서 농업 종사자의 비율과 중위 연령이 높게 나타난다.

바로알기 ㄴ, ㄷ. 초등학교 학생 수와 서울로의 통근자 수는 남양주시가 안성시보다 더 많다.

**11** 중심 도시에서 주변 지역으로 대중교통 노선, 특히 지하철이 확충되면서 중심 도시의 영향력이 주변으로 확장되어 대도시권이 확대되는 결과를 낳았다. 그 결과 중심 도시 주변에는 새로운 신도시들이 생겨나게 되었으며 주변 농촌에서는 농사 이외의 소득으로 돈을 버는 겸업농가의 비중이 높아졌을 것이다.

바로알기 ① 서울 주변의 교통로가 확충되면서 교외화 현상이 일어나 서울의 인구는 감소하였다. ② 서울 중심의 대도시권이 확대되면서 서울의 영향력은 오히려 더 먼 곳까지 확장되었다. ③ 서울 주변 지역의 지가는 상승하였을 것이다. ④ 대도시권이 확대되면서 중심 도시인 서울로 출퇴근하는 사람들이 늘어났을 것이므로 서울로 집중되는 교통량도 증가하였을 것이다.

**12** 제시된 자료를 통해 ○○시는 인구가 증가하면서 도시화가 신행되었음을 알 수 있다. 따라서 1995년에 비해 2015년에는 이 지역에 다른 지역에서 많은 인구가 유입되고 도시적 생활 양식이 확대되면서 주민들의 직업은 더욱 다양해졌을 것이다.

바로알기 ① 도시화로 인해 지가는 더욱 상승하였다. ③ 도시화로 교통량도 늘고 인구도 늘어났으므로 대기 환경의 질이 악화될 가능성이 높다. ④ 도시화가 진행되면 농업 종사자의 비중은 감소한다. ⑤ 외지 인구 유입 증가로 주민들 간의 공동체 의식은 약화된다.

### 3단계 등급 올리기

본문 57쪽

| **01** ④ | **02** ② | **03** ④ | **04** (1) A 위성 도시 |

B 교외 지역 C 배후 농촌 지역 (2) 해설 참조

**01** ⑦는 상주인구보다 주간 인구가 많은 곳이며, ⑭는 주간 인구보다 상주인구가 많은 곳이다. ⑦와 ⑭는 상주인구는 비슷하나 주간 인구에서 차이가 나는데, ⑦구의 주간 인구 수가 훨씬 많은 것으로 보아 ⑦구가 ⑭구에 비해 상업·업무 기능이 발달했음을 유추할 수 있다. 따라서 출근 시간대 순 유출 인구는 상업·업무 기능이 상대적으로 미약한 ⑭구가 많을 것이다.

바로알기 ⑦구가 ⑭구에 비해 상업 용지의 평균 지가가 높고, 거주자의 평균 통근 거리가 짧으며, 생산자 서비스 사업체 수가 많다. 또한 주간 유동 인구가 많고 상주인구가 적은 ⑦구가 ⑭구에 비해 인구 공동화 현상이 뚜렷하게 나타난다.

**02** ⑦는 농경지〉임야〉대지〉공장 용지 순으로 토지 이용 비중이 높고, 다른 지역에 비해 공장 용지 비중이 높다. ⑭는 임야〉농경지〉대지〉공장 용지의 순으로 비중이 높고, 다른 지역에 비해 임야 비중이 높다. ⑮는 임야〉농경지〉대지〉공장 용지 순으로 비중이 높고, 다른 지역에 비해 대지, 즉 주거 및 상업 용지의 비중이 높다. 따라서 ⑦는 제조업이 발달한 평택이고, ⑭는 경기도 동부 지역에 위치한 양평이며, ⑮는 서울의 주거 기능을 분담하는 광명이다. ㄱ. 공장 용지 비중이 높은 평택이 양평보다 2차 산업 종사자 비율이 높다. ㄹ. 녹지 공간 비율은 산지가 많고 농업 활동의 비중이 높은 양평이 광명보다 높을 것이다.

바로알기 ㄴ. 서울의 주거 기능을 분담하는 광명이 제조업이 발달한 평택보다 서울로의 통근·통학률이 높다. ㄷ. 서울과 가까운 곳에 위치한 광명이 서울에서 멀리 떨어진 곳에 위치하여 농업 비중이 높은 양평에 비해 도시적 경관이 뚜렷하다.

**03** 제시된 지도의 A는 중심 도시인 서울이다. 통근·통학률이 20% 이상인 B는 경기도 성남시로, 중심 도시에서 빠져나온 사람들이 주로 거주하는 신도시가 분포한다. 통근·통학률이 5% 미만인 C는 경기도 여주시로 서울의 근교 농촌에 해당한다. 따라서 초등학교의 수는 대규모 주거 단지가 들어서 있는 B가 C보다 많을 것이다.

바로알기 ① 최근 10년간 인구 증가율은 중심 도시보다 그 주변의 신도시 지역이 더 높다. ② 주간 인구 지수는 중심 도시인 A가 가장 높다. ③ 전업농가의 비율은 중심 도시와의 거리가 더 먼 C가 B보다 높다. ⑤ 단위 면적당 상업 시설의 수는 B가 C보다 많다.

### 서술형 문제

**04** (2) 예시답안 위성 도시는 대도시에서 이주한 사람들이 거주하며 대부분 직장이 중심 도시에 있어 주간 인구 지수가 낮은 것이 특징이다. 교외 지역은 대도시와 인접한 지역으로 주거·상업·공업 등 도시적 토지 이용이 나타난다. 배후 농촌 지역은 상업적 농업이 발달하였으며 겸업농가의 비율이 높다.

| 채점 기준 | 배점 |
|---|---|
| A~C 지역의 특징을 모두 정확하게 서술한 경우 | 상 |
| A~C 중 두 지역의 특징을 정확하게 서술한 경우 | 중 |
| A~C 중 한 지역의 특징만 정확하게 서술한 경우 | 하 |

## 1단계 개념 짚어 보기

본문 59쪽

01 (1) × (2) ○ (3) ○　02 ㉠ 철거 ㉡ 보전 ㉢ 수복　03 (1) ㄱ, ㄹ, ㅂ (2) ㄴ, ㄷ, ㅁ　04 (1) 환경 불평등 (2) 역류 효과 (3) 젠트리피케이션

## 2단계 내신 다지기

본문 60~62쪽

| 01 ⑤ | 02 ⑤ | 03 ④ | 04 ③ | 05 ④ |
| 06 ① | 07 ④ | 08 ③ | 09 ⑤ | 10 ② |
| 11 ② | 12 ⑤ | | | |

**01** ㈎ 시기(1960~1979년)는 기반 시설 확충기로 인구 급증에 따른 도시 기반 시설 조성에 주력한 시기이다. 이 시기에는 상하수도 확충, 도로 및 하천 정비 사업을 추진하였다. ㈏ 시기(1980~2000년)는 도시 성장기로 도심 환경 개선 사업과 서울 인구 및 기반 시설의 포화에 대비한 시기이다. 이 시기에는 부도심을 개발하고 교통 시설을 정비하였다. ㈐ 시기(2001~현재)는 지속 가능한 발전기로 도시민의 삶의 질 향상을 추구하는 시기이다. 청계천을 복원하고, 대중 교통 시스템을 개선하였다.

(바로알기) ⑤ 지속 가능한 발전기는 양적 성장에 주력했던 도시 성장기와 달리 질적 성장에 초점을 두고 있다.

**02** 도시 계획은 도시민의 주거 환경을 개선하고 다양한 기능을 합리적으로 배치하기 위해 계획을 수립하고 시행하는 것을 말한다. 우리나라는 1990년대 이후 삶의 질이나 환경에 대한 관심이 높아져 도시 계획에도 이를 반영하게 되었으며, 최근의 도시 계획은 지역 주민이 참여하는 지속 가능한 도시 계획으로 변화하고 있다.

(바로알기) 갑. 1960년대는 우리나라에서 도시화가 본격적으로 일어나지 않은 시기이다. 을. 개발 제한 구역은 1970년대 도시 계획법에서 설정되었다.

**03** 제시된 사진은 청계천의 복원 전과 후의 모습을 보여주고 있다. 청계천 복원 사업은 고가 도로를 철거하고 그 아래를 흐르던 하천을 복원하는 사업이다. 이로 인해 새로운 수변 공원이 생기면서 주민들의 여가 공간이 확장되었다. 또한 이곳을 방문하는 관광객의 수도 증가하였다.

(바로알기) ㄱ. 콘크리트와 아스팔트가 사라지고 수변 공간이 늘어나면서 도시 열섬 현상은 완화되었다. ㄷ. 청계천 복원으로 고가 도로가 사라지면서 이곳을 통과하는 교통량은 줄어들게 되었다.

**04** ㉠은 철거 재개발, ㉡은 수복 재개발에 해당한다. 수복 재개발은 기존의 건물과 환경을 최대한 살리면서 노후·불량화의 요인만을 부분적으로 보수하고 정비하는 방식으로, 지역의 변형을 최소화함으로써 거주민이 안정적으로 생활할 수 있다.

(바로알기) ① 역사 및 문화적으로 보전 가치가 있는 건축물이 많은 지역은 해당 지역의 환경을 유지·관리하는 보전 재개발 방식으로 재개발이 진행된다. ② 부산 감천 마을은 철거 재개발 대신 마을의 역사와 지역성을 보전하는 개발 방식을 선택해 지역을 활성화한 대표적인 사례로 꼽히고 있다. ④ 원거주민의 낮은 재정착률과 자원 낭비 등의 부작용이 발생하는 것은 철거 재개발 방식이다.

**극비 노트** 도시 재개발 방식

| 철거 재개발 | 기존의 건물과 시설을 완전히 철거하여 새로운 시설을 조성하는 방식 |
| 보전 재개발 | 역사 및 문화적으로 보전 가치가 있는 지역의 환경을 유지·관리하는 방식 |
| 수복 재개발 | 기존의 골격을 유지하면서 필요한 부분을 수리 및 개조하여 보완하는 방식 |

**05** 제시문은 달동네의 철거 재개발 사례이다. 철거 재개발은 기존의 건물을 완전히 철거하고 새로운 건물을 짓는 방식이다. 이와 같은 방법으로 도시의 낙후된 지역을 재개발할 경우 거주 여건과 생활 환경이 개선되어 인구가 증가하고 토지의 가치도 상승하게 된다. 따라서 상업 시설의 평균 임대료가 상승했을 것이다.

(바로알기) ① 재개발을 하면 평균 지가는 상승한다. ② 재개발은 환경이 열악한 지역을 정비하는 것으로 재개발 이후 불량 주거 지역은 거의 사라지게 된다. ③ 재개발의 결과 토지의 가치가 상승하여 건물의 평균 층수는 증가한다. ⑤ 대규모 철거 재개발의 경우는 많은 원거주민들이 상승한 주거비를 부담하기 어려워 재정착하지 못하고 떠나게 된다.

**06** 원도심은 신도심과 대비되는 용어로, 과거에 부흥했던 도심을 말한다. 도시가 발달함에 따라 인구가 증가하고 주거 공간이 확장되면서 쇠퇴한 원도심은 기반 시설이 부족하여 인구가 감소하고 지역 상권이 침체되기도 하였다. 그러나 원도심 중에는 전통과 역사를 간직한 곳이 많아 최근 이러한 역사·문화적 자원을 활용한 도시 재생 사업이 진행되고 있다. ① 도시 재생은 개발 이익보다는 자력 기반 확보와 지역 활성화에 중점을 둔다.

(바로알기) ② 주거 등의 물리적 환경 정비를 주 목적으로 하는 것은 도시 재개발 사업이다. ③, ⑤ 도시 재생은 자력 기반이 없어 공공의 지원이 필요한 쇠퇴한 지역을 대상으로 한다. ④ 도시 재생은 기존 거주자의 지속적인 생활 여건 확보를 강조한다.

**07** 제시문의 ㉠은 젠트리피케이션으로, 도시 재개발의 과정에서 원거주민의 삶터와 공동체를 파괴한 뒤 나아진 거주 환경을 상위 계층의 거주 공간으로 제공하는 현상이다. 특히 철거 재개발 방식으로 재개발이 진행될 경우 이러한 현상이 발생하는 경우가 많다.

(바로알기) ㄱ. 젠트리피케이션은 지역 경제가 활성화되는 긍정적 측면을 가지고 있다. ㄷ. 젠트리피케이션이 발생하면 지역이 가진 고유한 특성이나 문화가 파괴되기도 한다.

**08** ㈎는 성장 거점 개발, ㈏는 균형 개발이다. 성장 거점 개발은 투자 효과가 가장 큰 지역을 성장 거점으로 지정하여 집중적으로

투자하는 방식으로 개발 도상국에서 많이 시행하는 방법이다. **바로알기** ① ㈎는 하향식 개발, ㈏는 상향식 개발 방식으로 추진된다. ② 1970년대 우리나라는 산업 기반을 조성하는 데 초점을 맞추면서 수도권과 남동 임해 지역을 중심으로 성장 거점 개발을 추진하였다. ④ 경제적 효율성을 강조한 것은 성장 거점 개발이며, 균형 개발은 지역 간 균형적인 발전과 경제적 형평성을 추구한다. ⑤ ㉢에 들어갈 말은 역류 효과이다. 역류 효과란 개발에 따른 이익이 주변으로 파급되지 못하고, 오히려 주변 지역에서 거점 지역으로 인구 및 자본이 집중하는 효과를 말한다.

**09** 그래프를 보면 ㈎는 개발 전보다 개발 후에 중심지와 주변 지역의 격차가 작아졌으며 ㈏는 격차가 커졌다. 즉, ㈎는 파급 효과, ㈏는 역류 효과를 나타낸 것이다.
**바로알기** ① 파급 효과가 발생하면 지역 격차는 완화된다. ② 중심지로 인구가 집중되면 역류 효과가 나타난다. ③ 균형 개발을 시행하면 지역 격차가 완화된다. ④ 1970년대에 추진한 성장 거점 개발 결과 지역 격차가 심해져 역류 효과가 더욱 두드러졌다.

**10** ㈎는 제1차, ㈏는 제2차, ㈐는 제3차 국토 종합 개발 계획이다. 1970년대 제1차 국토 종합 개발 계획에서는 산업 기반을 조성하는 데 초점을 두었으며 성장 거점 개발을 추진하였다. 하천 주변의 다목적 댐은 이 시기에 많이 건설되었다. 그러나 대도시 과밀화, 지역 격차 심화 등의 문제가 발생함에 따라 1980년대 제2차 국토 종합 개발 계획에서는 국토의 다핵 구조 형성에 중점을 두며 균형 발전과 복지 향상을 추구하였다. 1990년대 이후에는 지방 도시를 육성하고 수도권 집중을 억제하는 국토 개발을 추진하였다.
**바로알기** ① 서해안 개발은 제3차 국토 종합 개발에서 추진하였다. ③ 도농 통합시는 제3차 국토 종합 개발 계획에서 등장하였다. ④ 개발 제한 구역은 제1차 국토 종합 개발 과정에서 설정되었다. ⑤ 남동 임해 공업 지역은 제1차 국토 종합 개발 시기에 조성되었다.

**11** 제시된 자료는 우리나라의 지역별 혁신 도시와 주력 업종을 나타낸 것이다. 혁신 도시는 공공 기관을 수도권에서 이전하고 해당 공공 기관과 관련 있는 기업, 학교, 연구소 등도 함께 유치함으로써 지역의 발전을 유도하기 위해 만들어진 미래형 도시이다. 이와 같은 혁신 도시를 조성하게 되면 공간 불평등을 해소하고 국토의 고른 발전을 도모할 수 있으며, 중소 도시에 대한 지원 강화를 통한 지역 경제 활성화 효과를 기대할 수 있다.
**바로알기** ② 민간 기업이 주체적으로 개발을 추진하는 자급자족형 도시는 기업 도시이다.

**12** 슬로시티는 느림의 철학을 바탕으로 인간과 자연이 조화를 추구하는 도시이다. 슬로시티는 지역만의 독창성을 강조하며 자연 친화적이고 지속 가능한 발전을 추구한다. 또한 지역 주민이 중심이 되어 지역 발전을 추구한다.
**바로알기** ⑤ 슬로시티 운동은 대규모 자본을 투입해 외부와의 교류를 추진하기보다는 지역의 고유한 특성을 보전하고 유지하는 것을 중요시한다.

## 3단계 등급 올리기
본문 63쪽

**01** ③    **02** ②    **03** ③
**04** (1) ㈎ 성장 거점 개발 ㈏ 균형 개발 (2) 해설 참조

**01** 우리나라는 1970년대 도시 계획법에 따라 정부가 용도 지역을 지정해 세분화하고, 도시의 무질서한 확산 방지를 위해 개발 제한 구역을 설정하였다. 1980년대에는 도시 기본 계획을 제도화하여 교통 혼잡, 집값 상승 등의 도시 문제에 대처하고자 하였으며, 1990년대 이후에는 환경에 대한 관심이 높아지면서 도시민들의 삶의 질을 높이기 위해 녹지 및 여가 공간을 확대하고 있다.
**바로알기** ③ 우리나라의 도시 인구가 급격하게 증가한 것은 이촌 향도 현상에 따른 것으로 인구 이동에 의한 사회적 증가에 해당한다.

**02** ㈎는 기존의 건물을 완전 철거하지 않고 최대한 활용해서 재개발을 하는 수복 재개발의 사례이며, ㈏는 기존의 건물을 완전히 철거하고 새로운 시설을 조성하는 철거 재개발의 사례이다. 수복 재개발에 비해 철거 재개발은 원거주민 이주율이 높고 기존 건물 활용도가 낮으며, 투입 자본의 규모는 크다.

**03** 제1차 국토 종합 개발 계획(1972~1981)에서는 산업 기반을 조성하는 데 초점을 두었으며 성장 거점 개발을 추진하였다. 이 시기에 도로, 항만, 댐 등의 사회 간접 자본을 건설하여 교통, 통신, 수자원 및 에너지 공급망을 정비하였다. 제2차 국토 종합 개발 계획(1982~1991)에서는 광역 개발을 추진하였으며, 국토의 다핵 구조 형성에 중점을 두며 균형 발전과 복지 향상을 추구하였다. 제3차 국토 종합 개발 계획(1992~1999)에서는 균형 개발을 시도하였으며 지방 분산형 국토 골격 형성에 초점을 두었다. 제4차 국토 종합 개발 계획(2000~2020)에서는 균형, 녹색, 개방, 통일 국토 조성에 초점을 두었다.
**바로알기** ① ㉠은 성장 거점 개발 방식으로 발전 가능성이 있는 지역에 우선 투자하는 방식이다. ② ㉡은 균형 개발 방식으로 낙후된 지역에 우선 투자하는 방식이다. ④ 서해안 산업 지대와 지방 도시 육성은 제3차 국토 종합 개발의 과정에서 시행되었다. ⑤ 수도권 집중을 억제하기 위한 권역별 개발은 제2차 국토 종합 개발 과정에서 진행되었다.

### 서술형 문제

**04** (2) **예시 답안** ㈎ 성장 거점 개발은 적은 비용으로 투자 효과를 극대화할 수 있지만, 역류 효과가 발생하면 지역 격차가 심화될 수 있다. ㈏ 균형 개발은 지역 특성에 맞는 개발을 추진할 수 있지만 지역 이기주의를 초래할 수 있다.

| 채점 기준 | 배점 |
|---|---|
| 성장 거점 개발과 균형 개발 방식의 장점과 단점을 한 가지씩(총 4개) 정확하게 서술한 경우 | 상 |
| 성장 거점 개발과 균형 개발 방식의 장점과 단점을 한 가지씩 제시했으나 서술이 미흡한 경우 | 중 |
| 장단점 구분없이 성장 거점 개발 방식과 균형 개발 방식의 특징을 간략하게 서술한 경우 | 하 |

**01 ~ 02** 자원의 특성과 지속 가능한 이용
농업 구조의 변화와 농촌 문제

**1단계 개념 짚어 보기**
본문 65쪽

**01** 넓은 의미 **02** ㉠ 유한성 ㉡ 편재성 ㉢ 가변성 **03** (1) ㄴ
(2) ㄷ (3) ㄱ **04** (1) - ㉢ (2) - ㉡ (3) - ㉠ **05** (1) × (2) ○ (3) ○

**2단계 내신 다지기**
본문 66~68쪽

| | | | | |
|---|---|---|---|---|
| 01 ④ | 02 ⑤ | 03 ④ | 04 ④ | 05 ② |
| 06 ② | 07 ① | 08 ④ | 09 ④ | 10 ④ |
| 11 ③ | 12 ④ | | | |

**01** 제시된 글에서 설명하는 텅스텐은 사용량과 투자에 따라 재생 수준이 달라지는 자원이다. 중국산 텅스텐의 수입 증가로 국내 텅스텐의 생산이 중단된 것은 경제적 의미의 자원에서 기술적 의미의 자원으로 변화한 사례(D)이다.

**02** (가)는 강원, 충북 등에서 생산 비중이 높은 것으로 볼 때 석회석이다. (나)는 강원, 경남, 경북 등에서 생산 비중이 높은 것으로 볼 때 고령토이다. (다)는 대부분 강원에서 생산되는 것으로 볼 때 철광석이다. ㄷ. 철광석은 금속 광물 중 가장 많이 소비되는 자원으로, 제철 및 철강 공업에 주로 이용된다. ㄹ. 석회석과 고령토는 비금속 광물이고, 철광석은 금속 광물이다.
**바로 알기** ㄱ. 석회석은 주로 고생대 조선 누층군에 매장되어 있다. ㄴ. 고령토는 종이, 화장품, 도자기 공업의 원료로 이용된다. 시멘트 공업의 원료로 이용되는 것은 석회석이다.

**03** 그래프의 A는 역청탄, B는 무연탄이다. 제철 공업 및 화력 발전의 원료로 이용되는 역청탄은 국내에서 생산되지 않아 오스트레일리아, 인도네시아 등에서 수입하고 있다. 우리나라에 가장 풍부하게 매장되어 있는 에너지 자원인 무연탄은 고생대 평안 누층군에 주로 매장되어 있다.
**바로 알기** ④ 무연탄은 1960년대부터 주요 에너지원으로 이용되었으나, 석유와 천연가스의 소비 증가에 따른 수요 감소와 1989년 정부의 석탄 산업 합리화 정책으로 인해 대부분의 탄광이 폐쇄되어 현재는 생산량이 적다.

**04** 1차 에너지는 천연자원 상태에서 공급되는 에너지로 이를 가공하여 사용하기 쉬운 형태로 만든 전력, 도시가스 등을 2차 에너지라고 한다. 그래프의 A는 원자력, B는 수력, C는 천연가스, D는 석유, E는 석탄이다. 석유는 우리나라에서 가장 많이 소비되는 에너지 자원으로 수송용 연료 및 화학 공업의 원료로 주로 이용된다. 국내 생산량이 미미하여 서남아시아 국가에서 대부분 수입한다.
**바로 알기** ① 원자력은 1980년대부터 소비 비중이 높아졌지만, 오늘날 소비 비중이 가장 높은 것은 석유이다. ② 수력 발전은 물을 원료로 하기 때문에 해당되지 않는 내용이다. ③ 천연가스는 석유와 마찬가지로 신생대 제3기층에 주로 매장되어 있다. ⑤ 울산 앞바다의 가스전에서 소량 생산되고 있는 것은 천연가스이다.

**극비 노트 | 에너지 자원의 특징**

| 석탄 | • 무연탄: 고생대 평안 누층군에 주로 매장. 정부의 석탄 산업 합리화 정책으로 대부분의 광산이 폐광되어 현재 생산량이 급감<br>• 역청탄: 제철 공업 및 화력 발전 원료로 이용, 국내에서 생산되지 않아 오스트레일리아, 인도네시아 등에서 전량 수입 |
|---|---|
| 석유 | • 분포: 국내에서 거의 생산되지 않아 대부분을 수입<br>• 이용: 화학 공업의 원료 및 수송용 연료로 이용 |
| 천연가스 | • 분포: 울산 앞바다의 가스전에서 소량 생산됨. 동남아시아 및 서남아시아에서 대부분을 수입<br>• 이용: 가정용 및 발전용 연료로 이용 |

**05** 지도의 A는 해안가에 입지하고 발전소의 수나 위치로 볼 때 원자력 발전이다. B는 주로 수도권과 남동 해안 지역, 서해안 지역에 분포하는 것으로 볼 때 화력 발전이다. C는 발전 시설 용량이 작고 주로 내륙에 분포하고 있는 것으로 볼 때 수력 발전이다. ② 화력 발전은 발전 설비 용량과 발전량 비중이 전체의 60% 이상을 차지할 정도로 크며, 그 다음으로는 원자력, 수력 순이다.
**바로 알기** ① 강수와 지형 등 자연환경에 영향을 많이 받는 것은 수력 발전(C)이다. ③ 방사능 누출의 위험과 방사성 폐기물 처리 등의 문제가 발생하는 것은 원자력 발전(A)이다. ④ 화력 발전(B)은 화석 연료를 사용하기 때문에 발전 시 온실 기체 배출량이 많다. ⑤ 발전 설비 용량 대비 발전량이 많은 것은 원자력 발전(A)이다.

**극비 노트 | 전력 자원의 분포**

| 화력<br>발전 | 발전소 입지 제약이 적음 → 전력 수요가 많은 수도권, 충청남도 서해안, 남동 임해 지역 등 |
|---|---|
| 원자력<br>발전 | 지반이 단단하고 냉각수 확보가 쉬운 해안가에 입지 → 경상북도 울진과 경주, 전라남도 영광 등 |
| 수력<br>발전 | 유량이 풍부하고 낙차가 큰 곳 → 한강, 낙동강, 금강 등의 대하천 중·상류 지역 |

**06** (가)는 경기에서만 생산되는 것으로 볼 때 조력 에너지이다. (나)는 한강 수계에 해당하는 경기, 강원, 충북 지역에서 생산되는 양이 많은 것으로 볼 때 수력 에너지이다. (다)는 강원, 경북, 제주에서 집중적으로 생산되는 것으로 볼 때 풍력 에너지이다. (라)는 일조량이 풍부한 전남과 전북에서 주로 생산되는 것으로 볼 때 태양광 에너지이다.

**07** 그래프를 보면 경지 이용률과 경지 면적은 감소하고 있으며 농가 호당 경지 면적만 증가하고 있다. 이는 농가의 인구가 경지 면적보다 더 빠르게 감소하였기 때문에 나타나는 현상이다. 경지 이용률이 감소하였다는 것은 휴경지가 증가했다는 것을 의미한다.
**바로 알기** ㄷ. 그루갈이의 면적이 확대되었다면 오히려 경지 이용률이 증가했을 것이다. ㄹ. 농가 호당 경지 면적이 증가하고 경지 이용률이 감소하면서 토지 이용의 집약도는 더 낮아졌다.

**08** 1970년대 이후 농산물에 대한 소비자의 기호 변화에 따라 곡물 소비는 감소하고 채소, 과일과 같은 원예 작물 및 축산물의 수요가 지속적으로 증가하는 등 농산물의 소비 구조가 변화하였다.

이에 따라 농업 구조는 자급적 농업에서 상업적 농업 중심으로 변화하는 경향이 뚜렷해졌다. 이로 인해 대도시 근교를 중심으로 발달한 원예 농업의 재배 지역이 전국으로 확대되었다.

**바로알기** ④ 식생활 구조 변화와 농산물 시장 개방 등으로 쌀의 1인당 소비량과 재배 면적은 감소하였다.

**09** A는 다른 작물에 비해 재배 면적이 넓고 평야가 발달한 전라남도, 전라북도, 충청남도 등에서 재배 비중이 높은 것으로 볼 때 식량 작물이다. B는 경상북도와 제주특별자치도에서 재배 면적 비중이 높게 나타나는 것으로 볼 때 과수이다. C는 강원도와 제주특별자치도에서 재배 면적 비중이 높게 나타나는 것으로 볼 때 채소이다. ④ 농산물에 대한 소비자의 기호 변화에 따라 곡물 소비는 감소하고 채소, 과일과 같은 원예 작물의 수요가 증가하고 있다.

**바로알기** ① 식량 작물 중 쌀은 대부분 자급하고 있다. ② 최근 식량 작물은 식생활 구조 변화와 농산물 시장 개방 등으로 소비량과 재배 면적이 감소하고 있다. ③ 과수는 기후적 특징의 영향을 많이 받기 때문에 대도시와 먼 곳에서도 재배된다. ⑤ 강원도에서는 채소를 주로 노지 재배 방식으로 재배한다.

**극비노트** 주요 작물의 생산과 소비

| | |
|---|---|
| 쌀 | • 중 · 남부의 평야 지대에서 주로 재배<br>• 식생활의 변화로 1인당 소비량 감소 |
| 보리 | • 벼의 그루갈이로 남부 지방에서 재배<br>• 소비량 감소와 수익성 악화로 생산량 감소 |
| 채소·과실 | • 식생활 구조 변화에 따라 소비량 증가<br>• 전남과 경남은 채소, 경북과 제주는 과실 생산량이 많음 |

**10** 우리나라의 농촌은 이촌 향도 현상으로 인한 인구 감소와 고령화, 이로 인한 경지 면적의 감소 현상이 나타나고 있다. 최근에는 세계화에 따라 외국산 농산물의 수입이 증가하면서 국내 농산물의 가격 경쟁력이 하락하였다. 이러한 농업 문제를 해결하기 위해서는 농업 경영의 대형화를 통해 규모의 경제를 이루는 것과 농업 구조의 다각화, 농산물 유통 구조의 개선 등을 통해 농가 수익을 높이는 방안이 있다. 또한 농산물 브랜드화 및 지리적 표시제의 확대, 지역 축제 개최 등을 통해 농산물을 차별화시켜 농업 경쟁력을 강화시키는 노력이 필요하다.

**바로알기** ④ 국내 농산물의 가격 경쟁력은 외국산 농산물에 비해 부족한 편이므로 새로운 재배 방식, 농산물 가공 판매 등을 통해 부가 가치를 향상시키는 등 농업 구조의 다각화 노력이 필요하다.

**11** 세계 무역 기구(WTO)의 출범과 자유 무역 협정(FTA)의 체결 확대로 농산물 시장이 개방되면서 값싼 외국산 농산물의 수입이 급증하였다. 그 영향으로 상대적으로 가격 경쟁력이 낮은 우리나라 농가는 소득이 감소하고 있다. 이러한 문제를 해결하기 위해서는 농산물의 고급화 전략이 필요하고, 수입 농산물과의 차별화를 위해 유기 농업을 비롯한 친환경 농산물 재배를 확대해야 한다. 또한 영농 조합이나 농업 회사 법인 등을 설립하여 영농 규모를 확대해야 한다. 복잡한 농산물 유통 구조를 개선하기 위해서는 농산물 직거래나 전자 상거래 등을 확대하려는 노력이 필요하다.

**바로알기** ③ 노지 재배는 시설 재배에 비해 자연환경의 영향을 많이 받는다. 따라서 비닐하우스, 유리온실 등을 통한 시설 재배보다 생산성이 높지 않다.

**12** 지도는 지리적 표시제에 등록된 농산물을 나타낸 것이다. 지리적 표시제는 농산물 및 그 가공품의 특징이 본질적으로 특정 지역의 지리적 특성에 기인하는 경우 그 지역의 특산물임을 표시하는 제도이다. 이 제도를 실시함으로써 농가 소득 증대, 지역 홍보 효과, 지역 경제 활성화, 농산물 부가 가치의 상승을 기대할 수 있다.

**바로알기** ④ 지리적 표시제를 시행한다고 해서 농산물의 생산비가 절감되지는 않는다.

**3단계** 등급 올리기
본문 69쪽

| 01 ④ | 02 ⑤ | 03 ④ | 04 해설 참조 |
|---|---|---|---|

**01** 우리나라에서 생산되는 1차 에너지는 원자력 〉 신·재생 에너지 〉 수력 〉 석탄 〉 천연가스 순이다. 따라서 첫 번째 그래프의 A는 원자력, B는 수력, C는 석탄, D는 천연가스이다. 두 번째 그래프의 (가)는 강원에서 생산 비중이 매우 높은 것으로 볼 때 석탄, (나)는 울산에서만 생산되는 것으로 볼 때 천연가스이다. (다)는 경기, 강원, 경북 등 대부분의 지역에서 생산이 이루어지는 것으로 볼 때 수력, (라)는 경북, 부산, 전남에서만 생산되는 것으로 볼 때 원자력이다. ④ 천연가스(D)는 석탄(가), 석유 등의 화석 연료보다 에너지 생산 시 대기 오염 물질과 온실 기체 배출량이 적은 편이다.

**바로알기** ① A는 원자력, (나)는 천연가스로, 서로 다른 에너지원이다. ②, ③ 오늘날 1차 에너지 소비 구조에서 차지하는 비중이 가장 높고, 주로 수송용 연료로 이용되는 에너지는 석유이다. ⑤ 수력(다)은 화석 에너지에 해당하지 않는다.

**02** A는 호남권에서 생산량이 가장 많은 것으로 볼 때 태양광이다. B는 강원권·제주권에서 생산량이 가장 많은 것으로 볼 때 풍력이다. C는 조력으로, 우리나라의 조력 발전소는 경기도 안산에 위치한 시화호 조력 발전소가 유일하다. 따라서 (나)는 수도권, (가)는 영남권이다. 태양광 발전은 일조량이 풍부한 호남 서해안과 영남 내륙 지역에서 많이 이루어진다. 풍력 발전은 산지나 해안처럼 풍속이 강하고 일정한 곳이 유리하기 때문에 대관령·영덕·제주도 등에서 이루어진다. 조력 발전은 밀물과 썰물의 조차를 이용하여 발전하기 때문에 조차가 큰 지역이 유리하다.

**바로알기** ⑤ 발전 가능 시간이 규칙적인 것은 조력 발전이다. 풍력 발전은 바람이 강해야 발전이 이루어지기 때문에 발전 가능 시간이 불규칙적이다.

**03** (가)는 주로 전남, 전북, 경남 등에서 생산액 비중이 높은 것으로 볼 때 쌀이다. (나)는 전남, 충남, 전북 등에서 생산액 비중이 높은 것으로 볼 때 맥류이다. (다)는 경북, 제주 등에서 생산액 비중이 높은 것으로 볼 때 과수이다. ㄴ. 맥류는 주로 쌀의 그루갈이 작물로 재배된다. ㄹ. 쌀은 주로 평지에서, 과수는 주로 산지에서 재배되기 때문에 쌀이 과수보다 영농의 기계화에 유리하다.

**바로알기** ㄱ. 쌀은 식생활 구조 변화와 농산물 시장 개방 등으로 소비량이 감소하는 추세이다. ㄷ. 작물 중에서 국내 자급률이 가장 높은 것은 쌀이다.

### 서술형 문제

**04** **예시답안** 도시와 농촌 간 소득 격차가 확대되어 도농 간 소득 불균형이 심화되고 있다. 이를 해결하기 위해서는 농산물 직거래와 전자 상거래 확대, 로컬푸드 운동 등을 통해 농산물 유통 구조를 개선하여 농촌 소득을 높여야 한다.

| 채점 기준 | 배점 |
|---|---|
| 도시와 농촌 간 소득 격차 확대의 문제점과 농산물 직거래, 전자 상거래의 확대 등을 통한 농촌 소득 향상 등의 해결 방안을 모두 정확히 서술한 경우 | 상 |
| 도시와 농촌 간 소득 격차 확대의 문제점과 농산물 직거래, 전자 상거래의 확대 등을 통한 농촌 소득 향상 등의 해결 방안 중 한 가지만 서술한 경우 | 하 |

## 03 공업의 발달과 지역 변화

### 1단계 개념 짚어 보기
본문 71쪽

**01** (1) ○ (2) ○ **02** (1) 가공 무역 (2) 이중 구조 **03** (1) ㄷ (2) ㄱ, ㄴ (3) ㄹ, ㅁ (4) ㅂ **04** ㉠ 경공업 ㉡ 중화학 공업 ㉢ 충청 **05** 공간적 분업

### 2단계 내신 다지기
본문 72~74쪽

| | | | | |
|---|---|---|---|---|
| **01** ② | **02** ⑤ | **03** ② | **04** ③ | **05** ① |
| **06** ① | **07** ⑤ | **08** ③ | **09** ① | **10** ④ |
| **11** ④ | **12** ③ | | | |

**01** 우리나라의 업종별 공업 구조를 보면 1970년대 정부의 중화학 공업 육성 정책의 결과 화학, 기계·조립 금속 등 중화학 공업의 비중은 높아지고 섬유 등 경공업의 비중은 낮아지고 있다.

**바로알기** ㄴ, ㄹ. 우리나라는 노동 집약적 경공업의 비중이 감소하고, 자본 및 기술 집약적 공업의 비중이 증가하고 있다.

**02** ① 천연자원이 부족한 우리나라는 가공 무역의 발달로 원료의 해외 의존도가 높아져 국제 원자재 가격 변동에 민감하게 영향을 받고 있다. ② 섬유와 전자 조립 산업은 대표적인 노동집약 산업이다. ③ 자본 집약적 중화학 공업은 1970년대 이후 발달하기 시작하였다. ④ 수도권과 영남권은 공업의 과도한 집중으로 집적 불이익이 나타나고 있다.

**바로알기** ⑤ 공업의 이중 구조는 소수의 대기업의 공업 생산의 절반 이상을 차지하는 현상으로, 공업의 지방 분산 정책보다는 중소기업 육성이 필요하다.

**03** 우리나라는 공업 발달 과정에서 정부 지원이 대기업에 집중되면서 사업체 수와 종사자 수가 적은 대기업이 생산액의 절반 이상을 차지하여 대기업과 중소기업 간의 격차가 심하게 나타나고 있다. 이러한 공업의 이중 구조는 균형적인 경제 성장과 경제의 역동성을 저해할 수 있다.

**04** 1970년대에는 의류, 합판, 가발 등과 같은 노동 집약적 경공업 제품을 주로 수출하였다. 1980년대에는 선박 제품이 포함되면서 중화학 공업 육성 정책의 성과가 나타나기 시작하였다. 1990년대 반도체, 자동차, 선박을 거쳐 2000년대 자동차, 컴퓨터, 반도체가 주요 수출 품목이 되면서 기술 및 지식 집약적으로 공업 구조가 변모하였음을 알 수 있다. 1990년대 들어서 의류와 신발이 주요 수출 품목에서 제외된 것은 국내 임금 상승으로 많은 공장들이 해외로 이전했기 때문이다.

**바로알기** 갑. 1970년대 주요 수출 품목은 노동 집약적 경공업 제품이 주를 이루고 있다. 정. 천연자원이 부족한 우리나라는 지식 집약적 첨단 산업과 정보 기술 관련 산업이 발달하여 반도체, 자동차, 휴대 전화 등을 주로 수출하고 있다.

**05** 지도는 서울, 경기 등 수도권, 경상북도, 대구 등에 종사자가 집중적으로 분포하는 것으로 보아 섬유 공업을 나타낸다. 섬유 공업은 생산비 중에서 노동비가 차지하는 비중이 크기 때문에 저렴한 노동력이 풍부한 지역에서 발달하는 노동력 지향 공업이다.

**바로알기** ② 지식 기반 산업의 입지 특성이다. ③ 원료 수입과 제품 수출에 유리한 적환지에 입지하는 공업은 정유, 제철 공업이다. ④ 제품이 쉽게 부패하거나 파손되는 유리, 식품 공업은 시장 가까이에 입지하는 것이 유리하다. ⑤ 제조 과정에서 원료의 무게와 부피가 크게 줄어 원료 산지에 입지하는 공업은 시멘트 공업과 같은 원료 지향 공업이다.

**06** ⑺는 경기, 울산, 충남, 광주 등의 생산액이 높은 것으로 보아 자동차 공업이다. ⑷는 울산, 경남(거제), 부산, 전남의 생산액이 높은 것으로 보아 조선 공업이다. ② 자동차 공업은 약 3만여 개의 많은 부품을 조립하는 '조립 산업의 꽃'이라는 별칭을 가지고 있으며, 계열성이 매우 높은 집적 지향 공업이다. ③, ⑤ 조선 공업은 완성된 배를 띄워야 하므로 해안가에 입지해야 하지만 자동차 공업은 그에 비해 입지 조건이 자유롭다. ④ 최종 생산물의 무게와 부피는 자동차보다 선박이 더 크다.

**바로알기** ① 원료의 해외 의존도가 높은 기초 소재 공업은 철강 공업, 정유 공업 등이다.

**07** 대덕 연구 개발 특구에는 정보 통신, 생명 과학 기업 본사와 연구소 등 첨단 산업 관련 기업들이 밀집되어 있다. 제시된 글을 통해 우수한 연구 기술 인력이 풍부하고 정보 교류가 활발히 이루어질 수 있도록 관련 연구소, 기업 등이 집적된 곳이 첨단 산업 입지에 유리하다는 것을 알 수 있다.

**08** ⑺는 호남 공업 지역, ⑷는 충청 공업 지역에 대한 설명이다. 호남 공업 지역은 중국과의 교역 증가로 성장하고 있으며, 충청 공업 지역과 함께 공업의 지역적 불균형 문제를 완화하기 위해 조성되었다. 충청 공업 지역은 수도권과 인접해 있고 도로 및 철도 교통이 편리하여 수도권에서 이전해 온 공업이 증가하고 있다. 지도의 A는 수도권 공업 지역, B는 충청 공업 지역, C는 호남 공업 지역, D는 태백산 공업 지역, E는 남동 임해 공업 지역에 해당한다.

### 극비노트 우리나라의 주요 공업 지역

| 수도권 공업 지역 | • 우리나라 최대의 공업 지역으로 풍부한 자본과 노동력, 넓은 소비 시장을 바탕으로 다양한 공업 발달<br>• 최근 집적 불이익 현상 심화 |
| --- | --- |
| 충청 공업 지역 | • 수도권과의 지리적 인접성, 수도권에서 이전해 온 공업 입지<br>• 내륙 지역은 첨단 산업, 해안 지역은 중화학 공업 발달 |
| 호남 공업 지역 | 중국과의 교역 증대로 최근 성장세 |
| 태백산 공업 지역 | 풍부한 지하자원을 바탕으로 원료 지향 공업 발달 |
| 영남 내륙 공업 지역 | 풍부한 노동력을 바탕으로 전자 조립·섬유 공업 등 경공업 발달 |
| 남동 임해 공업 지역 | 원료 수입과 제품 수출에 유리한 항구를 중심으로 중화학 공업 발달 |

**09** A는 수도권, B는 영남권이다. ㄱ. 영남권은 수도권에 비해 사업체당 종사자 수와 사업체당 생산액 비중이 높은데, 이는 중화학 공업의 비중이 높고, 기업 규모가 크기 때문이다. 영남권은 1970년대 성장 거점 개발을 통한 집중 투자로 공업이 발달하였다.

**바로알기** ㄷ. 소비자와 잦은 접촉이 필요한 시장 지향 공업은 수도권에서, 원료를 수입하거나 제품의 대부분을 수출하는 적환지 지향 공업은 영남권에서 발달하였다. ㄹ. 오늘날 수도권과 영남권은 공업의 과도한 집중으로 집적 불이익이 발생하여 수도권과 긴밀한 연계를 형성하고 있는 충청 공업 지역과 호남 공업 지역으로 공업이 분산되고 있다.

**10** ① 교통·통신의 발달로 운송비가 공업 입지에 미치는 영향이 감소하여 공업의 입지 가능 지역이 확대되고 있다. ② 공업 지역이 형성되면 일자리가 창출되어 인구가 증가하며, 지역 경제가 활성화된다. ③ 기업 조직이 성장하면서 대도시에는 본사와 연구소가 입지하고, 생산 공장은 지방이나 해외로 이전하는 공간적 분업이 진행되면서 일부 기업은 다국적 기업으로 성장하기도 한다. ⑤ 수도권의 공업이 수도권과 긴밀한 연계를 형성하고 있는 충청 공업 지역과 대중국 교역의 교두보로 육성되고 있는 호남 공업 지역으로 이전하고 있다.

**바로알기** ④ 지가 상승, 용수 부족, 교통 혼잡, 환경 오염 등은 집적 불이익에 해당한다.

**11** A 지역은 1980년대까지 섬유·봉제·의류 등의 노동 집약적 공업이 밀집한 서울의 구로 공업 단지이다. 2000년대 이후 정보 통신 기술(IT) 산업이 대규모로 들어서면서 서울 디지털 산업 단지로 변화하였다.

**12** 공업 입지의 변화는 지역의 경관 변화와 더불어 주민 생활의 변화에도 많은 영향을 준다. 공업 지역이 형성되면 일자리가 늘어나 인구가 증가하며 도로, 주택, 학교와 같은 기반 시설이 증가하여 지역 경제가 활성화된다. 당진시의 인구가 증가하면서 병원, 음식점 등 편의 시설도 증가할 것이다. 또한 제철소가 입지하면서 도로, 주택 등 인공적인 토지 이용이 확대되고, 관련 연구소와 연관 기업의 입지가 증가하였을 것이다.

**바로알기** ③ 제철소가 입지하면서 공업이나 서비스업 등 2·3차 산업에 종사하는 사람이 많아지는 반면, 농림 어업 등 1차 산업에 종사하는 사람은 줄어들 것이다.

### 3단계 등급 올리기
본문 75쪽

01 ⑤   02 ③   03 ③
04 ⑴ A 영남 내륙 공업 지역, B 남동 임해 공업 지역 ⑵ 해설 참조

**01** (가)는 B의 출하액 비중이 87.3%에 이르고, 호남권이 11.7%로 그 다음 순위를 잇는 것으로 볼 때 기타 운송 장비 제조업이다. B는 울산과 거제를 중심으로 선박 및 보트 건조업이 발달한 영남권이다. 따라서 A는 수도권이다. (나)는 포항 제철소를 중심으로 한 영남권의 출하액 비중이 가장 높고, 광양에 대규모 제철소가 위치한 호남권이 다음 순위를 잇는 것으로 볼 때 1차 금속 제조업이다. (다)는 반도체 제조업이 발달한 용인, 이천 등을 중심으로 한 수도권의 출하액 비중이 가장 높고, 구미 전자 산업 단지를 중심으로 한 영남권이 다음 순위를 잇는 것으로 볼 때 전자 제조업이다.

**02** (가)는 A, 서울, 부산 등에서 출하액이 높은 것으로 볼 때 섬유 제조업이다. (나)는 B, 광주, 인천 등에서 출하액이 높은 것으로 볼 때 자동차 및 트레일러 제조업이다. ③ 섬유 공업은 대표적인 경공업으로 중화학 공업에 해당하는 자동차 공업보다 최종 제품의 무게가 가볍고 부피도 작다.

바로 알기 ① 공정이 계열화된 종합 조립 공업은 자동차 공업이다. ② 1960년대 우리나라의 주력 수출 공업이었던 것은 섬유 공업이다. ④ 자동차 공업은 대표적인 중화학 공업으로 대기업에 의해 생산되므로 주로 중소기업에 의해 생산되는 섬유 공업보다 사업체당 종사자 수가 많다. ⑤ 섬유 제조업이 발달한 A는 대구, 자동차 및 트레일러 제조업이 발달한 B는 울산이다.

**03** (가)는 포항, 당진, 광양 등 대규모의 제철소가 입지한 경북, 충남, 전남의 생산액 비중이 높은 것으로 볼 때 1차 금속이다. (나)는 경기, 경북, 충남의 생산액 비중이 높은 것으로 볼 때 전자 부품·컴퓨터·영상·음향 및 통신 장비 제조업이다. (다)는 경기, 울산, 충남 및 광주의 생산액 비중이 높은 것으로 볼 때 자동차 및 트레일러 제조업이다. ㄴ. 전자 부품·컴퓨터·영상·음향 및 통신 장비 제조업은 운송비에 비해 부가 가치가 큰 첨단 산업으로 입지가 자유롭다. ㄷ. 1차 금속 제조업에서 생산된 철강 제품은 자동차 및 트레일러 제조업의 주요 재료로 이용된다.

바로 알기 ㄱ. 1차 금속 제조업은 원료의 대부분을 해외에서 수입하기 때문에 적환지에 주로 입지한다. ㄹ. 자동차 및 트레일러 제조업은 1970년대 이후 우리나라 공업화를 주도하였다.

### 서술형 문제

**04** (2) 예시 답안 영남 내륙 공업 지역은 풍부한 노동력을 바탕으로 섬유 공업, 전자 조립 산업이 발달하였다. 남동 임해 공업 지역은 정부의 정책과 원료 수입 및 제품 수출에 유리한 조건을 바탕으로 우리나라 최대의 중화학 공업 지역으로 성장하였다.

| 채점 기준 | 배점 |
|---|---|
| A, B 공업 지역의 특징을 각각 정확히 서술한 경우 | 상 |
| A, B 공업 지역의 특징 중 한 가지만 서술한 경우 | 하 |

## 04 서비스업의 변화와 교통·통신의 발달

### 1단계 개념 짚어 보기
본문 77쪽

**01** (1) ◯ (2) × **02** 탈공업화 현상 **03** (1) - ㉠, ㉣ (2) - ㉡, ㉢
**04** ㉠ 외부화 ㉡ 생산자 **05** (1) ㄴ (2) ㄱ (3) ㄷ **06** (1) 확대
(2) 심화

### 2단계 내신 다지기
본문 78~80쪽

| | | | | |
|---|---|---|---|---|
| **01** ② | **02** ① | **03** ② | **04** ② | **05** ④ |
| **06** ② | **07** ④ | **08** ② | **09** ③ | **10** ② |
| **11** ④ | **12** ④ | | | |

**01** A는 최소 요구치, B는 재화의 도달 범위이다. 최소 요구치는 상점이 유지될 수 있는 최소한의 수요이고, 재화의 도달 범위는 상점으로부터 재화가 도달할 수 있는 최대한의 범위이다. 다시 말해 소비자가 상품 구입을 위해 기꺼이 교통비를 지불하고 오는 거리를 뜻한다. 그렇기 때문에 상점으로 연결되는 교통로가 건설되거나 새로운 교통수단이 등장할 경우에는 재화의 도달 범위가 넓어진다. 상점이 유지되기 위해서는 재화의 도달 범위가 최소 요구치 범위와 같거나 넓어야 한다. 최소 요구치의 범위가 재화의 도달 범위보다 크면 상점은 문을 닫게 된다.

바로 알기 ② 지역의 인구가 증가하면 최소 요구치를 만족하는 공간 범위가 줄어든다.

**02** 주변 지역에 재화와 서비스를 제공하는 역할을 하는 곳을 중심지라고 하고, 재화와 서비스를 제공받는 곳을 배후지라고 한다. 상점, 도시 등이 중심지에 해당되며 상점의 경우는 취급하는 상품의 종류에 따라 고차 중심지와 저차 중심지로 나뉜다. 지도의 A는 백화점, B는 편의점이다. 고차 중심지는 고급 상품을 판매하므로 최소 요구치와 재화의 도달 범위가 넓으며 상점의 수는 적다. 또한 고차 중심지는 저차 중심지에 비해 상점 간의 평균 거리가 멀고 소비자가 하루 평균 상점을 방문하는 횟수가 적다.

바로 알기 ① 판매하는 상품의 종류는 백화점이 편의점보다 많다.

**03** A는 대형 마트, B는 무점포 소매업, C는 백화점, D는 편의점이다. ② TV 홈쇼핑, 인터넷 쇼핑, 소셜 커머스 등을 포함하는 무점포 소매점은 교통·통신의 발달에 따라 최근 매출액이 급성장하고 있다.

바로 알기 ① 접근성이 좋은 도심과 부도심에 주로 입지하는 것은 백화점이다. 대형 마트는 도시 내 주거 지역을 중심으로 입지하고 있다. ③ 백화점이 편의점보다 업체당 종사자 수가 많다. ④ 대형 마트가 편의점보다 다양한 종류의 상품을 대량으로 판매하므로 상품 전시에 필요한 공간이 넓다. ⑤ 상점이 영향을 미치는 최대한의 공간 범위인 재화의 도달 범위는 A~D 중 무점포 소매업(D)이 가장 넓다.

극비 노트 **상업과 소비 공간의 특성**

| 백화점 | 주로 고급 상품 판매, 접근성이 좋은 도심이나 부도심에 입지 |
|---|---|
| 대형<br>마트 | 주로 일상용품 판매, 도시 내 주거 지역을 중심으로 교외 지역까지 확산 |
| 편의점 | 현대인들의 일상생활에 필요한 다양한 제품 판매, 도시 곳곳에 분포 |
| 무점포<br>상점 | TV 홈쇼핑, 인터넷 쇼핑, 소셜 커머스 등을 통한 거래, 입지가 자유롭고 택배 산업의 발달을 촉진 |

**04** (가)는 오프라인 유통 구조, (나)는 온라인 유통 구조를 나타낸 것이다. ② 교통과 통신의 발달로 전자 상거래가 활성화되고 있다. 전자 상거래가 늘면서 물건을 배송하기 위한 택배 산업이 함께 성장하고 있다.

바로알기 ① 오프라인 유통 구조에서 소매상은 도매상보다 재화의 도달 범위가 좁다. ③ 오프라인 유통 구조는 시·공간적 제약이 크지만, 온라인 유통 구조는 상거래 활동의 시·공간적 제약이 작다. ④ 온라인 유통 구조는 매장을 운영하지 않고 제품을 판매하기 때문에 매장 관리 비용이 많이 들지 않는다. ⑤ 온라인 유통 구조는 오프라인 유통 구조에 비해 유통 구조가 단순하며 물류비용이 저렴하다.

**05** 우리나라는 1960년대 이전까지 농림·어업(1차 산업) 종사자 비중이 높았으나, 이후 공업이 빠르게 성장하면서 광공업(2차 산업) 종사자 비중이 증가하였다. 1990년대부터는 광공업 종사자 비중이 감소하였고, 사회 간접 자본 및 서비스업(3차 산업) 종사자 비중이 증가하면서 탈공업화 현상이 나타났다. 최근에는 정보·통신 서비스업, 교육·문화·디자인 산업 등 지식 기반 서비스업이 서비스 사업의 성장을 주도하고 있다.

바로알기 ㄹ. 산업 구조의 변화는 노동력과 자본 중심의 산업 사회에서 지식 중심의 정보화 사회로 바뀌고 있음을 의미한다.

**06** (가)는 소비자 서비스업, (나)는 생산자 서비스업을 나타낸다. ② 생산자 서비스업은 규모가 크고 전문적인 지식을 필요로 하므로 관련 산업의 발달과 집적을 유도한다.

바로알기 ① 소비자 서비스업은 기업보다는 개인 소비자를 주요 대상으로 한다. ③ 노동 생산성은 단위 노동력이 생산할 수 있는 생산액으로 소비자 서비스업보다 전문화된 생산자 서비스업이 더 높다. ④ 전문적인 지식과 기술이 필요한 것은 생산자 서비스업이다. ⑤ 탈공업화 사회에서는 서비스에 대한 수요가 다양해지고, 서비스업의 외부화 경향이 강해지면서 생산자 서비스업의 성장이 두드러지게 된다.

**07** 그래프를 보면 보건, 사회 복지업과 전문, 과학 및 기술 서비스업의 종사자 수 비율이 증가하였다. 이는 사회 복지와 전문 과학 기술에 대한 서비스 수요가 증가하였기 때문이다. 또한 도매 및 소매업, 숙박 및 음식점업 등 소비자 서비스업의 종사자 수 비율이 감소한 대신에 생산자 서비스업의 종사자 수 비중이 상대적으로 커졌는데 이를 통해 서비스 산업이 고도화되고 있음을 알 수 있다. 서비스 공급 주체에 따라 분류해 보면 두 시기 모두 공공 서비스보다 민간 서비스업의 비중이 높다는 것을 알 수 있다.

바로알기 ④ 생산자 서비스업 중 금융 및 보험업과 부동산업 및 임대업의 종사자 수 비율은 소폭 감소하였다.

**08** (가)는 인구 규모에 따라 비교적 고르게 분포하고 있으므로 소비자 서비스업인 도매 및 소매업, (나)는 서울의 집중도가 매우 높으므로 생산자 서비스업인 전문 서비스업이다. 생산자 서비스업인 (나)는 소비자 서비스업인 (가)에 비해 산업 구조의 고도화에 따른 성장률이 높고, 전국의 사업체 수는 적으며, 기업과의 거래 비중이 높다. 이는 그림의 B에 해당한다.

**09** 총 운송비는 거리에 따라 증가하는 주행 비용과 창고비, 하역비, 보험료 등 운송 업무에 관련된 비용인 기종점 비용의 합으로 구할 수 있다. ③ 도로는 기종점 비용이 가장 저렴하여 단거리 수송에 적합하지만, 철도나 해운보다 주행 비용의 증가율이 높아 장거리 수송에는 적합하지 않다.

바로알기 ① 기종점 비용이 가장 비싼 교통수단은 항공이다. ② 해운은 단위 거리당 주행 비용이 낮아 장거리 수송에 가장 유리하다. ④ 항공은 주행 비용의 증가율이 높지만, 이동 속도가 빨라 장거리 여객 수송에 적합하다. ⑤ 철도는 해운보다 기종점 비용이 저렴하지만 단위 거리당 주행 비용이 비싸다.

극비 노트 **교통수단별 특징**

| 도로 | 기종점 비용이 낮고, 주행 비용의 증가율이 높음 → 단거리 수송에 적합 |
|---|---|
| 철도 | 운송비가 도로와 해운의 중간 → 중거리 수송에 적합 |
| 해운 | 기종점 비용이 높고, 주행 비용 증가율은 낮음 → 장거리 수송에 적합 |
| 항공 | 기종점 비용과 주행 비용 증가율이 모두 높음 → 장거리 여객 수송과 고부가 가치 화물 수송에 적합 |

**10** 그래프의 A는 철도, B는 지하철, C는 도로, D는 해운, E는 항공이다. ② 대도시의 교통 혼잡을 해결하기 위해 1970년대 이후 서울, 부산, 대구 등에 지하철이 개통되면서 현재 대도시의 출퇴근 교통 문제 개선에 기여하고 있다.

바로알기 ① 대량 화물의 장거리 수송에 적합한 교통수단은 해운이다. 철도는 중거리 수송에 적합하다. ③ 운항 시 기상 제약을 많이 받는 교통수단은 해운과 항공이다. ④ 기동성과 문전 연결성이 우수한 교통수단은 도로이다. ⑤ 지형 조건의 영향을 많이 받는 교통수단은 철도이다.

**11** 정보 통신의 발달로 전자 상거래가 늘면서 무점포 상점이 증가하고 있다. 이를 통해 판매자는 임대료와 인건비를 줄일 수 있고, 소비자는 시간과 공간에 얽매이지 않는 소비 활동을 할 수 있게 되었다. 이에 따라 지가가 저렴한 도시 외곽에 물류 단지, 복합 화물 터미널 등이 들어서고, 이와 더불어 상품을 배송하는 택배 산업이 성장하고 있다.

바로알기 ④ 전자 상거래는 별도의 상점이 필요 없기 때문에 상점이 위치하는 장소의 중요성이 줄어든다.

12 서울~포항 간 고속 철도의 개통으로 서울에서 포항으로의 접근성이 향상되어 지역 간 이동 시간이 줄어들었다. ㄱ. 고속 철도의 개통으로 서울과 포항 간의 교류가 증가할 것이다. ㄷ. 포항시의 주요 관광지에는 서울에서 찾아온 관광객이 증가할 것이다. ㄹ. 교통의 발달로 서울과 포항 간 이동 시간이 과거에 비해 줄어들기 때문에 포항의 쇼핑, 의료 등의 수요가 서울로 집중하는 현상이 나타날 수 있다.

(바로 알기) ㄴ. 서울에서 포항으로의 철도 교통이 편리해지면서 서울에서 포항을 오가는 고속버스 이용객이 줄어들 것이다.

서술형 문제

04 (예시 답안) 기업 활동에서 통신망을 이용한 정보 공유가 원활해지면서 관리 기능과 생산 기능의 공간적 분업 현상이 심화되고 있다. 전자 상거래가 발달하면서 무점포 상점이 증가하고, 이에 따라 택배 산업과 대형 물류 창고업이 성장하고 있다. 정보화의 영향으로 전문직 및 연구직 종사자 비중이 증가하고 있다.

| 채점 기준 | 배점 |
|---|---|
| 통신 발달에 따른 공간 변화 모습 세 가지를 정확히 서술한 경우 | 상 |
| 통신 발달에 따른 공간 변화 모습을 두 가지 서술한 경우 | 중 |
| 통신 발달에 따른 공간 변화 모습을 한 가지만 서술한 경우 | 하 |

### 3단계 등급 올리기
본문 81쪽

01 ⑤　　02 ⑤　　03 ④　　04 해설 참조

01 (가)는 사업체와 종사자 수가 가장 적은 것으로 볼 때 백화점이다. (나)는 매출액 규모가 가장 작지만 사업체가 가장 많은 것으로 볼 때 편의점이다. (다)는 종사자 수가 가장 많고 매출액 증가율이 가장 높은 것으로 볼 때 무점포 소매업체이다. ㄷ. 인터넷 등을 통해 상품을 사고파는 무점포 소매업체의 이용은 시간적·공간적 제약이 적다. ㄹ. 2010년부터 2015년까지 매출액 증가율은 그래프의 기울기가 가파르게 증가하는 무점포 소매업체가 편의점보다 높다.

(바로 알기) ㄱ. 무점포 소매업체는 인터넷을 통한 상거래가 이루어지므로 소비자와 판매자 간 대면 접촉 빈도가 가장 낮다. ㄴ. 고차 중심지에 해당하는 백화점은 고가 제품을 주로 취급하며 저차 중심지인 편의점은 일상 용품을 주로 취급한다. 따라서 고가 제품의 판매액 비중은 편의점보다 백화점이 높다.

02 그래프를 보면 A는 제조업 증가율이 가장 높은데 최근 수도권의 공장들이 이전하면서 공업이 발달한 충남이다. B는 제조업은 거의 변화가 없는데 반해 서비스업의 발달이 두드러지고 있는 것으로 보아 대전이다. 반면 C는 제조업에서 가장 큰 감소를 보이고 있는 것으로 보아 서울이다.

03 단위 거리당 운송비는 총 운송비를 이동 거리로 나눈 값이다. 총 운송비에는 기종점 비용이 포함되어 있기 때문에 이동 거리가 증가할수록 단위 거리당 운송비는 감소한다. 그렇기 때문에 단위 거리당 운송비는 일반적으로 기종점 비용이 비싸고, 주행 비용이 저렴할수록 단위 거리당 운송비 감소율이 크게 나타난다. (가)는 단위 거리당 운송비의 감소율이 가장 작은 도로이다. (나)는 철도이다. (다)는 단위 거리당 운송비의 감소율이 가장 큰 해운이다. ④ 도로는 기종점 비용이 가장 작고, 국내 여객 수송 분담률이 가장 높다. 해운은 기종점 비용이 가장 크고, 국내 여객 수송 수송 분담률이 가장 낮다.

# 01 인구 분포와 인구 구조의 변화

 **1단계 개념 짚어 보기**

본문 83쪽

**01** (1) ○ (2) ○ (3) × **02** 교외화 **03** ㉠ 다산다사 ㉡ 사망률 ㉢ 출산 붐 ㉣ 산아 제한 ㉤ 소산소사 **04** ㉠ 피라미드 ㉡ 종 **05** (1) ㄹ, ㅁ (2) ㄱ, ㄴ, ㄷ **06** ㉠ 여성 ㉡ 남성

**2단계 내신 다지기**

본문 84~86쪽

| | | | | |
|---|---|---|---|---|
| 01 ⑤ | 02 ② | 03 ③ | 04 ④ | 05 ① |
| 06 ④ | 07 ⑤ | 08 ② | 09 ② | 10 ① |
| 11 ③ | 12 ② | | | |

**01** 인구는 일정 지역에 거주하는 사람 또는 집단 자체로 한 국가의 정치, 경제, 사회, 문화, 공간적 특성의 집약체이다. 한편, 인구 분포는 특정 시점 인구의 지역별 규모로, 지역별 인구 밀도를 통해 파악이 가능하다. 인구 분포의 자연적 요인으로는 기후, 지형, 토양, 자원 등을 들 수 있다. 그리고 수도권은 우리나라 최대의 인구 밀집 지역으로 국토 면적의 약 12%에 불과하지만 전체 인구의 절반 정도가 거주한다.

**바로 알기** ⑤ 소백산맥의 농어촌 지역은 평야 지대보다 겨울이 길고 추우며 산지가 많아 경지 비율이 낮으므로 근대 이전에도 인구가 희박하였다.

**02** 오늘날 우리나라의 인구 밀도는 대도시를 중심으로 높게 나타난다. 대표적으로 서울, 부산, 대구, 대전, 광주 등과 같은 대도시와 주변의 위성 도시에 인구가 밀집되어 있다. 이외에도 공업이 발달한 포항, 울산, 광양 등을 잇는 남동 임해 지역도 대표적인 인구 밀집 지역에 해당한다. 따라서 우리나라는 2·3차 산업이 발달한 지역을 중심으로 인구가 성장하였음을 알 수 있다.

**바로 알기** ㄴ. 기후가 온화하고 토양이 비옥할수록 인구 밀도가 높은 것은 1960년대의 인구 분포와 관련이 깊다. 오늘날 인구 분포는 취업, 교육, 문화 등 사회적 요인이 인구 분포에 많은 영향을 주고 있다. 이에 따라 산업 발달이 미약하고 기반 시설이 부족한 촌락 지역은 인구가 감소하고 있다. ㄹ. 의주~포항을 연결하는 선을 기준으로 남서부는 인구가 밀집하고 북동부는 인구가 희박한 것은 1960년대 이전의 인구 분포와 관련이 깊다. 오늘날에는 개발이 집중된 수도권과 영남권을 연결하는 경부축을 중심으로 인구가 집중하였다.

**03** 인구 중심점은 지도에 인구 분포를 한 개의 점으로 나타낸 다음 모든 사람의 몸무게가 같다고 가정할 때, 무게의 중심에 해당하는 곳이다. 인구 중심점의 이동은 시간에 따라 변화하는 인구 분포의 특성을 나타낸다. 우리나라의 인구 중심점은 광복 이후 약 60년 동안 북서쪽으로 이동하였으며 2010년 기준 청주시가 인구 중심점에 해당한다. 이와 같은 인구 중심점 변화를 통해 시간에 따라 변화하는 인구 분포의 특성을 살펴볼 수 있다.

**바로 알기** ㄱ. 역도시화는 도시의 인구가 도시를 벗어나 촌락으로 유입하는 현상으로, 인구 중심점의 이동을 통해 역도시화 현상을 살펴보기는 어렵다. ㄹ. 인구 중심점의 이동은 수도권으로 집중하는 인구 분포 특징을 반영하고 있으며, 이는 자연적 요인보다 인문·사회적 요인의 영향이 더 크다고 볼 수 있다.

**04** 제시된 표는 상하위 4개 시도의 인구 순이동을 나타낸 것이다. 인구 순이동은 전입 인구와 전출 인구의 차이를 나타낸 지표로 이를 통해 인구 분포의 변화를 살펴볼 수 있다. 제시된 표를 보면 경기도의 인구는 가장 많이 증가한 반면, 서울, 부산, 대전, 대구 등의 대도시에서는 인구가 감소하였다. 이는 정부의 인구 분산 정책에 힘입어 대도시 주변 지역으로 인구가 이동하는 교외화 현상이 나타났기 때문이다. 또한 제주도로 이주하는 사람들이 꾸준히 증가하고 있는 것을 알 수 있는데, 이는 최근 투자 활성화와 청정한 자연환경 등의 영향으로 귀농·귀촌을 원하는 이주민과 창업자들의 제주도 정착이 늘고 있기 때문인 것으로 분석된다. 충청 지방은 수도권 전철이 연장되고 고속 철도가 개통되면서 수도권으로의 접근성이 향상되었으며, 수도권 배후지로서의 기능이 강화되었다. 2012년 출범한 세종특별자치시는 수도권의 행정, 산업, 교육 등 다양한 기능이 이전되면서 꾸준히 인구가 유입되고 있다.

**바로 알기** ④ 경기도의 인구 증가 중 일부는 서울로부터의 이주에서 비롯된 것이다. 따라서 경기도에서 서울로의 출퇴근 인구는 늘어났을 것이다.

**05** 제시된 자료는 시기별 인구 이동과 관련된 것이다. 일제 강점기에는 광공업이 발달한 북부 지방으로 인구가 이동하거나 일본·중국·러시아 등 해외로 이주하기도 하였다. 한편, 광복 이후에는 해외 동포들이 귀국하여 고향이나 도시로 이동하는 인구의 사회적 이동이 나타났다.

**바로 알기** ㄷ. 1960~1980년대 산업화가 진행되면서 이촌 향도 현상이 활발해졌다. 대도시의 인구 급증으로 역도시화 현상이 나타난 것은 2000년대 이후이다. ㄹ. 대도시 주변 위성 도시로 인구가 이동하는 현상은 교외화이다. 이촌 향도 현상은 1960~1980년대와 관련이 있다.

**06** 제시된 지도는 시기별 인구 이동을 나타낸 것이다. (가)는 서울, 부산 등으로 인구가 집중하는 시기로 1980년대의 인구 이동에 해당한다. (나)는 서울과 경기 간, 부산과 경남 간, 대구와 경북 간 인구 이동이 많은 시기로 대도시의 교외화 및 역도시화가 나타나는 2000년대의 인구 이동이다. (가) 1980년대에는 서울, 부산과 같은 대도시로의 인구 이동이 뚜렷이 나타나는 이촌 향도 현상을 살펴볼 수 있다. (나) 2000년대 이후에는 대도시의 인구가 주변 지역으로 이동하는 교외화 현상이나 도시의 인구가 촌락으로 이동하는 역도시화 현상이 나타난다.

**바로 알기** ① 교외화 현상은 2000년대 이후에 해당한다. ② 산업화의 영향이 크게 반영된 인구 이동은 1970~1980년대의 인구 이동이다. 2000년대 이후에는 대도시 주변에 도시가 건설되고 인구와 산업 시설이 분산되었다. ③ 인구 이동은 1980년대가 2000년대보다 활발하였다. ⑤ (가)와 (나) 중 귀농 인구가 더 많은 시기는 교외화와 역도시화 현상이 나타난 (나) 2000년대이다.

**07** 제시된 자료는 인구 변천 모형을 나타낸 것이다. 인구 변천 모형을 통해 사회·경제의 발전 과정에서 나타나는 출생, 사망 등 인구의 자연적 증감의 변화를 살펴볼 수 있다. (가)에서 (라) 단계로 갈수록 총인구 수는 증가하므로 (라) 단계는 (가) 단계보다 총인구 수가 많다.

**바로알기** ① (가) 다산다사 단계는 출생률과 사망률이 모두 높으며 피라미드형 인구 구조가 나타난다. ② (나) 다산감사 단계는 경제 성장 및 의료 기술의 발달로 사망률이 급감하는 시기이다. 여성의 사회 진출이 가장 활발한 시기는 (다) 감산소사 단계이다. ③ (다) 감산소사 단계는 출생률이 감소하고 있으나 사망률이 출생률보다 낮은 단계로 인구의 자연적 증가가 나타난다. ④ 기대 수명은 사망률이 가장 낮은 (라) 소산소사 단계에서 가장 길게 나타난다.

| 극비 노트 | 인구 변천 모형 |
|---|---|
| 1단계<br>(다산다사) | • 출생률과 사망률이 모두 높음<br>• 인구가 정체되거나 미약하게 증가<br>• 피라미드형 인구 구조 |
| 2단계<br>(다산감사) | • 경제 성장 및 의료 기술의 발달 → 사망률 급감<br>• 인구 급증 |
| 3단계<br>(감산소사) | • 가족계획, 여성의 사회 진출 증가 → 출생률 감소<br>• 출생률보다 사망률이 낮아 인구 증가 |
| 4단계<br>(소산소사) | • 출생률과 사망률이 모두 낮음<br>• 인구가 안정되는 상태<br>• 노년층의 비율 증가 → 종형 인구 구조로 변화 |

**08** A 시기는 일제 강점기로 근대 의료 기술 보급의 영향으로 사망률이 낮아졌다. 따라서 인구 성장 모형 중 다산감사 단계에 해당한다. 한편, C 시기에는 6·25 전쟁 이후 사회가 안정되자 출산 붐이 나타났으며 그 결과 인구의 자연적 증가가 나타났다.

**바로알기** ㄴ. B 시기는 광복 이후의 시기로 광복 이후 해외 동포들이 귀국하여 고향이나 도시로 이동하는 인구의 사회적 증가가 나타났다. ㄹ. D 시기는 산업화가 진행된 시기이며 높아진 인구 증가율을 낮추기 위해 정부는 강력한 산아 제한 정책을 추진하였다. 출생률 감소로 정부 주도의 출산 장려 정책이 추진된 시기는 2000년대 이후이다.

**09** (가)는 2010년, (나)는 2050년, (다)는 1960년의 인구 피라미드이다. (가) 시기는 (다) 시기보다 상대적으로 유소년층의 인구 비중이 높고 청장년층의 인구 비중이 높게 나타난다. 한편, (다) 시기는 다산다사의 피라미드형 인구 구조가 나타나는 시기로 (가) 시기보다 출생률과 사망률이 모두 높다.

**바로알기** ㄴ. (나) 시기는 2050년 예측치로 노년층의 비중이 매우 높은 반면 유소년층의 인구 비중이 매우 낮은 시기이다. 따라서 출생률이 매우 높은 (다) 시기가 (나) 시기보다 인구가 급증한다. ㄹ. 시대 순으로 배열하면 (다) → (가) → (나) 순으로 이른다.

**10** 성별 인구 구조는 지역의 특성에 따라 다르게 나타나는데, 대표적으로 촌락 지역은 고령의 여성 노인이 많아 여초 현상이 나타난다. 연령별 인구 구조는 출생과 사망, 전입과 전출을 통해 발생한 인구의 특징을 연령별로 표현한 것이다. 한편, 높은 출생률과

사망률이 나타나는 경우에는 피라미드형 인구 구조가 나타난다. 그리고 우리나라는 저출산 현상과 기대 수명의 증가로 인해 노년층이 차지하는 인구 비중이 높아질 것으로 예상되며, 이를 해결하기 위한 다양한 방안이 필요하다.

**바로알기** ① 과거 남아 선호 사상으로 인해 남아가 여아보다 많았다. 그 결과 출생 시 성비는 높았다.

**11** (가)는 청장년층의 인구 비중이 높아진 것으로 보아 아산시의 인구 피라미드를 나타낸 것이다. (나)는 노년층의 인구 비중이 높아진 것으로 보아 의성군의 인구 피라미드를 나타낸 것이다. 도시 지역인 (가) 아산시는 1960년 이후 지속적인 성장에 의해 청장년층이 유입하였다. 반면, (나) 의성군은 1960년 이후 이촌 향도 현상 등에 의해 청장년층이 유출되었다. 그 결과 (가) 아산시는 (나) 의성군보다 청장년층 인구 비중이 높아졌다.

**바로알기** ① (가) 아산시는 청장년층 인구 비중이 증가한 지역으로 전입 인구가 전출 인구보다 많을 것이다. ② (나) 의성군은 유소년층 인구 비중보다 노년층의 인구 비중이 증가하였다. 따라서 중위 연령이 증가하였다고 볼 수 있다. ④ (나) 의성군은 (가) 아산시보다 1차 산업이 발달한 지역에 해당한다. 반면 아산시는 2·3차 산업이 발달한 지역으로 2·3차 산업 종사자 수 비중은 아산시가 의성군보다 높다. ⑤ (가)는 아산시, (나)는 의성군이다.

**12** 지도의 A는 군사 도시인 양구군, B는 촌락 지역인 의성군이다. 제시된 지도에서 서울과 부산은 성비가 100 미만으로 남성보다 여성의 인구가 많다. B 의성군은 고령의 여성 노인이 많아 여초 현상이 나타나는 대표적인 지역이다.

**바로알기** ㄴ. 제주와 같이 관광 산업이 발달한 지역은 여초 현상이 나타난다. 따라서 관광 산업이 발달한 지역일수록 성비는 낮아지게 된다. ㄷ. A 지역은 군부대가 많은 휴전선 부근의 도시로 남초 현상이 나타난다. 중화학 공업의 발달로 남초 현상이 나타나는 곳은 거제, 울산, 서산, 당진 등의 도시이다.

## 3단계 등급 올리기
본문 87쪽

| 01 ② | 02 ① | 03 ② | 04 해설 참조 |
|---|---|---|---|

**01** A 지역은 대부분의 연령에서 전입자 수가 전출자 수보다 많으며, B 지역은 대부분의 연령대에서 전입자 수가 전출자 수보다 적다. 한편, 초등학생의 연령인 5~9세, 10~14세에서 A는 전입자 수가 많으나, B는 전출자 수 많은 것을 통해 A는 B에 비해 초등학생 수가 많을 것임을 유추할 수 있다.

**바로알기** ① A는 B에 비해 청장년층 인구의 유입이 많다. 반면, B 지역은 유소년층과 청장년층 인구의 유출이 많은 지역이다. 따라서 B 지역은 A 지역보다 노년층의 인구 비중이 높을 것임을 유추할 수 있으며 중위 연령도 B 지역이 A 지역보다 높을 것이다. ③ B

는 촌락에 해당하며, A는 인구가 유입하는 도시에 해당한다. 두 지역 중에서 제조업 생산액이 많을 것으로 예상되는 지역은 도시 지역인 A이다. ④ A는 B에 비해 생산 연령층의 인구 비중이 높을 것이다. ⑤ A는 인구가 유입하는 지역으로 시, B는 인구가 유출하는 지역으로 군에 위치한 지역일 것이다.

**02** 첫 번째로 제시된 단위 면적에 분포하는 인구는 '인구 밀도'에 대한 설명이다. 두 번째로 제시된 가로축은 성별, 세로축은 연령대별 인구나 비율을 표시하여 인구 구조를 나타낸 그래프는 '인구 피라미드'에 대한 설명이다. 해당 카드에서 '인구 밀도'와 '인구 피라미드' 글자를 빼고 남은 글자는 '성', '비'이다. 성비는 여성 100명에 대한 남성의 수를 의미한다.

**바로 알기** ② 노년 부양비에 대한 설명이다. ③ 대체 출산율에 대한 설명이다. ④ 초고령 사회에 대한 설명이다. ⑤ 인구 증가율에 대한 설명이다.

**03** 오른쪽 지도에서 A는 정선, B는 천안, C는 포항이다. 그래프의 (가)는 인구가 지속적으로 증가한 지역으로 천안이며, 1970~1990년까지 인구가 지속적으로 증가하였으나 이후 정체된 (나)는 중화학 공업이 발달한 포항이다. 그리고 인구가 지속적으로 감소하는 (다)는 석탄 산업 합리화 정책 이후 인구가 감소한 정선에 해당한다. 한편 (나) 포항은 (가) 천안보다 중화학 공업이 발달하였다.

**바로 알기** ① (가) 천안은 (다) 정선보다 행정 구역의 면적은 좁지만 인구는 더 많다. 따라서 (가) 천안은 (다) 정선보다 인구 밀도가 높을 것이다. ③ (다) 정선은 (나) 포항보다 인구의 유출이 많은 지역으로 상대적으로 노년층의 비중이 높다. 따라서 정선은 포항보다 중위 연령이 높을 것이다. ④ 1970년대 포항은 중화학 공업의 발달로 인해 남초 현상이 나타났으며 성비는 천안보다 높았을 것이다. ⑤ (가)는 천안인 B, (나)는 포항인 C, (다)는 정선인 A 지역의 인구 그래프이다.

### 서술형 문제

**04** (1) **예시 답안** 1960년과 비교하여 2010년의 출생률과 사망률은 모두 낮아졌다.
(2) **예시 답안** 우리나라의 인구 구조에서 유소년층 인구는 감소하고, 청장년층과 노년층 인구가 증가하여 피라미드형에서 종형으로 변화하였다.

| 채점 기준 | 배점 |
|---|---|
| 제시된 용어를 모두 사용하여 인구 구조의 변화를 정확하게 서술한 경우 | 상 |
| 제시된 용어 중 일부를 사용하여 인구 구조의 변화를 서술한 경우 | 하 |

### **1단계** 개념 짚어 보기
본문 89쪽

**01** (1) ○ (2) × (3) ○ (4) × **02** ㉠ 노년층 ㉡ 유소년층 ㉢ 청장년층 **03** ㉠ 노동력 ㉡ 노년 **04** 실버산업 **05** (1) 수도권 (2) 중국인 **06** 다문화주의

### **2단계** 내신 다지기
본문 90~92쪽

| | | | | |
|---|---|---|---|---|
| **01** ③ | **02** ⑤ | **03** ⑤ | **04** ⑤ | **05** ③ |
| **06** ① | **07** ③ | **08** ① | **09** ① | **10** ② |
| **11** ③ | **12** ② | **13** ③ | | |

**01** 우리나라의 출생아 수는 지속적으로 감소하고 있으며 합계 출산율 역시 인구 대체 수준인 2.1명 이하이다. 이와 같은 변화의 원인으로는 여성들의 경제 활동 참가율 증가, 교육과 생활수준의 향상 등으로 인한 초혼 연령의 상승, 결혼 및 가족에 대한 가치관의 변화, 자녀 보육비와 사교육비 부담 증가 등을 들 수 있다.

**바로 알기** ㄱ. 평균 초혼 연령이 하락하게 되면 여성의 가임 기간이 증가하고, 여성 1명이 가임 기간 동안 낳을 것으로 예상되는 평균 출생아 수인 합계 출산율이 높아진다. ㄹ. 저출산·고령화 문제가 대두되면서 정부는 2000년 이후 출산 장려 정책을 실시하고 있다.

**02** (가)는 저출산·고령화 문제를 해결하기 위한 2010년대 포스터이며, (나)는 인구 급증을 예방하기 위한 1970년대의 포스터이다. (나)가 제작된 시기인 1970년대에는 (가)가 제작된 2010년대보다 다자녀 가구에 대한 지원이 적었을 것이다. 다자녀 가구 지원은 2000년대 이후 저출산 현상을 해결하고자 확대되었다.

**바로 알기** ① (가)는 저출산 문제를 해결하기 위한 가족계획으로 출산 장려 정책과 관련이 깊다. 산아 제한 정책과 관련이 깊은 것은 (나)이다. ② 성비 불균형 해결을 주요 목적으로 인구 포스터가 제작된 것은 1990년대이다. 당시에 제작된 한 포스터의 문구는 '선생님 착한 일하면 여자 짝꿍 시켜주나요.'이다. ③ 제작 시기는 2010년대에 제작된 (가)가 1970년대에 제작된 (나)보다 늦다. ④ (가)가 제작된 2010년대는 (나)가 제작된 1970년대보다 유소년층의 인구 비중이 낮다. 따라서, (가)가 제작된 시기는 (나)가 제작된 시기보다 유소년 부양비가 낮을 것이다.

**03** 제시된 그래프에서 1970년 이후 유소년 부양비는 감소하고 노년 부양비는 증가하고 있다. 노령화 지수는 유소년 부양비에 대한 노년 부양비로 구할 수 있으며 노년 부양비의 증가 및 유소년 부양비 감소를 통해 노령화 지수가 지속적으로 증가하고 있음을 알 수 있다. 한편, 2020년 이후부터 유소년 부양비와 노년 부양비의 합인 총 부양비가 지속적으로 증가하는 것을 통해 청장년층 인구의 재정 부담이 지속적으로 커질 것임을 예상할 수 있다.

**바로 알기** ㄱ. 유소년 부양비와 노년 부양비의 합인 총 부양비는

1970년 이후 2010년까지 지속적으로 감소하였다. ㄴ. 인구 구조는 과거 피라미드형에서 종형으로 변화하였으며, 앞으로 유소년층 인구 비중의 감소, 노년층 인구 비중 증가로 방추형으로 변화될 것으로 보인다.

**극비노트 인구 부양비 공식**

| 총 부양비 | $\dfrac{0{\sim}14세\ 인구 + 65세\ 이상\ 인구}{15{\sim}64세\ 인구} \times 100$ |
|---|---|
| 유소년 부양비 | $\dfrac{0{\sim}14세\ 인구}{15{\sim}64세\ 인구} \times 100$ |
| 노년 부양비 | $\dfrac{65세\ 이상\ 인구}{15{\sim}64세\ 인구} \times 100$ |

**04** (가)는 서울, 부산, 대구 등의 대도시 주변에서 수치가 높게 나타나고 있으며 수도권에서 수치가 높은 편이다. 이와 같은 형태는 지역별 유소년 부양비와 관련이 깊다. 한편, (나)는 전남 및 경북 등에서 비교적 수치가 높으며 시(市)보다 군(郡) 지역에서 수치가 높음을 살펴볼 수 있다. 이와 관련이 깊은 것으로는 노년 부양비를 들 수 있다.

**바로알기** ①, ②, ④ 인구 밀도는 대도시에서 높게 나타나는 수치이다. 따라서 서울, 부산 등에서 수치가 높게 나타나야 한다.

**05** A는 총 부양비가 가장 높은 지역이면서 도에 해당하는 지역으로 전남이다. D는 노년 부양비가 가장 낮고 총 부양비도 가장 낮은 지역으로 청장년층의 비중이 가장 높은 지역이다. 이와 관련이 깊은 지역은 중화학 공업이 발달한 울산이다. B는 시에 해당하며 D보다 총 부양비와 노년 부양비가 높은 것을 통해 서울임을 유추할 수 있다. C는 B보다 총 부양비는 높으나 노년 부양비가 낮은 지역으로 유소년 부양비가 높은 지역이다. 이와 같은 현상은 신도시에서 주로 살펴볼 수 있으며 세종이 이에 해당한다. 따라서 A는 전남, B는 서울, C는 세종, D는 울산이다.

**06** 그래프는 시도의 인구 부양비를 나타낸 것이다. ㄱ. A는 B보다 노년 부양비가 높은 지역으로 인구 유출이 나타나는 지역에 해당한다. A는 전남, B는 서울로 1차 산업 종사자 수 비중은 A(전남)가 B(서울)보다 높다. ㄴ. A는 총 부양비가 약 53이며 노년 부양비가 약 32로 유소년 부양비는 약 21이다. 반면 C는 총 부양비가 약 44, 노년 부양비가 약 15로 유소년 부양비는 약 29이다. 따라서 A의 유소년 부양비가 C보다 낮다.

**바로알기** ㄷ. B는 노년 부양비가 약 17 정도이며, 유소년 부양비가 약 15(32−17) 정도이다. 반면, C는 노년 부양비가 약 15정도이며, 유소년 부양비가 약 29(44−15) 정도이다. 따라서 유소년 부양비 대비 노년 부양비가 높은 B가 C보다 노령화 지수가 높다. 실제로 노령화 지수를 계산하면 B의 노령화 지수는 약 113(17÷15× 100=113)인 반면, C는 약 52(15÷29×100=52)이다. ㄹ. D는 B보다 총 부양비가 낮다. 총 부양비는 청장년층 인구에 대한 유소년층과 노년층 인구의 비로 구하므로 총 부양비가 낮을수록 청장년층 인구 비중은 높다. 따라서, 총 부양비가 낮은 D는 B보다 청장년층 인구 비중이 높다.

**극비노트 총 부양비와 노령화 지수**

| 총 부양비 | • 청장년층 인구(15~64세)에 대한 유소년층 인구(0~14세)와 노년층 인구(65세 이상)의 비율<br>• 총 부양비 = 유소년 부양비 + 노년 부양비<br>• 청장년층 인구 비율이 높을수록 총 부양비는 낮아짐 |
|---|---|
| 노령화 지수 | • 유소년층 인구(0~14세)에 대한 노년층 인구(65세 이상)의 비율<br>• 유소년 부양비에 대한 노년 부양비로도 구할 수 있음<br>• 우리나라는 노령화 지수가 지속적으로 증가하는 추세 |

**07** 제시된 자료는 저출산·고령화 현상에 따른 대책과 관련된 것이다. 저출산·고령화를 해결하기 위해 노후 소득 보장을 확대, 난임과 불임의 치료를 지원, 청년 일자리·주거 대책을 강화, 일과 가정이 양립하는 방안 마련 등이 필요하다.

**바로알기** ③ 고령화 사회에 대비하기 위해서는 노년층을 경제 활동 인구로 편입 시기는 정년 연장 정책이 실시되어야 하며 공식 은퇴 연령을 상향 조정하는 것이 바람직하다.

**08** 제시된 그래프는 우리나라의 주요 출산 기피 원인을 나타낸 것이다. 이와 같은 문제를 해결하기 위해서는 여성의 출산 휴가 및 육아 휴직과 남성의 육아 휴직 보장, 직장 내 보육 시설 활성화, 신혼부부의 주택 마련 지원 방안 마련 등이 필요하다. 이와 더불어 양성평등 문화를 확립해야 한다.

**바로알기** ㄷ. 실버산업을 적극적으로 육성하는 것은 고령화 사회를 대비하는 노력에 해당한다. ㄹ. 지속 가능한 연금 제도의 정착은 안정적인 노후 생활을 위한 것으로 고령화 현상의 대책에 해당한다.

**09** 국내 체류 외국인의 증가는 교통·통신의 발달로 세계화가 빠르게 진행되면서 노동 시장 개방에 맞춰 나타난 현상이다. 특히 저출산·고령화에 따른 노동력 부족 및 국내 생산직 근로자의 3D 업종 기피 현상, 국가 위상의 제고와 한류 열풍의 강화 등으로 인해 외국인의 국내 취업과 유학, 국제결혼 등이 증가하게 되었다.

**바로알기** ① 오늘날 세계의 국가 간 경제 수준 격차는 심화되고 있으며, 우리나라보다 상대적으로 저임금 노동력이 풍부한 중국, 동남아시아, 남부 아시아 지역으로부터 저임금 노동력이 유입되고 있다.

**10** 외국인 근로자의 취업 직종 중에서 제조업의 비율이 가장 높은 것을 통해 2차 산업에 종사하는 외국인의 비율이 가장 높음을 알 수 있다. 한편, 국내 체류 외국인의 국적은 중국, 베트남, 필리핀, 캄보디아 등 선진국보다 개발 도상국에서의 외국인 유입 비중이 높다.

**바로알기** ㄴ. 제조업에 종사하는 외국인 근로자가 많은 것을 통해 농촌보다 도시 거주 외국인의 비율이 높을 것임을 유추할 수 있다. ㄹ. 국내 체류 외국인 근로자의 임금은 국내 제조업 종사자의 임금보다 저렴한 편이다. 따라서 국내 제조업 종사자의 임금을 높이는 데 영향을 준다고 보기는 어렵다.

**11** (가)는 서울, 부산 주변 지역에서 수치가 높은 것을 통해 외국인 근로자 수임을 알 수 있다. 반면, (나)는 군(郡) 지역에서 수치가 높은 것을 통해 결혼 이민자 비중과 관련이 있음을 알 수 있다. 이

중 결혼 이민자는 1990년대 초 농촌 지역의 결혼 적령기 성비 불균형 현상에 대한 대책으로 추진된 국제결혼의 결과, 남성보다 여성의 비중이 높다.

**바로 알기** ① (가) 유형인 외국인 근로자는 대부분 제조업에 종사하고 있으며 제조업이 많이 분포한 수도권과 도시 지역 등에 주로 분포한다. 노년층 비중이 높은 지역에서는 결혼 이민자 비중이 높다. ② (가) 유형인 외국인 근로자는 중국, 동남아시아, 남부 아시아 지역 등의 저임금 노동력으로 개발 도상국 출신이 선진국 출신보다 많다. ④ (나) 유형인 결혼 이민자는 농촌 지역의 국제결혼으로 증가하였으며, 대부분 연구 개발 등 전문 인력이라고 보기는 어렵다. ⑤ (가) 유형인 외국인 근로자 수가 (나) 유형인 결혼 이민자 수보다 많다.

**12** 국제결혼 건수가 더 많은 (가)는 한국 남성+외국 여성이며, 국제결혼 건수가 적은 (나)는 한국 여성+외국 남성이다. 한국 남성과 결혼하는 외국 여성은 대체로 이촌 향도 현상에 따른 농촌의 성비 불균형 현상을 해결하기 위한 국제결혼인 경우가 많다. 따라서 (가)는 (나)보다 촌락 거주 비중이 높다. 한편, (가)의 발생 건수가 (나)의 발생 건수보다 많기 때문에 한국 여성보다 한국 남성의 국제결혼 건수가 많다.

**바로 알기** ㄴ. (나)의 외국인은 외국 남성으로 최근에는 연구 개발, 국제 금융 등 전문직·고임금 외국인 근로자의 유입이 증가하고 있다. 반면, (가)의 외국인 여성의 경우에는 상대적으로 개발 도상국 출신의 비중이 높다. ㄹ. 2010년 이후 우리나라의 국제결혼 건수는 다소 감소하였으나 지속적으로 국제결혼이 이루어지고 있어 국제결혼을 통한 총 다문화 가정 수는 증가하였다.

**13** 국내 거주 외국인이 증가하면서 우리나라는 다문화 사회로 변화되었지만, 국내에 거주하는 외국인이 언어, 문화 차이, 편견과 차별 등으로 어려움을 겪고 있어 이에 대한 적절한 대안 마련과 실천이 요구되고 있다. 지속 가능한 다문화 사회로 발전하기 위해서는 다문화주의와 문화 상대주의 관점에서 외국인의 문화적 다양성을 존중하며, 배려와 이해를 통해 이들을 우리 사회의 구성원으로 수용하려는 의식의 변화가 필요하다. 또한, 정책적으로 다문화 가정을 지원하는 사회적 통합 시스템을 구축해야 한다.

**바로 알기** ③ 다문화 사회의 다양한 문제 해결을 위해 지나친 민족주의를 자제하고 다문화주의, 문화 상대주의적 관점에서 외국인을 바라볼 필요가 있다.

## 3단계 등급 올리기

본문 93쪽

01 ③    02 ⑤    03 ②    04 해설 참조

**01** ㄱ. A는 중위 연령이 가장 높고 청장년층의 인구 비율이 가장 낮다. 청장년층 인구 비율이 가장 낮은 지역은 총 부양비가 가장 높게 나타난다. 따라서 A는 ⓒ과 동일한 지역이다. 이 지역은 유소년 부양비보다 노년 부양비가 높으므로 유소년 부양비에 대한 노년 부양비로 구할 수 있는 노령화 지수가 100 이상이 된다. ㄴ. B

는 D보다 생산 가능 인구 비율이 낮으나 중위 연령이 높은 지역이다. 즉, B는 D보다 노년층의 인구 비중이 높은 지역임을 알 수 있다. 따라서 청장년층 인구에 대한 노년층 인구 비중인 노년 부양비는 B가 D보다 높다. ㄷ. D는 생산 가능 인구 비율이 가장 높은 지역으로 총 부양비가 가장 낮은 지역임을 알 수 있고 오른쪽 그래프에서는 ⑤에 해당한다.

**바로 알기** ㄹ. ⓛ은 ⓒ보다 총 부양비는 낮으나 유소년 부양비는 높다. 따라서 노년 부양비가 낮음을 알 수 있다. 이에 따라 ⓛ은 ⓒ보다 노령화 지수가 낮음을 알 수 있다. 실제로 ⓛ의 노령화 지수는 약 76($19 \div 25 \times 100$)이며, ⓒ의 노령화 지수는 약 145($34 \div 22 \times 100$)으로 ⓛ이 ⓒ보다 노령화 지수가 낮다.

**02** (가)는 노년층의 인구 비중이 높은 지역으로 전라남도, (나)는 청장년층의 인구 비중이 높은 지역으로 광주광역시이다. (가) 전라남도는 (나) 광주광역시보다 촌락의 비중이 높으며 상대적으로 1차 산업 종사자 수 비중이 높다. 한편, (나) 광주광역시는 (가) 전라남도보다 청장년층의 인구 비중이 높은 지역이다. 청장년층의 인구 비중이 높을수록 총 부양비는 낮아지므로 (나) 광주광역시는 (가) 전라남도보다 총 부양비가 낮다.

**바로 알기** ㄱ. (가) 전라남도는 유소년층의 인구 비중보다 노년층의 인구 비중이 높다. 따라서 노년 부양비가 유소년 부양비보다 높다. ㄴ. (나)는 유소년층에서 남성의 비중이 여성의 비중보다 높은 반면 노년층에서 여성의 비중이 남성의 비중보다 높다. 따라서 노년층의 성비가 유소년층의 성비보다 낮다.

**03** (가)는 안산, (나)는 무주이다. (가) 안산은 (나) 무주에 비해 외국인 근로자의 유입이 많은 지역이다. 한편, 무주의 경우는 상대적으로 외국인의 비율은 낮으나 결혼 적령기의 남초 현상으로 인해 외국인 여성과의 국제결혼 비율이 높은 지역이다. 따라서 외국인의 성비가 낮게 나타난다. 또한 촌락인 (나) 무주의 경우 노년층 인구 비중이 높으며 노년 부양비가 (가) 안산보다 높다. 따라서 (가) 안산이 높은 수치인 A와 C에는 외국인 성비, 외국인 근로자 수가 들어갈 수 있다. 반면, (나) 무주가 높은 수치인 B에는 노년 부양비가 들어간다.

### 서술형 문제

**04** (1) 유소년 인구 비중과 청장년 인구 비중은 감소하고, 노년 인구 비중은 증가한다.

(2) **예시 답안** 저출산은 장기적으로 노동력 부족은 물론 잠재적 경제 성장률을 하락시켜 국가 경쟁력을 약화시킬 수 있다. 고령화는 노년 부양비를 증가시키고, 사회 복지 비용 등을 증가시킨다.

| 채점 기준 | 배점 |
|---|---|
| 저출산과 고령화의 영향을 모두 바르게 서술한 경우 | 상 |
| 저출산과 고령화의 영향 중 한 가지만 정확히 서술한 경우 | 하 |

## 01 지역의 의미와 지역 구분
## ~02 북한 지역의 특성과 통일 국토의 미래

### 1단계 개념 짚어 보기
본문 95쪽

**01** (1) ○ (2) × (3) ○  **02** 점이 지대  **03** (1) ㄴ (2) ㄹ  **04** ㉠ 백두산 ㉡ 개마고원 ㉢ 함경산맥 ㉣ 낭림산맥 ㉤ 금강산  **05** (1) 철도 (2) 평양 (3) 대동강 (4) 신의주

### 2단계 내신 다지기
본문 96~98쪽

| | | | | |
|---|---|---|---|---|
| 01 ④ | 02 ⑤ | 03 ② | 04 ⑤ | 05 ⑤ |
| 06 ② | 07 ① | 08 ④ | 09 ② | 10 ① |
| 11 ③ | 12 ③ | | | |

**01** 지역은 지리적인 측면에서 다른 곳과 구별되며, 지역성은 다양한 자연환경과 인문 환경이 복합적으로 작용하여 형성된다. 서로 인접한 두 지역의 특성이 함께 나타나는 점이 지대는 서로 다른 동질 지역 사이에서 잘 나타나는데, 문화권, 언어권 등에서 나타나는 경우가 많다.

**바로 알기** ㄱ. 지역은 다양한 자연환경과 인문 환경으로 구성된다. ㄷ. 지역의 고유한 특성인 지역성은 시간의 흐름, 교통과 통신의 발달, 사람 및 물자의 이동 등에 따라 변화하기도 한다.

**02** 제시된 지도는 식생 분포에 따른 지역 구분을 나타낸 것으로, 이는 특정한 지리적 현상이 동일하게 나타나는 동질 지역의 사례에 해당한다.

**바로 알기** ① 식생 분포가 생활권을 구분하는 경계에 해당하지는 않는다. ②, ③ 기능 지역에 관한 내용이다. ④ 주변 지역에 미치는 영향을 알 수 있는 것은 기능 지역에 해당되는 내용이다.

**03** (가)는 한양을 기준으로 바다 건너 서쪽에 있는 지역인 해서 지방(A)이다. 조령은 문경새재를 가리키는 말로, (나)는 조령의 남쪽인 영남 지방(E)이다. 지도에서 A는 해서 지방, E는 경상도에 해당하는 영남 지방이다.

**바로 알기** B는 도읍지를 둘러싸고 있는 경기 지방, C는 철령관의 동쪽인 관동 지방, D는 호강(금강)의 서쪽인 호서 지방이다.

#### 극비 노트  전통적인 지역 구분

| 구분 | 구분 기준 |
|---|---|
| 관북 지방 | 철령관의 북쪽 |
| 관서 지방 | 철령관의 서쪽 |
| 관동 지방 | 철령관의 동쪽(대관령을 경계로 영서 지방과 영동 지방으로 나뉨) |
| 해서 지방 | 한양을 기준으로 바다(경기만) 건너에 위치 |
| 경기 지방 | 도읍지를 둘러싸고 있는 지역 |
| 호서 지방 | 제천 의림지 서쪽 또는 금강(호강) 상류의 서쪽 |
| 호남 지방 | 금강(호강)의 남쪽 |
| 영남 지방 | 조령(문경 새재)의 남쪽 |

**04** 우리나라의 전통적인 지역 구분은 고개, 산줄기, 하천을 기준으로 구분된다. 중부와 북부 지방은 멸악산맥을 경계로 구분되며, 남부와 중부 지방은 소백산맥과 금강 하류를 잇는 선을 경계로 구분된다. 또한 관서와 관북 지방은 낭림산맥, 영동과 영서 지방은 태백산맥의 대관령을 기준으로 구분하였다.

**바로 알기** ⑤ 관서와 관북, 관동 지방에서 '관'은 강원도와 함경도 사이에 있는 철령관을 의미한다.

**05** 북한은 북동쪽으로 함경산맥과 마천령산맥이 이어져 북부와 동부의 해발 고도가 높다. 이들 산맥으로부터 발원한 큰 하천은 주로 황해로 흘러 들어간다. 동해로 유입하는 하천은 두만강을 제외하면 유로가 짧고 경사가 급하다. 관북 지방에 비해 관서 지방은 대하천 유역에 평야가 발달한다. 그리고 함경산맥의 동쪽 사면은 급경사를 이루며, 내륙 쪽은 해발 고도가 높고 경사가 완만한 개마고원이 분포한다.

**바로 알기** ⑤ 청천강, 대동강은 황해로 유입하는 하천으로 유로가 길고 경사가 완만하다. 따라서 안주·박천평야, 재령평야, 평양평야 등 규모가 대체로 큰 평야가 발달한다.

**06** 북한은 남한보다 위도가 높고 유라시아 대륙에 접해 있어서 대륙성 기후의 특징이 나타난다. 여름은 짧고 서늘하여 연평균 기온이 낮고 기온의 연교차가 크다. ㄱ. 북부 내륙으로 갈수록 겨울철 기온이 낮아지므로 연평균 기온이 낮아진다. ㄷ. 대동강 하류는 평평한 지형이 나타나 지형성 강수가 내리기 어려우므로 연 강수량이 적은 편이다.

**바로 알기** ㄴ. 해안은 내륙보다 겨울철이 따뜻하여 연평균 기온이 높은 편이다. ㄹ. 지형과 바다의 영향으로 동해안은 서해안보다 겨울 기온이 높다. 따라서 같은 위도 상에서 서해안은 동해안보다 연평균 기온이 낮은 편이다.

#### 극비 노트  북한의 다우지와 소우지

| 다우지 | 강원도 해안 원산 이남 지역, 청천강 중·상류 |
|---|---|
| 소우지 | 관북 내륙 지역(남서 계절풍의 바람 그늘 지역), 대동강 하류 지역(지형성 강수 요인이 적음), 관북 해안 지역(한류, 지형의 영향) |

**07** 제시된 그래프를 보면 북한은 남한에 비해 총 경지 면적에서 밭이 차지하는 비중이 높고, 식량 작물에서 쌀이 차지하는 비중이 낮다. 그리고 북한은 옥수수, 콩, 밀 등 잡곡 중심의 농작물 생산이 많다. ① 남한의 쌀 생산량은 485만 톤의 89.3%인 약 433만 톤, 북한의 쌀 생산량은 451만 톤의 약 44.7%인 약 201만 톤으로, 쌀 생산량은 남한이 북한보다 많다.

**바로 알기** ② 남한은 경지 면적이 북한보다 좁지만 식량 작물의 생산량이 북한보다 많은 것으로 볼 때, 남한은 북한에 비해 경지의 식량 작물 생산성이 높다. ③ A는 옥수수로, 남한보다 북한의 재배 면적이 더 넓다. ④ 북한은 경사지가 많고 연평균 기온이 낮은 편이며, 작물의 생장 가능 기간이 짧아 토지 생산성이 낮다. ⑤ 남한의 맥류 생산량은 485만 톤의 2.1%인 약 10만 1천 톤, 북한의 맥류 생산량은 451만 톤의 3.6%인 약 16만 2천 톤으로, 북한의 맥류 생산량이 남한보다 많다.

| 극비 노트 | 북한의 산업 |
| --- | --- |
| 농업 | 경사지가 많고 겨울이 길고 추워 작물 생육 가능 기간이 짧음. 밭 농사 중심의 농업 |
| 공업 | 군수 산업 중심의 중공업 우선 정책, 경공업 위축(식량과 생활필수품 부족) |
| 서비스업 | 계획 경제 체제의 영향으로 서비스업의 비중이 낮은 편임 |

**08** 북한의 도시는 서부 지역과 관북 지방의 좁은 해안 평야를 따라 분포하며, 이 지역을 중심으로 인구 밀도가 높게 나타난다. 서부 지역에는 북한 최대 도시인 평양을 비롯하여 그 주변에 남포, 개성, 사리원 등이 분포하며, 관북 지방에는 동해안을 따라 함흥, 청진, 원산 등의 도시가 발달해 있다. 제시된 지도를 보면 1945년 이전에는 해안 지방의 도시들이 주로 발달하였음을 알 수 있다.

바로 알기 ① 청진, 함흥 등 관북 지방에도 인구 10만 명 이상의 도시가 분포한다. ② 지도를 보면 동부 지역에 비해 서부 지역의 도시 발달이 두드러짐을 알 수 있다. ③ 관북 지방에는 좁은 해안 평야를 따라 도시들이 분포한다. ⑤ 1945년 이후 승격된 만포, 강계, 순천, 신포 등의 도시들은 개방화 정책을 위한 경제특구에 해당하는 도시들이 아니다.

| 극비 노트 | 북한의 도시 |
| --- | --- |
| 관서 지방 | • 평양: 북한 최대의 도시로 정치 및 행정의 중심지<br>• 남포: 평양의 외항으로 서해 갑문 건설 후 기능 강화<br>• 신의주: 철도 교통 중심지, 중국과의 교역 통로 |
| 관북 해안 지방 | 함흥, 청진, 원산: 일제 강점기부터 공업 도시로 성장 |
| 황해도 지역 | 개성: 역사 도시, 개성 공단 |

**09** 제시된 지도를 보면 A는 평양 등 대도시 주변이나 청진과 같은 공업 도시 주변에서 발전이 이루어지고 있는 화력 발전이며, B는 주요 하천 주변에서 발전이 이루어지고 있는 수력 발전이다. ② 화력 발전은 석탄, 석유 등과 같은 화석 연료를 사용하고 있으므로 수력 발전보다 발전 과정에서 배출되는 대기 오염 물질의 양이 많다.

바로 알기 ① 수력 발전은 화력 발전보다 계절별 발전량의 차이가 크다. ③ 수력 발전은 높은 산지가 많고 하천의 폭이 좁고 급경사의 사면에서 큰 낙차를 이용하는 발전 양식이다. 따라서 화력 발전보다 입지 조건이 까다롭다. ④ 수력은 화력보다 남한의 전력 생산에서 차지하는 비중이 작다. ⑤ 대도시 주변과 공업 도시 주변에서 발전이 이루어지는 것은 화력 발전에 해당된다.

**10** A는 오늘날 가장 비중이 높은 3차 산업, 그 다음으로 비중이 높은 B는 2차 산업, 가장 비중이 낮은 C는 1차 산업이다. 북한은 군수 산업 중심의 중화학 공업 우선 정책을 추진하여 산업에서 구조적인 불균형이 심화되었다. 특히 경공업 발달이 미약하여 생활 필수품 부족과 식량 생산 저하 등의 문제가 나타나 많은 어려움을 겪고 있다. 북한은 경기 침체를 벗어나기 위해서 1차·2차 산업보다 고부가 가치의 3차 산업을 육성해야 한다.

바로 알기 ① A는 3차 산업으로 1·2차 산업에 비해 비중은 높으나 계획 경제의 특성으로 인해 3차 산업의 비중이 전체의 약 42% 정도로 낮다고 볼 수 있다. 그리고 북한은 경공업 위주 정책보다 중화학 공업 위주 정책을 추진하고 있다.

**11** 북한의 개방 지역은 오래전부터 교류가 많은 중국, 러시아 등과 지리적으로 가깝거나 남한과의 협력이 유리한 지역에 주로 지정되었다는 특징이 있다. (가)는 나선 경제특구, (나)는 신의주 특별 행정구이다. 나선 경제특구(B)는 북한 최초의 경제특구로, 유엔 개발 계획의 지원을 바탕으로 경제 무역 지대로 지정되었다. 신의주 특별 행정구(A)는 중국의 홍콩을 모델로 하였으며 외자 유치 및 교역 확대를 위해 지정되었다. 최근에는 신의주와 인접한 황금평, 위화도를 특별 행정구에 포함시키려는 계획이 논의되고 있다.

바로 알기 C는 개성 공업 지구, D는 금강산 관광 특구이다.

**12** ㄴ. 2011년 대외 무역 총액은 약 62억 달러이며, 2002년 대외 무역 총액은 약 22억 달러로 2011년이 2002년보다 3배 정도 증가하였다고 볼 수 있다. ㄷ. 남북 교역액 현황 그래프를 보면 2010년대의 남북 교역 규모가 1990년대의 남북 교역 규모보다 더 크다는 것을 알 수 있다.

바로 알기 ㄱ. 남북 교역액 현황 그래프에서 반출액이 반입액보다 많았던 시기는 1998년에서 2008년까지의 시기로 볼 수 있다. ㄹ. 북한 대외 무역과 북중 무역 추이 그래프를 보면 대외 무역에서 북중 무역이 차지하는 비중은 2014년이 1999년에 비해 증가하였음을 알 수 있다.

## 3단계 등급 올리기

본문 99쪽

| 01 ④ | 02 ③ | 03 ⑤ | 04 해설 참조 |

**01** (가)는 경기도의 아파트 비율로 동질 지역에 해당하고, (나)는 서울로의 통근율과 통근자 수로 기능 지역에 해당한다. 동질 지역은 특정 지리적 현상이 동일하게 나타나는 공간 범위를 말한다. 그리고 기능 지역은 하나의 중심지와 그 기능이 영향을 미치는 배후지가 기능적으로 결합되어 있는 공간 범위를 나타낸다. 따라서 기능 지역은 중심지와 배후지의 공간 관계를 파악하기에 유리하다.

바로 알기 ① (가)는 동질 지역으로 문화권, 농업 지역 등과 같은 지역 구분이 포함된다. ② 기능 지역은 중심지와 배후지가 기능적으로 연계된 공간이므로 중심지가 보유하는 기능의 정도에 따라 지역의 크기가 달라진다. ③ 지리적 현상이 같게 나타나는 범위를 묶어 구분하는 것은 동질 지역이다. ⑤ 기능 지역의 공간 범위는 교통과 통신이 발달함에 따라 끊임없이 변화한다. 따라서 (나)가 (가)보다 교통과 통신의 발달에 따라 지역 범위 변화에 더 큰 영향을 받는다.

**02** 지도의 A는 백두산, B는 함경산맥, C는 개마고원, D는 대동강 하류 일대, E는 원산 일대이다. ③ 개마고원(C)은 낭림산맥과 마천령산맥, 함경산맥으로 둘러싸인 지역이다. 북쪽으로는 완만한

경사지를 이룬다.

(바로 알기) ① 백두산 정상에서는 화구가 함몰된 부분에 물이 고여 형성된 호수인 칼데라호를 볼 수 있다. 종상 화산을 이루며 백록담이라 불리는 화구호가 있는 곳은 한라산이다. ② 함경산맥은 신생대의 융기 운동으로 형성된 1차 산맥으로 고도가 높고 연속성이 강한 랴오둥 방향의 산맥에 속한다. ④ 조수 간만의 차가 큰 대동강 하류 일대에서는 삼각주의 발달이 어렵다. ⑤ 원산 일대는 지형과 풍향의 영향으로 연 강수량이 많은 다우지이다.

**03** 지도를 통해 지역의 특성을 추론해내는 문제이다. ① ⑺는 신의주로, 신의주는 일제 강점기에 경의선 철도가 부설되면서 발달한 도시이다. 2002년 외자 유치 및 교역 확대를 위해 특별 행정구로 지정되었다. ② ⑷는 백두산으로, 화구가 함몰된 칼데라에 물이 고인 칼데라호(천지)를 비롯해 다양한 화산 지형이 나타나고 있다. ③ ⑸는 나선 경제특구로, 중국 및 러시아와 인접한 지역으로, 북한 최초의 경제특구에 해당하는 곳이다. ④ ⑹는 금강산으로, 이는 화강암을 주된 기반암으로 하는 돌산이다.

(바로 알기) ⑤ ⑺는 개성 공업 지구로, 북한의 노동력과 남한의 자본 및 기술이 결합되어 남북 경제 협력 사업이 진행되었던 지역이다.

### 서술형 문제

**04** (예시 답안) 북한은 경사지가 많고 겨울 기온이 낮아 작물의 생장 가능 기간이 짧고 강수량도 적은 편이다. 따라서 밭농사 중심의 농업이 이루어져 옥수수, 감자, 콩, 메밀 등의 밭작물의 생산량이 많다.

| 채점 기준 | 배점 |
|---|---|
| 제시어를 모두 사용하여 정확하게 서술한 경우 | 상 |
| 제시어 중 세 가지만 사용해 서술한 경우 | 중 |
| 제시어 중 두 가지 이하를 사용해 서술한 경우 | 하 |

본문 101쪽

## 03 수도권과 강원 지방

### 1단계 개념 짚어 보기

**01** (1) ◯ (2) ◯ (3) ✕ **02** (1) 석탄 산업 합리화 (2) 탈공업화 (3) 수도권 공장 총량제 **03** (1) ㄱ, ㄴ (2) ㄷ, ㄹ **04** ㉠ 태백산맥 ㉡ 동해 **05** (1) 태백산맥 (2) 대륙성 (3) 관광 산업

### 2단계 내신 다지기

본문 102~104쪽

| | | | | |
|---|---|---|---|---|
| 01 ② | 02 ④ | 03 ④ | 04 ③ | 05 ② |
| 06 ④ | 07 ② | 08 ③ | 09 ② | 10 ① |
| 11 ⑤ | 12 ④ | | | |

**01** 1960년대에 서울은 구로 공단을 중심으로 섬유, 봉제업 등의 경공업이 발달하였다. 1970년대 후반부터 지가 상승 등을 이유로 제조업이 서울의 주변 지역으로 분산되기 시작하였고, 1980년에는 인천과 경기도의 공업이 빠르게 성장하였다. 최근에는 정보 통신 기술 산업과 생산자 서비스업을 중심으로 하는 지식 기반 산업이 급속히 성장하고 있다. 수도권에는 산업 유형에 따른 공간적 분업 구조가 형성되고 있는데, 서울에는 연구 개발, 사업 지원 등의 지식 기반 서비스업이 집중적으로 분포하는 반면, 정보 통신 기기, 반도체 등의 지식 기반 제조업은 주로 경기도에 분포한다.

(바로 알기) ② 서울을 중심으로 성장하던 제조업이 인천과 경기도 지역으로 분산되기 시작한 것은, 1970년대 후반부터 서울에서 지가 상승, 환경 오염, 교통 혼잡 등의 집적 불이익이 나타났기 때문이다.

**02** 산업화·도시화로 수도권의 인구 비중은 급격히 증가하였다. 그러나 과밀화의 영향으로 서울의 인구가 주변 지역으로 이동하면서 1990년대 이후부터 감소하는 추세이다. 그래프를 보면 2000년에는 경기·인천의 인구가 서울의 인구보다 많은 것을 알 수 있다.

(바로 알기) ① 수도권은 비수도권보다 면적은 좁지만 많은 인구가 밀집하고 있어 인구 밀도가 매우 높은 편이다. ② 수도권의 인구 비율은 지속적으로 높아지고 있다. ③ 1990년대 이후부터 서울의 인구는 주변의 인천이나 경기도 지역으로 이동하였다. ⑤ 수도권의 인구 증가율은 1990년대 후반부터 둔화되고 있어 2000~2010년보다 1970~1980년의 인구 증가율이 더 높다.

**03** 수도권의 산업 구조는 1995년 제조업 종사자 수 비중이 27.8%였으나 탈공업화 현상이 나타나면서 2005년에는 20% 미만으로 감소하였으며, 생산자 서비스업을 중심으로 3차 산업이 빠르게 성장하면서 산업 구조가 고도화되었다. 지역별로는 경기와 인천의 제조업 종사자 수 비중이 상대적으로 높고 서울은 3차 산업 종사자 수 비중이 90.1%로 매우 높다.

(바로 알기) ㄱ. A는 제조업 종사자 수 비중이 상대적으로 높으므로 경기, B는 3차 산업 종사자 수 비중이 절대적으로 높으므로 서울이다. ㄷ. 2차 산업의 종사자 비중이 인천은 22.6%, 서울이 9.8%

이지만 전체 인구는 서울이 인천보다 세 배 이상 많기 때문에 2차 산업 종사자 수는 인천이 서울보다 적다.

극비 노트 **수도권의 산업 구조**

| 산업 구조 변화 | • 1차 산업의 비중이 가장 낮고 3차 산업의 비중이 가장 높음<br>• 탈공업화 현상이 나타나고 있음 |
|---|---|
| 지역별 특성 | 서울은 3차 산업의 비중이 매우 높은 데 비해, 인천·경기는 2차 산업의 비중이 상대적으로 높음 |

**04** 제조업 사업체 수 변화를 보면 2004~2014년 사이 서울은 사업체 수가 19.4% 감소하였고, 인천은 3.4%, 경기는 30.9% 증가하였다. 같은 기간 수도권 제조업체 비중은 2004년 52.4%에서 2014년 48.7%로 감소하였다. 이를 통해 서울의 제조업체들이 주변 지역으로 빠져나갔으며, 수도권의 제조업 비중이 감소하고 있음을 알 수 있다. 지식 기반 산업 종사자 수 그래프를 보면 고급 기술 인력 확보나 최신 정보의 획득이 중요한 지식 기반 서비스업은 서울에서 발달하고, 정밀 기기, 통신 장비 등 넓은 공장 부지가 필요한 지식 기반 제조업은 경기도에서 주로 발달해 있다. 이를 통해 수도권 내에서 지식 기반 산업의 공간적 분화가 나타나고 있음을 알 수 있다.

바로알기 ③ 서울은 연구 개발, 업무 관리 등의 지식 기반 서비스업이 집중적으로 발달해 있다.

**05** 제시된 자료를 통해 ㈎는 경기도 파주시, ㈐는 경기도 수원시, ㈑는 인천광역시임을 알 수 있다. 파주(A)의 헤이리 예술 마을에는 다양한 문화 시설이 갖추어져 있으며, 출판 도시를 조성해 많은 출판사들이 입지해 있다. 수원(C)은 경기도의 대표적인 도시로 정조 때 축조한 화성이 세계 문화유산으로 등재되어 있다. 인천(B)은 국제공항과 인천항을 바탕으로 국제 물류의 중심이 되고 있다.

**06** 수도권의 과도한 기능 집중으로 인한 문제를 해결하기 위해서 정부는 인구와 각종 기능을 분산하는 정책을 시행하고 있다. 인구 집중을 유발하는 시설이 들어설 때 부담금을 부과하는 과밀 부담금 제도와 공장 건축 허가 면적을 제한하는 수도권 공장 총량제가 대표적이다. 또한 세종특별자치시에 중앙 행정 기관의 일부를 이전하고, 주요 시도에 공공 기관 이전을 통한 혁신 도시 건설을 추진하는 등 국가 균형 발전을 위해 노력하고 있다.

바로알기 ㄴ. 서울 중심의 도시 구조를 자립적 다핵 연계형 공간 구조로 전환하기 위해 방사형 교통 체계를 환상 격자형 교통 체계로 개편하고 있다.

**07** 제3차 수도권 정비 계획(2006~2020년)의 목표는 지역별 중심 도시를 육성하여 서울 중심의 도시 구조를 자립적 다핵 연계형 공간 구조로 전환하고 서울과 주변 지역의 과밀화를 완화하는 것이다. 통근권과 생활권 등을 고려하여 인천·경기 지역에 자립적 도시권을 형성하고 도시의 특성에 따라 다양한 분야로 육성하여 도시권별 자족성을 증대하고자 한다. 이러한 공간 구조에 맞게 교통 체계도 서울 중심의 방사형에서 환상 격자형으로 개편하고 있다.

바로알기 ㄴ, ㄷ. 수도권 정비 계획은 수도권 기능의 지방 분산 및 재배치를 통한 균형 발전, 동북아 경제 중심지로서 수도권의 국제 경쟁력 강화를 목표로 한다.

**08** 강원도는 태백산맥을 경계로 영서 지방(A)과 영동 지방(B)으로 나뉜다. 영서 지방은 대체로 경사가 완만한 지형에 고도가 높지만 평탄한 고원이 발달하며, 한강 유역의 분지에 춘천, 원주 등의 도시가 분포한다. 영동 지방은 급경사의 산지와 좁은 해안 평야로 이루어져 있으며, 해안을 따라 강릉, 속초 등의 도시가 분포한다. 산지의 비중이 높은 영서 지방은 감자, 옥수수 등의 밭농사 비중이 높으며, 영동 지방은 반농 반어촌의 경관이 나타난다.

바로알기 갑. 급경사의 산지를 이루는 영동 지방이 동서의 폭이 좁아 하천의 유로가 짧고 경사가 급하다. 정. 영서와 영동 지방은 험준한 태백 산지의 영향으로 지역 간 교류가 어려워 언어, 음식, 가옥 등의 인문 환경이 다르게 나타난다.

극비 노트 **영서 지방과 영동 지방의 특성**

| 영서 지방 | • 평탄한 고원 발달, 대륙성 기후, 지형성 강수<br>• 밭농사 중심, 고랭지 농업과 목축업 발달 |
|---|---|
| 영동 지방 | • 산지와 좁은 해안 평야 발달, 서늘한 여름, 온난한 겨울<br>• 반농 반어촌, 관광 산업 발달 |

**09** ② 내륙에 위치한 홍천은 해안에 위치한 강릉에 비해 겨울철 기온이 낮으므로 홍천이 강릉보다 무상일수가 짧은 편이다.

바로알기 영동 지방에 위치한 강릉은 태백산맥이 겨울철 한랭한 북서 계절풍을 막아 주고, 황해에 비해 상대적으로 수온이 높고 수심이 깊은 동해의 영향을 받기 때문에 영서 지방에 위치한 홍천보다 겨울이 따뜻한 편이다. 이러한 수륙 분포의 차이에 의해 홍천은 강릉보다 기온의 연교차가 크게 나타난다.

**10** 광산 개발로 호황이던 태백시는 석탄 생산량 감소로 지역 경제가 침체되었고, 이에 따라 인구가 많이 감소하였다. 태백시는 이러한 어려움을 극복하기 위해 관광 상품을 개발하거나, 신산업을 유치하는 등 경제 활성화를 위해 노력하고 있다.

바로알기 ㄷ. 현재 태백시의 산업 구조는 광업으로 대표되던 2차 산업 중심에서 도·소매업과 기타 서비스업 위주의 3차 산업 중심으로 변화되었다. ㄹ. 제조업 종사자 수는 1986년 약 927명에서 2014년 약 1,037명으로 소폭 증가하였다.

**11** 강원도 정선군은 석탄 산업의 쇠퇴와 함께 인구가 감소한 대표적인 지역으로, 최근 관광 산업 활성화, 대체 산업 단지 조성, 정주 여건 개선 등을 통해 새롭게 성장하고 있다.

바로알기 ㄱ. 1980년대 후반 석탄 산업 합리화 정책으로 광업이 쇠퇴하면서 정선군의 경제가 침체되고 인구가 급속히 감소하였다.

**12** ㈎에서 설명하는 지역은 강원도 원주이다. 원주는 첨단 의료 기기 산업을 전략 산업으로 선정하여 세계적인 의료 산업 클러스터로 도약하기 위해 노력하고 있다. ㈐에서 설명하는 지역은 강원도 춘천이다. 춘천은 영서 지방의 대표적인 도시로 소양강 댐 건설로 조성된 호수가 유명해 '호반의 도시'로 불리기도 한다. 지도에서 A는 철원, B는 춘천, C는 원주, D는 평창이다.

01 ⑤    02 ③    03 ③    04 해설 참조

**01** ㄷ. 인구와 지역 총생산에서 수도권이 차지하는 비중은 비슷한 반면, 서울은 지역 총생산의 비중이 인구 비중보다 높게 나타난다. 따라서 인구 1인당 지역 총생산은 서울이 인천·경기보다 많다. ㄹ. 수도권의 제조업 종사자 비중은 50% 가까이 되지만 제조업 생산액의 비중은 40%에도 미치지 못한다. 따라서 수도권의 제조업 종사자당 생산액 비중은 비수도권보다 낮다.

**바로 알기** ㄱ. 인구 밀도는 인구 비중을 면적 비중으로 나눈 값으로 비교할 수 있다. 따라서 인구 밀도는 서울(20÷2) > 인천·경기(30÷10) > 비수도권(50÷88) 순으로 높다. ㄴ. 수도권의 서비스업 사업체의 집중도는 50%를 넘지 않으므로 비수도권보다 낮다.

**02** (가)는 수도권 세 지역 중에서 1인당 지역 내 총생산과 3차 산업의 부가 가치 비중이 가장 높고, (나), (다) 지역에서 전입하는 인구보다 두 지역으로의 전출 인구가 많은 것으로 볼 때 서울이다. (나)는 2차 산업의 부가 가치 비중이 가장 높고, 서울에서 전입해 오는 인구가 매우 많으므로 경기이다. (다)는 서울, 경기보다 전입·전출 인구 규모가 작으므로 인천에 해당한다. ① 경기는 수도권 내 전출 인구가 32만 명인 데 반해 전입 인구는 40만 명이 넘는다. ②, ⑤ 서울은 탈공업화 현상이 뚜렷하게 나타나 3차 산업의 비중이 매우 높으며, 특히 생산자 서비스업이 발달해 있다.

**바로 알기** ③ 수도권의 세 지역 중 주간 인구 지수가 가장 높은 곳은 서울이다.

**03** (가)는 신소재·해양 바이오 산업 등 지식을 기반으로 한 첨단 산업 중심의 산업 구조 고도화를 추진하고 있는 강릉이다. (나)는 고랭지 농업과 목축업이 발달한 평창이다. 평창은 2018년에 동계 올림픽이 개최되었다. (다)는 석탄 산업 합리화 정책이 지역 경제에 큰 영향을 미친 것으로 볼 때 과거 대표적인 탄광 도시였던 태백이다. 지도의 A는 춘천, B는 강릉, C는 원주, D는 평창, E는 태백이므로 답사 경로는 B → D → E이다.

**서술형 문제**

**04** **예시 답안** A는 홍천으로, 육지의 영향을 많이 받는 영서 지방에 위치하고 있어 겨울철 차가운 북서 계절풍의 영향을 강하게 받는다. 반면, B는 강릉으로 바다의 영향을 많이 받는 영동 지방에 위치하고 있어 상대적으로 따뜻한 동해의 영향을 받을 뿐만 아니라 태백산맥이 북서 계절풍을 막아 주어 겨울철 기온이 높은 편이다.

| 채점 기준 | 배점 |
|---|---|
| 영동 지방과 영서 지방의 겨울철 기온 차가 큰 이유를 수륙 분포와 지형적 측면에서 정확하게 서술한 경우 | 상 |
| 영동 지방과 영서 지방의 겨울철 기온 차가 큰 이유를 수륙 분포와 지형적 요인 중 한 가지 측면에서 서술한 경우 | 중 |
| 영동 지방이 영서 지방보다 겨울철 기온이 높다고만 서술한 경우 | 하 |

01 수도권   02 ㉠ 벼농사 ㉡ 쌀   03 (1) ㄱ (2) ㄷ (3) ㄹ   04 (1) ○ (2) ×   05 (1) 화산 (2) 밭

01 ②    02 ④    03 ④    04 ②    05 ③
06 ④    07 ③    08 ⑤    09 ①    10 ①
11 ②    12 ⑤

**01** 충청남도 천안역까지만 운행되던 수도권 전철 1호선이 2008년 12월 충청남도 아산시에 있는 아산 신창역까지 연장 개통되었다. 이로 인해 충청 지방은 수도권으로의 접근성이 향상되어 수도권과의 연계성이 더욱 높아졌다.

**02** 지도의 A는 서산, B는 진천, C는 충주, D는 세종, E는 대전이다. ㄴ. 2012년 7월 1일 중앙 행정 기능을 분담하기 위해 세종특별자치시가 출범하였다. ㄹ. 충주는 기업 도시로, 지식 기반형 산업이 발달하고 있다. 진천은 정부 기관의 이전이 이루어지고 있는 혁신 도시이다.

**바로 알기** ㄱ. 대덕 연구 단지를 중심으로 첨단 산업이 발달한 지역은 대전이다. ㄷ. 충청 지방 최대의 석유 화학 산업 단지가 조성된 지역은 서산이다.

**03** 충청 지방은 수도권의 공장 신설과 증설을 규제하는 수도권 공장 총량제가 시행됨에 따라 수도권의 공업이 이전해 오면서 제조업이 꾸준히 성장하고 있다. 특히 충청 지방의 제조업 사업체 수는 수도권과 인접하거나 주요 교통로와 접근성이 좋은 지역을 중심으로 증가하였다. 또한 황해 경제 자유 구역으로 지정된 충청남도 아산, 당진, 서산 등도 제조업 사업체 수가 증가하였다. 지도에서 충청남도와 충청북도를 비교해 보면 제조업 사업체 수가 100% 이상 증가한 곳은 충청남도 6곳, 충청북도 1곳으로 충청남도가 더 많다.

**바로 알기** ④ 수도권에 접한 지역이 영남권에 접한 지역보다 제조업 출하액이 많다.

**04** 호남 지방은 우리나라 최대의 곡창 지대로 만경강, 동진강 주변의 호남평야와 영산강 주변의 나주평야를 중심으로 대규모 농경지가 조성되어 있다. 이 지역은 평야가 넓지만 하천 유역이 좁아 유량이 부족하고, 홍수나 바닷물의 역류에 의한 염해 등으로 농사짓기에 어려움이 많았다. 호남 지방은 청정한 자연환경과 고유한 문화유산을 기반으로 관광 산업이 발달하였다. 지리산, 덕유산, 내장산, 무등산, 변산반도, 다도해 등 수려한 산과 바다가 국립 공원으로 지정되어 있고, 고인돌 유적지와 판소리가 세계 문화유산으로 등재되어 있다.

**바로알기** ㄴ. 새만금 간척지는 농업 용지, 산업 용지, 관광 단지 및 신도시 건설 등으로 다양하게 활용될 계획이다. ㄹ. 중국과의 교역 확대를 목표로 대불 국가 산업 단지, 군산 국가 산업 단지 등이 조성되었다.

**05** 호남 지방은 우리나라의 대표적인 농업 지역으로 1차 산업이 차지하는 비중이 전국 평균보다 높은 편이다. 호남 지방은 수도권 및 영남권에 비해 공업 발달이 더디게 이루어졌다. 1990년대 이후에는 중국과의 교역에 유리한 군산 국가 산업 단지, 대불 국가 산업 단지 등이 조성되면서 2차 산업의 비중이 증가하였다. 호남 지방은 1990년에 비해 2015년에는 2차·3차 산업의 비중이 높아지면서 산업 구조의 고도화가 진행되었고, 1차 산업의 비중이 감소하였다.
**바로알기** ③ 1990년 호남 지방의 2차 산업 생산액의 비중은 전국 평균보다 낮다.

**06** 지도의 A는 전라북도 군산, B는 전라북도 전주, C는 광주광역시, D는 전라남도 보성, E는 전라남도 여수이다. ④ 보성(D)은 녹차 생산지로 유명한 곳으로 녹차 밭을 관광 자원화하고 녹차를 주제로 한 축제도 개최하고 있다.
**바로알기** ① 군산은 혁신 도시로 지정되어 있지 않다. 호남 지방에서 혁신 도시로 지정된 곳은 전주·완주와 나주 일대이다. ② 하굿둑은 금강, 영산강 하구에 건설되어 있다. ③ 정유 공업이 발달한 지역은 1970년대 석유 화학 산업 단지가 조성된 여수(E)이다. ⑤ 대규모 제철소가 입지한 곳은 전라남도 광양이다.

**07** 그래프의 A는 부산, B는 대구, C는 울산, D는 창원이다. 부산은 우리나라 최대의 무역항으로서 항만을 중심으로 물류 산업이 발달하였으며, 동북아시아의 물류 비즈니스 거점 기능이 강화되고 있다. 대구는 전통적 제조업인 섬유 공업이 쇠퇴하자 이를 극복하기 위해 섬유 공업의 첨단화와 첨단 의료 복합 단지의 유치를 통해 고부가 가치 산업의 비중을 높이고 있다. 최근에는 부산과 대구의 교외화가 진행되면서 양산, 김해, 경산 등으로 인구가 분산되고 있다. 창원은 2010년 마산, 진해와 행정 구역이 통합되면서 인구가 급증하였다.
**바로알기** ③ 일제 강점기에 항구 도시로 성장하였으며, 당시의 건축물들이 근대 문화 관광 자원으로 활용되고 있는 도시는 군산과 목포이다. 울산은 1962년 경제 개발 계획의 핵심 지역으로 선정되어 조선·자동차·정유 공업 등 중화학 공업을 중심으로 성장하면서 인구가 급격히 증가하였다.

| **극비노트** 영남 지방 주요 도시의 특징 | |
|---|---|
| **부산** | 물류 산업의 발달 → 영상 산업, 국제 물류, 금융 산업 중심으로 산업 구조 변화 |
| **대구** | 섬유 공업 경쟁력 약화 → 섬유 공업의 첨단화, 첨단 의료 복합 단지 유치를 통해 고부가 가치 산업 육성 |
| **울산** | 자동차·조선·석유 화학 공업을 기반으로 정보 통신 기술을 융합한 신성장 동력 산업 육성 |
| **창원** | 기계 공업 단지로 제조업이 높은 비중을 차지 |

**08** 그래프의 A는 울산에서 종사자 비중이 높은 것으로 볼 때 화학 물질 및 코크스, 연탄 및 석유 정제품 제조업이다. B는 울산, 부산, 창원 등에서 종사자 비중이 높은 것으로 볼 때 자동차 및 트레일러 제조업이다. C는 대구에서 종사자 비중이 높은 것으로 볼 때 섬유, 의복, 가방, 신발 제조업이다. D는 포항, 부산 등에서 종사자 비중이 높은 것으로 볼 때 1차 금속, 금속 가공품 제조업이다. ㄱ. 화학 물질 제조업은 원료인 원유를 해외에서 수입하기 때문에 울산, 여수 등 주로 해안에 입지하는 경향이 강하다. ㄷ. 섬유 제품 제조업은 화학 물질 제조업보다 최종 제품의 무게가 가볍고 부피가 작다. ㄹ. 1차 금속 제조업에서 생산된 철강 제품은 자동차 및 트레일러 제조업의 주요 재료로 이용된다.
**바로알기** ㄴ. 운송비에 비해 부가 가치가 커 입지가 자유로운 제조업은 첨단 산업이다. 섬유 제품 제조업은 노동력 집약 공업으로 생산비에서 노동비가 차지하는 비중이 크다.

**09** (가)는 하회 마을이 있고 조선 시대 고택과 서원이 잘 보존된 안동이다. (나)는 세계 문화유산이 있는 지역으로, 신라의 수도였던 경주이다. 지도의 A는 안동, B는 포항, C는 경주, D는 창원, E는 진주이다.

**10** 제주도 중앙부에는 한라산이 자리 잡고 있으며, 산기슭에는 소규모의 화산 폭발로 형성된 약 400개의 오름이라고 불리는 기생 화산이 있다. 제주도는 남쪽에 위치하고 주변에 난류가 흘러 온화한 해양성 기후가 나타난다. 해안 저지대에는 겨울철에도 따뜻하여 난대성 식물이 자라고, 해발 고도가 높아질수록 기온이 낮아져 식생의 수직적 분포가 잘 나타난다. 제주도의 지표는 절리가 많은 현무암으로 덮여 있어서 물이 지하로 잘 스며든다. 따라서 전통 취락은 물을 얻기 쉬운 해안가의 용천대를 중심으로 발달하였다.
**바로알기** ① 한라산은 전체적으로 경사가 완만한 방패형 화산이지만, 중앙부는 경사가 급한 종 모양의 화산을 이룬다.

**11** 첫 번째 사진은 하천 발달이 미약한 제주도에서 물을 길어 올 때 사용하는 항아리인 물허벅이다. 두 번째 사진은 제주도의 전통 가옥으로 강한 바람이 자주 부는 제주도의 특성상 지붕을 유선형으로 만들고, 줄을 이용하여 바둑판 모양으로 단단하게 고정하였다.

**12** 제주도가 국제 관광 중심지로 도약하기 위해서는 수려한 자연환경을 연계한 생태 관광 지대를 조성하고, 해녀·돌담·방언 등을 활용하는 제주 고유의 문화적 콘텐츠를 개발해야 한다. 또한 국제 관광 산업에 필요한 영어를 구사할 수 있는 숙련된 노동력을 확보하기 위해 국제화된 교육 환경을 조성해야 한다. 이밖에도 첨단 과학 기술 단지를 건설하여 매력적인 투자 환경을 조성하려는 노력도 함께 이루어져야 한다.
**바로알기** ⑤ 도외 지역의 문화를 적극적으로 끌어들여 대중적인 관광 시스템을 강화하게 되면 제주도의 고유한 문화가 훼손될 수 있다.

| 01 ③ | 02 ② | 03 ⑤ | 04 해설 참조 |

**01** (가)는 유소년 인구 비중이 세 지역 중 가장 높은 것으로 볼 때 세종이다. (나)는 노년층 인구 비중과 제조업 종사자 비중이 세 지역 중 가장 높은 것으로 볼 때 충북·충남이다. (다)는 청장년층 인구 비중과 전문·과학 및 기술 서비스업 종사자 비중이 세 지역 중 가장 높은 것으로 볼 때 대덕 연구 단지가 있는 대전이다. ㄴ. 세종의 노령화 지수는 $(10.5/19.8) \times 100$인 반면 충북·충남은 $(15.6/14.3) \times 100$이므로, 세종이 충북·충남보다 노령화 지수가 낮다. ㄷ. 충북·충남이 대전보다 제조업 종사자 비중이 높다.

바로 알기 ㄱ. 대전의 유소년 부양비는 $(14.6/74.6) \times 100$인 반면, 세종의 유소년 부양비는 $(19.8/69.7) \times 100$이므로, 대전이 세종보다 유소년 부양비가 낮다. ㄹ. (가)는 세종, (나)는 충북·충남, (다)는 대전이다.

**02** (가)는 자동차, 1차 금속 제조업 등 다양한 중화학 공업이 발달한 것으로 볼 때 군산(A)이다. (나)는 석유 화학 제조업의 출하액 비중이 월등하게 높은 것으로 볼 때 여수(C)이다. (다)는 1차 금속 제조업의 출하액 비중이 매우 높은 것으로 볼 때 대규모의 제철소가 입지한 광양(B)이다.

**03** A는 함평, B는 전주, C는 보성, D는 안동, E는 경주이다. 병. 보성에서 생산되는 녹차는 지리적 표시제로 등록되어 있으며 매년 녹차 축제가 열린다. 정. 안동의 하회 마을과 경주의 양동 마을, 석굴암과 불국사, 경주 역사 지구 등은 세계 문화유산으로 지정되었다.

바로 알기 갑. 함평에서는 매년 나비를 주제로 한 축제가 개최된다. 국제 탈춤 페스티벌은 안동에서 개최된다. 을. 람사르 협약에 등록된 습지에는 창녕 우포늪과 순천만, 무안 갯벌 등이 있다.

**서술형 문제**

**04** 예시 답안 남동 임해 공업 지역은 원료 수입과 제품 수출입에 유리한 위치, 정부의 중화학 공업 육성 정책에 따른 지원 등을 바탕으로 우리나라 최대의 중화학 공업 지역으로 성장하였다.

| 채점 기준 | 배점 |
|---|---|
| 수출입에 유리한 위치, 정부의 중화학 공업 육성 정책에 따른 지원 등 입지 원인을 정확히 서술한 경우 | 상 |
| 수출입에 유리한 위치, 정부의 중화학 공업 육성 정책에 따른 지원 등 입지 원인 중 한 가지만 서술한 경우 | 하 |

01 ㄱ. 위도는 지구 위의 위치를 나타내는 좌표축 중에서 가로로 된 것으로 적도를 중심으로 하며, 남북으로 평행하다. 극지방으로 갈수록 위도가 높아지며 적도로 갈수록 위도는 낮아진다. 이러한 위도는 기후, 식생 분포, 계절 등에 영향을 미친다. ㄷ. 우리나라는 유라시아 대륙 동안에 위치해 여름에는 고온 다습하고 겨울에는 한랭 건조한 계절풍 기후가 나타난다. ㄹ. 수리적 위치와 지리적 위치는 고정된 것이기 때문에 절대적 위치라고 하며, 관계적 위치는 시대와 상황에 따라 변하므로 상대적 위치라고 한다.
[바로 알기] ㄴ. 우리나라와 12시간 시차가 나는 지역은 우리나라와 경도가 180° 차이가 나는 곳에 위치한 지역이다. 우리나라는 동경 135°를 표준 경선으로 사용하고 있기 때문에 우리나라와 180° 차이가 나는 서경 45°에 위치한 지역이 우리나라와 12시간 시차가 난다. 서경 124°~132°에 위치한 지역은 우리나라와 180° 넘게 차이가 나게 되므로 시차는 12시간보다 더 크다.

02 ⑺는 우리나라의 극북, ⒁는 우리나라의 극서, ⒟는 북위 38°와 동경 127°30′에 위치한 곳, ⒣는 극동, ⒧는 극남이다. ⑤ ⒧는 우리나라에서 위도가 가장 낮은 곳에 위치한 마라도로 위도가 상대적으로 높은 ⒁ 마안도보다 겨울에 낮 길이가 길다. 겨울철 낮의 길이는 위도가 낮을수록 길며, 위도가 높아질수록 짧아진다.
[바로 알기] ① ⒟는 동경 127°30′에 위치한 곳이다. 우리나라는 동경 135°를 표준 경선으로 사용하고 있기 때문에 태양의 남중 시각이 낮 12시인 곳은 동경 135°이다. 이후 태양이 동경 127°30′에 위치한 곳에 남중하게 되는데 동경 135°와 동경 127°30′은 경도 차이가 7°30′이므로 30분의 시차가 발생하게 된다. 따라서 동경 127°30′에서 태양이 남중하는 시각은 낮 12시 30분이다. ② ⑺는 우리나라 최북단에 위치한 지역으로 우리나라 최남단에 위치한 ⒧보다 연평균 기온이 낮다. ③ ⒣는 우리나라 최동단에 위치한 독도로 우리나라에서 가장 일출 시각 및 일몰 시각이 이르다. ⒁보다 서쪽에 위치한 ⒣는 ⒁보다 일출 및 일몰 시각이 늦다. ④ 대척점은 위도와 경도가 정반대인 지점이다. ⒣의 경도는 동경 131°52′으로 대척점은 180° 차이가 나는 지점인 서경 48°08′에 위치한 지점이다. 한편 ⒟의 경도는 127°30′으로 ⒣의 대척점(서경 48°08′)이 ⒟ 지점(동경 127°30′)보다 본초 자오선에서 가깝다.

03 ③ ⓒ 해안선의 출입이 복잡하거나 섬이 많을 경우 해안의 끝이나 최외곽의 섬을 연결한 직선이 영해의 기준이 된다.
[바로 알기] ① 우리나라의 영토는 남한과 북한을 포함한 한반도와 그 부속 도서로 구성되어 있다. ② 동해안의 영일만과 울산만은 해안선의 출입이 복잡하기 때문에 영해 설정에 있어 직선 기선을 적용한다. ④ 남해에 위치한 대한 해협 주변에는 섬이 많으므로 직선 기선으로부터 3해리를 적용한다. ⑤ 일반적으로 영공의 범위는 대기권에 한정된다.

04 A는 한·중 잠정 조치 수역, B는 우리나라 영해, C는 우리나라 측 배타적 경제 수역, D는 한·일 중간 수역, E는 영해 바깥 수역이다. ㄷ. 한·중 잠정 조치 수역(A)에서는 우리나라와 중국이 조업을 할 수 있으며, 한·일 중간 수역(D)에서는 우리나라와 일본이 조업을 할 수 있다. 따라서 A와 D에서 우리나라 어선은 조업을 할 수 있다. ㄹ. 우리나라 측 배타적 경제 수역(C), 한·일 중간 수역(D), 영해 바깥 수역(E) 등에서는 타국의 화물선이 항해할 수 있으며, 러시아 화물선이 항해하는 것이 가능하다.
[바로 알기] ㄱ. B는 우리나라 영해로 중국이 인공 섬을 설치할 수 없다. ㄴ. C는 우리나라 측 배타적 경제 수역으로 외국 자원 탐사선이 탐사 활동을 할 수 없다.

05 ⑺는 「혼일강리역대국도지도」, ⒁는 「지구전후도」이다. 두 지도에는 모두 아프리카 대륙이 그려져 있다. 실학사상이 반영되어 있는 것은 조선 후기에 제작된 「지구전후도」이다. 반면 조선 전기에 제작된 「혼일강리역대국도지도」는 실학사상이 반영되어 있지 않으며, 중화사상을 반영하고 있다. 따라서 ⑺는 B와 연결된다. 한편, 「지구전후도」는 경위선망을 사용한 지도로 중국 중심의 세계관을 극복한 사실적이고 과학적인 지도로 평가받고 있다. 따라서 ⒁는 D와 연결된다.

06 보기의 ㄱ은 등치선도, ㄴ은 도형 표현도, ㄷ은 점묘도이다. ⑺는 지역별 8월 평균 기온을 나타낸 것으로 통계 값이 같은 지점을 연결하여 표현하는 등치선도를 사용하는 것이 적절하다. ⒁는 경제 활동별 지역 내 총생산으로 자료의 공간적 차이를 도형을 이용해 표현하는 도형 표현도를 사용하는 것이 적절하다.
[바로 알기] ㄷ. 점묘도는 통계 값을 일정한 단위의 점으로 환산하여 지리 현상의 분포를 표현하는 데 적절하며, 대표적인 사례로는 인구 분포가 있다.

07 면담 및 설문 조사, 행정 기관 방문, 사진 촬영 및 스케치 등의 활동은 지리 조사 과정 중 야외 조사 단계에서 이루어진다.

## 주관식＋서술형 문제

08 (2) [예시 답안] ⑺를 통해 우리 조상들이 독도를 우리의 영토로 여기고 있음을 알 수 있으며, ⒁를 통해 일본도 독도를 조선의 것으로 인정했음을 알 수 있다.

| 채점 기준 | 배점 |
|---|---|
| ⑺, ⒁ 지도의 의미를 모두 정확하게 서술한 경우 | 상 |
| ⑺, ⒁ 지도의 의미 중 한 가지만 정확하게 서술한 경우 | 하 |

09 [예시 답안] ⑺ 「신증동국여지승람」은 백과사전식으로 서술하였으며, 국가에서 주도하여 제작한 관찬 지리지이다. ⒁ 「택리지」는 주제별로 서술하였으며, 개인이 제작한 사찬 지리지이다.

| 채점 기준 | 배점 |
|---|---|
| ⑺, ⒁ 지리지의 서술 방식과 제작 주체를 각각 구분하여 서술한 경우 | 상 |
| ⑺, ⒁ 지리지의 서술 방식과 제작 주체 중 일부만 서술한 경우 | 하 |

**01** ①    **02** ②    **03** ④    **04** ③    **05** ①

**06** ①    **07** ⑤    **08** ④    **09** 해설 참조

**10** (1) A 변성암, B 화강암 (2) 해설 참조

**01** (가) 지리산 능선은 변성암, (나) 제주도 주상 절리는 현무암, (다) 단양군 도담삼봉은 석회암, (라) 설악산 울산바위는 화강암과 관련이 있다. 제시된 그래프에서 A는 시·원생대 변성암(편마암), B는 고생대 퇴적암으로 석회암, C는 신생대에 형성된 화성암으로 현무암, D는 중생대에 형성된 화성암으로 화강암과 관련이 있다. 따라서 (가)는 A, (나)는 C, (다)는 B, (라)는 D와 연결된다.

**02** (가)는 평북·개마지괴, 경기 지괴, 영남 지괴 등에 분포하는 암석으로 시·원생대의 변성암이다. (나)는 고생대 조선 누층군으로 석회암의 분포 지역이다. (다)는 중생대 경상 분지로 중생대 퇴적암의 분포를 나타낸 것이다. 이 중 (나) 석회암은 산호초나 조개껍데기 등이 바다에서 굳어진 것으로 해성층에 주로 분포한다.

**바로알기** ① (가) 변성암은 주로 조경석으로 활용된다. 주로 무연탄이 매장되어 있는 지층은 고생대 평안 누층군이다. ③ 경상 누층군의 퇴적암은 과거 거대한 습지 또는 호수였던 곳에 오랜 시간 퇴적물이 두껍게 쌓이면서 형성되었다. 마그마가 땅속에서 굳어져 형성된 것은 화강암이다. ④ (가)는 시·원생대에 (나)는 고생대에 형성되었다. 따라서 (가)는 (나)보다 형성된 시기가 이르다. ⑤ (가)는 변성암, (나), (다)는 퇴적암에 해당한다.

**03** (가)는 평안 누층군, (나)는 송림 변동, (다)는 대보 조산 운동, (라)는 경상 누층군, (마)는 요곡·단층 운동이다. 이 중에서 (라) 경상 누층군은 수평 퇴적암층으로 중생대에 이곳에 살았던 공룡 발자국 화석과 뼈 화석이 발견되기도 한다.

**바로알기** ① (가) 평안 누층군에는 주로 무연탄이 매장되어 있다. 석회암이 주로 매장되어 있는 지층은 조선 누층군이다. ② 송림 변동은 중생대 초기 북부 지방에 집중되어 나타난 지각 운동으로 랴오둥 방향(동북동—서남서)의 지질 구조선을 형성하였다. 중국 방향(북동—남서)의 지질 구조선은 대보 조산 운동에 의해 형성되었다. ③ 대보 조산 운동은 중생대 중기에 일어난 지각 운동으로 한반도 전체에 영향을 주었다. 동해안에 치우친 비대칭 융기 운동은 신생대 제3기에 일어난 경동성 요곡 운동이다. ⑤ 넓은 범위에 걸쳐 화강암이 관입한 것은 중생대이다.

**04** 제시된 그림은 고위 평탄면의 형성 과정을 나타낸 것이다. (나)에 위치한 고위 평탄면은 해발 고도가 높은 곳에 위치한 비교적 기복이 작고 경사가 완만한 지형이다. (가) 지역에 비해 상류에 위치한 고위 평탄면은 하천의 퇴적 물질이 적고 이에 따라 충적층이 대체로 얇다. 한편 (가) 지역보다 수분 증발량이 적고 겨울철에 눈이 많이 내리는 (나) 지역은 봄철에도 토양이 오랜 기간 수분을 유지해 봄철 수분 공급이 안정적이다. 이러한 고위 평탄면에서는 목축업이 발달하였으며, 여름철 서늘한 기후를 활용해 고랭지 채소 재배가 활발하게 이루어지고 있다.

**바로알기** ③ (나) 지역은 (가) 지역보다 최난월 평균 기온이 낮다.

**05** (가)는 감입 곡류 하천, (나)는 자유 곡류 하천에서 발달하는 지형이다. 하천 중·상류에서 형성되는 감입 곡류 하천은 하천 중·하류에 형성되는 자유 곡류 하천보다 하천 퇴적 물질의 평균 입자가 크다.

**바로알기** ② 하천의 경사가 급한 중·상류 지역에 형성된 감입 곡류 하천은 하방 침식 작용이 활발하다. 반면, 하천의 중·하류 지역에서 자유롭게 구불구불 흐르는 자유 곡류 하천에서는 하천의 측방 침식이 활발하여 유로 변경이 심하다. ③ 감입 곡류 하천에서는 지반 융기와 관련된 하안 단구를, 자유 곡류 하천에서는 하천의 범람에 의해 형성된 범람원을 볼 수 있다. ④ 하천과 인접한 부근에 등고선의 간격이 조밀한 B는 공격 사면이고 등고선이 나타나지 않는 A는 퇴적 사면이다. 두 지역 중에서 퇴적 사면인 A에서 하천의 퇴적 작용이 활발하다. ⑤ 밭으로 활용되는 C는 자연 제방이며, 논으로 활용되는 D는 배후 습지이다. 두 지역 중에서 고도가 높은 지역은 자연 제방인 C이다.

**06** A는 사빈의 모래가 바람에 날려 퇴적된 해안 사구, B는 조류의 퇴적 작용으로 형성된 갯벌, C는 파랑의 퇴적 작용으로 형성된 사빈, D는 파랑의 침식에 의한 해식애와 파식대가 분포하는 암석 해안이다. ㄱ. 우리나라의 서해안은 북서 계절풍이 강해 대규모의 사구가 발달되어 있다. ㄴ. 갯벌은 주로 미립질로 구성되어 있어 조립질로 구성되어 있는 사빈보다 퇴적물의 평균 입자 크기가 작다.

**바로알기** ㄷ. B는 조류의 퇴적 작용, D는 파랑의 침식 작용으로 형성된다. ㄹ. 파랑 에너지가 분산되는 곳은 만으로, 모래 해안이나 갯벌이 형성되어 해안 퇴적 지형이 발달한다. C는 만에서 발달하나, D는 곶에서 발달한다.

**07** A 지형은 기생 화산이며, B 지형은 돌리네이다. A는 제주도 일대에 위치한 기생 화산으로 제주도에서는 절리가 발달하는 기반암인 현무암의 특성으로 인해 건천이 나타난다. 한편 B가 나타나는 카르스트 지형에서도 기반암인 석회암에 절리가 발달하며 건천을 볼 수 있다.

**바로알기** ① 기생 화산은 순상 화산체보다 비교적 경사가 급하며 주로 점성이 강한 용암에 의해 형성된다. ② 돌리네의 기반암은 석회암으로 고생대 전기에 주로 형성되었다. ③ A 지형 형성 작용은 용암이 굳어 해발 고도를 높이는 데 영향을 주며, B 지형 형성 작용은 기반암의 용식 작용에 의해 해발 고도를 낮추는 데 영향을 준다. ④ A 주변에서는 현무암이 풍화되어 흑갈색의 토양이 나타나며, B 주변에서는 석회암이 풍화되어 붉은색의 토양이 주로 나타난다.

**08** (가)는 철원 용암 대지, (나)는 태안군 신두리 해안 사구, (다)는 진도 갯벌, (라)는 울릉도 이중 화산, (마)는 단양의 돌리네이다.

**바로알기** ④ 울릉도는 전체적으로 경사가 급한 산지를 이루고 있으며 중앙에 칼데라 분지인 나리 분지와 중앙 화구구인 알봉이 있는 이중 화산체이다. 순상 화산과 종상 화산이 결합된 복합 화산체는 백두산과 한라산이다.

**09** **예시답안** (가) 시기는 후빙기로 고온 다습하며, ㉠ 지점에서는 퇴적 작용이 탁월하고, ㉡ 지점에서는 침식 작용이 탁월하다. (나) 시기는 빙기로 한랭 건조하며, ㉠ 지점에서는 침식 작용이 탁월하고, ㉡ 지점에서는 퇴적 작용이 탁월하다.

| 채점 기준 | 배점 |
| --- | --- |
| (가), (나) 시기 기후 특징과 ㉠, ㉡ 지점에서의 작용을 모두 정확하게 서술한 경우 | 상 |
| (가), (나) 시기 기후 특징과 ㉠, ㉡ 지점에서의 작용 중 한 가지만 정확하게 서술한 경우 | 하 |

**10** (2) **예시답안** 침식 분지이며, 암석의 차별적인 풍화와 침식으로 형성된다.

| 채점 기준 | 배점 |
| --- | --- |
| 지형의 명칭과 형성 원인을 모두 정확하게 서술한 경우 | 상 |
| 지형의 명칭과 형성 원인 중 한 가지만 정확하게 서술한 경우 | 하 |

---

**Ⅲ 기후 환경과 인간 생활**　　118~119쪽

| | | | | |
| --- | --- | --- | --- | --- |
| 01 ⑤ | 02 ④ | 03 ② | 04 ② | 05 ⑤ |
| 06 ③ | 07 ① | 08 ① | 09 (1) 높새바람 | |

(2) 해설 참조

**01** ㄷ. 연교차가 큰 (다)가 (라)보다 고위도에 위치할 것이다. 김장 시기는 남쪽으로 갈수록 늦어지므로 (다)는 (라)보다 김장 시기가 빠를 것이다. ㄹ. (가)와 (라)는 최난월 평균 기온은 비슷하지만 (가)는 (라)보다 연교차가 더 크다. 따라서 최한월 평균 기온은 (가)가 (라)보다 낮다. 서리 일수는 최한월 평균 기온이 낮을수록 많아진다. 따라서 (라)는 (가)보다 서리 일수가 적을 것이다.
**바로알기** ㄱ. (가)는 (나)보다 연교차가 크므로 대륙도가 클 것이다. ㄴ. (나)는 (다)보다 연교차가 작으므로 저위도 지역에 위치할 것이다.

**02** 일기도를 보면 서고 동저형의 전형적인 겨울철의 기압배치임을 알 수 있다. 겨울철은 우리나라 서쪽에 시베리아 고기압이 자리하고 있어서 한랭 건조한 날씨를 보인다. 이 시기에 대표적인 축제로는 화천의 산천어 축제가 유명하다.
**바로알기** ① 강릉 단오제는 6월(음력 5월)에 주로 열리며 ② 보령 머드 축제는 7월에 열린다. ③ 김제 지평선 축제는 10월에 열리며 ⑤ 서울 여의도 벚꽃 축제는 4월에 열린다.

**03** (가)는 방을 두 줄로 배치한 겹집 구조가 나타나므로 관북 지방, (나)는 부엌과 아궁이가 벽 쪽을 향해 있으므로 취사와 난방이 분리된 제주도의 가옥 구조이다. 제주도는 관북 지방에 비해 저위

도에 위치해 열대야 일수가 많으며 기온의 연교차는 작으며 무상 일수는 더 길다. 따라서 그래프에서 B에 해당된다.

**04** A는 울릉도, B는 강릉, C는 인천, D는 군산, E는 포항이다. 겨울철 강수량은 울릉도가 포항보다 많다. 하계 강수 집중률은 인천이 겨울철 눈이 많이 내리는 울릉도보다 높다. 기온의 연교차는 서해안의 인천이 동해안의 강릉보다 크다. 최한월 평균 기온은 위도가 낮은 군산이 위도가 높은 인천보다 높다.
**바로알기** ② 봄꽃의 개화 시기는 B가 E보다 늦다.

**05** (가)는 영남 내륙 지역과 남해안 일부 지역이 상대적으로 그 수치가 높은 것으로 보아 열대야 발생 일수를 나타낸 것이다. 열대야 발생 일수는 촌락에 비해 도시 지역을 중심으로 그 수치가 높게 나타난다. (나)는 한강 중·상류 일대와 남해안 일대, 제주도 일대에서 그 수치가 높게 나타나고 영남 내륙 지역이 수치가 낮은 것으로 보아 집중 호우 일수에 해당한다.
**바로알기** 하천 결빙 일수는 하천에 얼음이 생겨 물속을 완전히 볼 수 없는 상태를 말하는데, 최한월 평균 기온이 낮은 지역일수록 높게 나타난다.

**06** (가)에서 '호흡기 질환, 마스크 착용' 등의 문구로 미루어 황사임을 알 수 있다. (나)는 '해안가 위험 지역 접근 금지'의 문구로 미루어 태풍임을 알 수 있고, (다)는 '야외 활동 자제, 충분한 물 마시기' 등의 문구로 미루어 폭염임을 알 수 있다. ③ 폭염은 북태평양 기단이 발달하는 8월에 주로 발생하며, 불볕더위로 인한 피해가 나타난다.
**바로알기** ① 황사는 여름철보다 봄철에 자주 발생한다. ② 북서 계절풍의 영향으로 서해안에서 자주 발생하는 것은 폭설이다. ④ (나) 태풍이 (가) 황사보다 해일 피해를 유발하는 경우가 더 많다. ⑤ 장마 전선이 정체되었을 때 주로 발생하는 것은 호우이다. (나) 태풍은 필리핀 인근의 열대 해상에서 발생하여 고위도로 이동해 오는 열대 저기압이다.

**07** A는 냉대림, B는 온대림, C는 난대림이다. 냉대림은 북부 지방과 고산 지대에 주로 분포하며, 식생의 수직적 분포가 잘 나타나는 제주도의 한라산에서도 볼 수 있다. 온대림은 상록 침엽수와 낙엽 활엽수의 혼합림을 이루고 있다. 난대림에서는 상록 활엽수림을 볼 수 있으며 대표적으로 동백나무와 후박나무 등이 있다.
**바로알기** ① 냉대림은 상록 침엽수림이 단순림을 이루고 있는 것이 특징이다.

**08** ㉠은 성대 토양, ㉡은 회백색토, ㉢은 간대토양, ㉣은 석회암 풍화토이다. 성대 토양은 기후와 식생의 영향을 받아 형성되었는데, 위도와 평행하게 발달한다. 성대 토양 중 회백색토는 냉대림 지역에 주로 분포한다.
**바로알기** ㄷ. 간대토양은 모암이나 지형의 특성이 반영된 토양이며, 중·남부 혼합림 지대에 분포하는 것은 성대 토양의 갈색 삼림토이다. ㄹ. 간대토양 중 석회암 지대에서 나타나는 붉은색의 석회암 풍화토는 테라로사라고 불린다.

**09** (2) 예시답안 늦봄에서 초여름 사이에 오호츠크해 기단이 세력을 확장하면 우리나라에 북동풍이 자주 분다. 북동풍이 태백산맥을 넘으며 푄 현상이 나타나 영동 지방은 기온이 낮고 비가 자주 내리지만, 영서 지방은 고온 건조해진다.

| 채점 기준 | 배점 |
|---|---|
| 제시어 4개를 모두 사용하여 영서 지방과 영동 지방의 기온 차이가 발생하는 이유를 정확히 서술한 경우 | 상 |
| 제시어 3개를 사용하여 영서 지방과 영동 지방의 기온 차이가 발생하는 이유를 서술한 경우 | 중 |
| 제시어를 2개만 사용하여 영서 지방과 영동 지방의 기온 차이가 발생하는 이유를 서술한 경우 | 하 |

---

### Ⅳ 거주 공간의 변화와 지역 개발　　120~121쪽

| **01** ① | **02** ③ | **03** ④ | **04** ② | **05** ① |
|---|---|---|---|---|
| **06** ② | **07** ⑤ | **08** 인구 공동화 현상 | | |

**09** 해설 참조

---

**01** (가)는 특정 장소에 가옥이 밀집되어 있으며 벼농사 지대의 동족촌이나 용수가 한정된 지역 등에 분포한다고 하였으므로 집촌이다. (나)는 가옥이 흩어져 분포하여 밀집도가 낮으며 밭농사나 과수원 지대, 산간이나 구릉지, 새로 개간한 지역 등에 분포한다고 하였으므로 산촌이다. 산촌은 집촌에 비해 가옥과 경지의 결합도가 높으며, 협동 노동의 필요성도 적고 집단 방어의 필요성도 낮다.

**02** 강원도 토고미 마을은 농산물의 생산, 제조, 특산물 유통 및 판매, 체험 관광 등을 연계하여 발전을 추구하는 촌락의 사례이다. 이와 같이 1,2,3차 산업을 연계하여 새로운 부가 가치를 창출하는 산업을 6차 산업이라고 한다. 토고미 마을은 이러한 변화를 통해 유동 인구가 증가하였으며, 3차 산업이 발달해 지역 내 소득원이 다양해졌고, 지역 내 정주 기반 시설이 증가했을 것이다.
바로알기 ③ 토고미 마을은 관광객 증가와 유동 인구 증가로 1차 산업보다는 3차 산업이 발달하였다. 따라서 경지 면적과 농가 인구는 감소하였을 것이다.

**03** 자료는 일일 인구 이동을 통해 살펴본 도시 체계로, 수위 도시인 서울의 도시 영향권이 가장 넓은 것을 알 수 있다. 또 대체로 중심 도시의 규모가 클수록 통행 가능한 지역의 범위가 넓으며 상위 계층일수록 통행하는 사람의 수가 많다는 것을 알 수 있다. 울릉도에서는 주로 포항시로 통행한다.
바로알기 ④ 강원도 인제군에서는 인근의 춘천이 아닌 서울로 통행하고 있는 것으로 보아 때로는 인근의 도시보다 거리가 먼 상위 도시로 통행하는 경우도 있다.

**04** (가)는 상주인구가 적고 주간 인구 지수가 높으므로 도심이고, (나)는 상주인구가 많고 주간 인구 지수가 낮으므로 주변 지역이다. 도심은 각종 일자리가 풍부해 출근 시간대에 유입 인구가 많다. 주변 지역은 업무 기능보다 주거 기능이 주를 이루고, 도심은 업무 기능이 주를 이룬다.
바로알기 ㄴ. 도심은 접근성이 높아 주변 지역보다 상업지의 평균 지가가 높다. ㄹ. 주민들의 평균 통근 거리는 (나)가 (가)보다 길다. 주변 지역은 도심이나 부도심으로 통근해야 하는 경우가 많아 평균 통근 거리가 도심보다 길다.

**05** A는 대도시 일일생활권, B는 위성 도시, C는 중심 도시, D는 교외 지역, E는 배후 농촌 지역이다. 대도시권의 공간 범위는 중심 도시로 통근할 수 있는 지역까지로, 교통이 발달하고 대도시가 성장하면 대도시권의 범위는 더욱 확대된다.
바로알기 ② 중심 도시(C)는 대도시권의 중심 지역으로 도심과 부도심이 발달한 다핵 구조를 형성한다. ③ 교통이 발달할수록 범위는 확대된다. ④ D는 E에 비해 농업에 종사하는 인구 비율이 낮다. ⑤ E는 B보다 중심 도시로의 통근자 비율이 낮다.

**06** 우리나라는 1960년대 산업화 이후 성장 위주의 하향식 개발 전략을 추진하면서 수도권 집중이 지속적으로 심화되었다. 이를 해결하기 위해서는 지역 간 형평성을 고려하는 상향식 개발을 추진해야 한다. 그래프에서 B에 해당된다.

**07** 성장 거점 개발은 성장 가능성이 큰 거점을 선정 후 집중 개발하여 그 개발 효과가 주변 지역으로 파급되는 것을 목표로 하는 개발이다. 우리나라는 성장 위주의 개발이 이루어지면서 수도권에 기능이 집중되어 공간 불평등 문제가 발생하였다. 이를 해결하기 위해 전국에 혁신 도시와 기업 도시 등을 조성하고 있다.
바로알기 ⑤ 지속 가능한 발전은 미래 세대가 그들의 필요를 충족시킬 가능성을 손상시키지 않는 범위에서 현재 세대의 성장을 추구하는 발전을 말한다. 환경과 경제를 통합적 차원에서 다루고 형평성을 고려한다.

**08** 도심에서는 주거 기능 약화로 상주인구 밀도가 감소하는 인구 공동화 현상이 나타난다.

**09** 예시답안 ㉠은 상업·업무 기능, ㉡은 주거 기능이 우세하게 나타난다. ㉠은 접근성이 높고 지대가 비싸기 때문에 지대 지불 능력이 큰 상업 업무 시설이 밀집한 반면 ㉡은 상대적으로 접근성이 낮고 지대가 저렴하기 때문에 지대 지불 능력이 작은 학교, 주거 단지 등이 들어서게 된다.

| 채점 기준 | 배점 |
|---|---|
| ㉠, ㉡에 우세한 도시 기능을 쓰고, 도시 기능 차이가 발생한 원인이 제시된 용어를 사용하여 정확하게 서술한 경우 | 상 |
| ㉠, ㉡에 우세한 도시 기능을 정확히 썼으나, 도시 기능 차이가 발생한 원인에 대한 서술이 미흡한 경우 | 중 |
| ㉠, ㉡에 우세한 도시 기능만 쓴 경우 | 하 |

**01** A는 제철 공업이 발달하거나 화력 발전소가 위치한 충청남도, 경상북도, 경상남도에서 공급 비중이 높으므로 석탄이다. B는 울산광역시에서 공급량이 많은 석유, C는 수도권에서 공급량이 많은 천연가스, D는 경상북도와 부산광역시에서 비중이 높은 원자력, E는 수력이다. 석탄은 산업용과 가정용 연료로 이용되며, 석유는 수송용 연료로 주로 이용된다. 천연가스는 가정용으로 이용되며, 원자력과 수력은 전력 생산에 이용되고 있다.

**바로 알기** ① 석탄 중 무연탄은 국내에서도 생산되고 있다. ③ 천연가스는 주로 가정용 연료로 사용된다. ④ 원자력의 소비 비중은 소폭 감소하고 있다. ⑤ 수력은 재생 에너지에 속해 고갈의 위험이 거의 없다.

**02** A는 풍력, B는 조력, C는 태양광 발전이다. 풍력 발전은 바람이 지속적으로 부는 곳이 유리한데 강원, 경북, 제주 등지에서 발전량이 많다. 조력 발전은 조수 간만의 차를 이용해서 에너지를 생산하는데 시화 방조제에서 이루어진다. 태양광 발전은 일조량이 풍부한 지역이 유리한데 전남, 전북 등지에서 발전량이 많다. A~C는 모두 신·재생 에너지로 초기 투자 비용이 많이 드는 단점이 있다.

**바로 알기** ④ 우리나라는 풍력보다 태양광의 공급 비중이 더 높다.

**03** 세 작물 중에서 재배 면적 비중이 가장 높지만 최근 비중이 감소하고 있는 A는 쌀이다. 세 작물 중 재배 면적 비중이 가장 적은 B는 맥류이다. 1970년대 이후 재배 면적 비중이 꾸준하게 증가하고 있는 C는 채소·과실이다. ㄴ, ㄷ. 맥류는 주로 쌀의 그루갈이 작물로 재배되며, 최근 수익성 감소와 외국 농산물의 수입 확대로 재배 면적과 생산량이 많이 감소하였다.

**바로 알기** ㄱ. 쌀은 주로 논에서 재배된다. ㄹ. 쌀은 채소·과실보다 국내 자급률이 높다.

**04** ⑺는 경남, 울산, 전남에서 생산액과 종사자 수가 많은 것으로 보아 조선 공업이다. ⑻는 경기, 대구, 경북에서 생산액과 종사자 수가 많은 것으로 보아 섬유 공업이다. 조선 공업이 섬유 공업에 비해서 최종 제품의 무게가 무겁다.

**바로 알기** ① 조선 공업은 중화학 공업에 속한다. ② 최근 생산 공장을 중국으로 이전한 것은 섬유 공업이다. ③ 섬유 공업은 노동력 지향 공업에 속한다. ④ 섬유 공업은 운송용 장비를 생산하지 않는다.

**05** ⑻는 전남(여수)과 울산의 비중이 높은 석유 화학 공업, ⑼는 경북(포항)과 전남(광양)의 비중이 높은 제철 공업에 해당된다. 따라서 ⑺는 자동차 공업이다. 자동차 공업은 울산과 경기(A)의 비중이 높고, 석유 화학 공업은 전남(여수), 울산, 서산이 위치한 충남(B)의 비중이 높다.

**06** A는 전국에 고르게 분포되어 있으므로 소비자 서비스업, B는 서울과 경기의 종사자 비중이 높은 것으로 볼 때 생산자 서비스업이다. ⑤ 산업 구조가 고도화되면서 생산자 서비스업의 성장률과 비중이 높아지고 있다.

**바로 알기** ① 소비자 서비스업은 기업보다는 개인 소비자에게 재화와 용역을 공급한다. ②, ④ 생산자 서비스업은 지식 기반 서비스업이 발달한 서울과 대전, 경기 등에 집적하여 분포한다. 따라서 1차 산업 종사자 비중이 높은 지역일수록 생산자 서비스업 종사자 비중이 낮고, 지역 간 분포가 불균등하다. ③ 소비자 서비스업의 총 종사자 수가 생산자 서비스업의 총 종사자 수보다 많다.

**07** 그래프의 A는 항공, B는 도로, C는 철도, D는 해운이다. ㄷ. 기동성과 문전 연결성이 가장 높은 것은 도로이다. ㄹ. 철도는 도로보다 정시성과 안전성이 뛰어나다.

**바로 알기** ㄱ. 국내 화물 수송에서 분담률이 가장 높은 교통수단은 도로(B)이다. ㄴ. 기상 조건의 제약이 큰 교통수단은 항공(A)과 해운(D)이며, 도로(B)는 기상 조건의 제약이 적은 편이다.

## 주관식+서술형 문제

**08** ⑵ **예시 답안** A(백화점)는 B(편의점)에 비해 고급 상품을 판매하므로 최소 요구치와 재화의 도달 범위가 넓으며 상점의 수는 적다. 또한 A(백화점)는 B(편의점)에 비해 점포 간의 평균 거리가 멀고 하루 평균 상점을 방문하는 횟수가 적다.

| 채점 기준 | 배점 |
|---|---|
| 제시어 4개를 모두 사용하여 백화점과 편의점의 특징을 정확히 비교하여 서술할 경우 | 상 |
| 제시어 3개를 사용하여 백화점과 편의점의 특징을 비교하여 서술한 경우 | 중 |
| 제시어 2개만 사용하여 백화점과 편의점의 특징을 비교하여 서술한 경우 | 하 |

**01** 우리 조상들은 예로부터 지형, 기후 등 자연 조건이 유리한 곳을 거주지로 선호하였다. 따라서 기후가 따뜻하고 토양이 비옥한 평야 지역에 많은 사람이 모여 살았다. 따라서 이와 같은 인구 분포의 원인으로 가장 적절한 것은 경지 비율이 될 수 있다.

**바로알기** ② 이촌 향도 현상은 1960년대 이후 산업화와 도시화가 진행되면서 나타난 현상이다. ③, ④, ⑤ 과학 기술의 발달, 산업 시설 입지, 교육·문화 시설 집중 등과 같은 사회적 요인은 오늘날 인구 분포에 미치는 영향이 크다.

**02** (가)는 군부대가 많은 경기도 및 강원도 북부 지방과 중화학 공업이 발달한 거제, 울산, 서산, 당진 등의 도시에서 수치가 높은 것을 통해 지역별 성비 분포를 나타낸 지도임을 알 수 있다. (나)는 서울, 부산 등에서 수치가 낮고 경기도와 경상남도를 중심으로 대도시와 인접한 근교 지역의 수치가 높은 것을 통해 인구 순이동을 나타낸 지도임을 알 수 있다. 지역별 인구 순이동은 자연적 요인보다 사회·경제적 요인의 영향을 크게 받는다.
**바로알기** ㄷ. (가), (나)는 모두 서울, 부산 등과 같은 대도시에서 수치가 낮게 나타나는 것을 확인할 수 있다.

**03** (가)는 노년층의 비중이 높은 것을 통해 면부(面部), (나)는 청장년층의 인구 비중이 높은 것을 통해 동부(洞部)임을 알 수 있다. 실제로 (가)는 추풍령면, (나)는 울산 전하 1동의 인구 그래프이다. 면부는 동부보다 1차 산업 종사자 비율과 중위 연령이 높고, 시가지 면적이 좁으며, 청장년층 인구 비중이 적다. 따라서 이 모든 조건을 만족하는 것은 ③번이다.

**04** 오늘날 도시에서 일을 하던 사람들이 전원 생활을 목적으로 도시에서 농어촌으로 이동하는데 이를 귀촌이라고 한다. 이러한 귀촌 현상은 오늘날 도시에서 촌락으로 인구가 이동하는 역도시화 현상을 반영하고 있다. 제시된 지도를 살펴볼 때 귀촌 가구 비율은 수도권의 경기 지방이 가장 높으며, 수도권에 위치한 경기, 인천 지역의 귀촌 가구 비율의 합은 영남권에 위치한 경남, 경북, 울산, 대구, 부산의 귀촌 가구 비율의 합보다 높다. 따라서 귀촌 가구 비중은 영남권보다 수도권이 높다.
**바로알기** ㄴ. 귀촌 가구는 대도시의 과밀화에 따른 인구 이동의 유형으로 볼 수 있다. 산업화의 영향을 받은 인구 이동 유형은 이촌 향도 현상이다. ㄹ. 귀촌 인구는 20대와 30대가 가장 많으며 평균 연령은 40세(2015년 기준)로 젊은 편이다.

**05** 시도별 인구 부양비 그래프에서 유소년층 인구 비중이 가장 높은 A는 세종, 세종보다 유소년층 인구 비중이 낮은 도 지역인 B는 경기, 노년층 인구 비중이 가장 낮고, 청장년층 인구 비중이 가장 높은 시 지역인 C는 울산, 노년층 인구 비중이 가장 높은 D는 전남이다. ② B는 D보다 유소년층 인구 비중이 많고, 노년층 인구 비중이 적으므로 유소년층 인구 비중에 대한 노년층 인구 비중인 노령화 지수가 낮다.
**바로알기** ① A는 B보다 유소년층 인구 비중은 높으나 노년층 인구 비중은 비슷하다. 이를 통해 A의 청장년층 인구 비중은 B보다 적음을 알 수 있다. 따라서 청장년층 인구 비중 대비 유소년층 인구 비중인 유소년 부양비는 청장년층 인구 비중이 낮고 유소년층 인구 비중이 높은 A가 B보다 높다. ③ C는 전국 평균보다 유소년층 인구 비중이 높고 노년층 인구 비중이 낮다. 이를 통해 전국 평균 보다 중위 연령이 낮음을 알 수 있다. ④ D의 청장년층 인구 비중은 약 65.5(100−21−13.5)이며, A의 청장년층 인구 비중은 약

69.5(100−19.8−10.7)이다. 청장년층 인구 비중이 높을수록 총 부양비는 낮으며, 청장년층 인구 비중이 높은 A가 D보다 총 부양비가 낮다. ⑤ 유소년층 인구 비중이 가장 높은 시인 A는 세종, 노년층 인구 비중이 가장 높은 도인 D는 전남이다.

**06** 우리나라의 총 부양비는 2015년까지는 낮아졌으나, 이후 높아질 것으로 예상되고 있다. 한편, 노령화 지수는 1970년 이후 지속적으로 증가하였으며 앞으로도 증가할 것으로 예상된다. ① 1970년 노령화 지수는 거의 10 정도이다. 노령화 지수는 '(노년층 인구 ÷ 유소년층 인구)×100'인데, 그 값이 10이라면 유소년층 인구수가 100일 때 노년층 인구수가 10인 경우이다. 따라서, 1970년 노년층 인구 비중은 10% 정도임을 짐작할 수 있다. ② 2015년 이후 총 부양비와 노령화 지수가 지속적으로 증가하는 것을 통해 중위 연령은 지속적으로 높아질 것임을 예상할 수 있다. ③ 2030년에는 노령화 지수가 100을 초과하여 유소년 부양비보다 노년 부양비가 높을 것임을 알 수 있다. ⑤ 1970~2015년 총 부양비가 감소한 것을 통해 청장년층 인구 비중은 지속적으로 증가하였음을 파악할 수 있다.
**바로알기** ④ 2045년 총 부양비는 100 미만이다. 따라서 청장년층 인구의 비중은 50%를 초과함을 알 수 있다. 따라서 노년층 인구는 청장년층 인구보다 적을 것이다.

**07** ⑤ 안산시의 원곡동 국경 없는 마을, 서울 혜화동 필리핀 장터, 이태원 이슬람 중앙 성원, 광희동 몽골 타운, 김해 동상동 외국인 거리 등은 다문화 사회 모습을 보여주는 대표적인 다문화 공간이다.
**바로알기** ① 외국인 분포를 체류 목적으로 구분하면 외국인 근로자의 비율이 가장 높다. ② 수도권과 도시 지역에 외국인들이 많이 분포하는 이유는 일자리를 구하기 쉽기 때문이다. ③ 외국인 근로자들이 1990년대 후반부터 급격히 증가한 것은 내국인 근로자들이 3D 업종을 기피하여 생산직을 중심으로 노동력 부족 현상이 심화되었기 때문이다. ④ 외국인 근로자들은 제조업과 같은 저임금의 생산직에 종사하는 경우가 많다. 연구 개발, 국제 금융은 3차 산업에 해당한다.

**주관식+서술형 문제**

**08** 1920년대는 근대 의료 기술 도입, 위생 시설 도입 등으로 사망률이 낮아졌으며, 2000년대는 저출산의 지속으로 출산율이 낮아졌다.

**09** **예시답안** 저출산 현상이 지속될 경우 우리나라의 총인구는 감소하게 되며, 경제 활동에 투입되는 노동력 부족, 소비 감소와 투자 위축에 따른 경기 침체로 이어져 국가 경쟁력이 약화될 수 있다.

| 채점 기준 | 배점 |
| --- | --- |
| 저출산 현상에 따른 문제를 두 가지 이상 정확히 서술한 경우 | 상 |
| 저출산 현상에 따른 문제를 한 가지만 서술한 경우 | 하 |

01 ②    02 ②    03 ③    04 ⑤    05 ①
06 ④    07 ②    08 (1) ㈎ 경주 ㈏ 부산
09 (1) 현무암 (2) 해설 참조

**01** 관북, 관서, 관동 지방은 함경도 안변군과 강원도 회양군 사이에 있는 철령관(㉠)을 기준으로 하여 지역을 구분하였다. 영남 지방은 문경새재를 뜻하는 조령(㉡)의 남쪽이라는 의미이다. 호남 지방은 호강(금강)의 남쪽이라는 의미이며, 호서 지방은 호강 상류의 서쪽이라는 의미이다. 북부 지방과 중부 지방은 멸악산맥을 경계로 지역이 구분되며, 중부 지방과 남부 지방은 소백산맥과 금강 하류를 잇는 선을 경계로 지역이 구분된다.
바로알기 ② 관동 지방의 영서 지방과 영동 지방을 나누는 경계는 대관령이며 태백산맥에 위치한다.

**02** 남한은 1차 에너지 공급량이 석유〉석탄〉천연가스〉원자력〉신·재생 및 기타〉수력 순서로 많다. 북한은 석탄〉수력〉신·재생 및 기타〉석유 순서로 많다. 따라서 남한에서 공급량이 가장 많은 C는 석유이며, 북한에서 공급량이 가장 많은 A는 석탄이다. B는 북한에서 석탄 다음으로 공급량이 많으므로 수력이다. ② 수력은 유량이 풍부하고 낙차가 큰 지역이 유리하기 때문에 발전소 건설시 기후 조건과 지형 조건의 영향을 받는다.
바로알기 ① 발전소가 해안가에 입지하는 것은 원자력 발전에 해당한다. 원자력은 발전 과정시 냉각수가 필요하므로 해안가에 입지한다. ③ 남한에서 석유는 수송용으로 이용되는 비중이 높다. ④ 남한은 석유를 전량 해외에서 수입하고 있으므로, 석탄보다 석유이 해외 의존도가 높다. ⑤ 석탄과 석유는 재생 불가능한 자원, 수력은 재생 가능한 자원에 해당한다.

**03** 지도를 보면 서울이나 수도권 동부 지역에서는 비율이 낮게 나타나고, 수도권 북부 지역과 수도권 남서부 지역에서 비율이 높게 나타나고 있음을 알 수 있다. 이는 제조업 종사자 비율을 나타낸 것이다. 1970년대 후반부터 제조업이 서울 주변 지역으로 분산되기 시작하였고, 1980년대에는 안산 반월 산업 단지, 인천 남동 산업 단지 등 공업 지역이 조성되면서 제조업 이전 현상이 가속화되었다.
바로알기 ①, ④, ⑤ 서울에서 높게 나타날 것이다. ② 제조업이 발달한 화성, 평택 등에서 농업이 발달하기는 어렵다.

**04** 제시된 사례는 태백 석탄 박물관과 정선의 레일바이크에 대한 내용이다. 이는 폐광 지역의 산업 유산을 관광 자원으로 활용하여 지역 경제를 활성화하려는 노력이라고 볼 수 있다. 이로 인해 강원도의 산업 구조는 석탄 산업을 비롯한 광업 중심에서 관광 산업 중심으로 변화하고 있다.

**05** A는 예산과 홍성, B는 진천과 음성, C는 충주이다. 충청 지방은 지역 격차를 해소하기 위해 홍성군 홍북면과 예산군 삽교읍 일대에 내포 신도시를 건설하여 충청남도청, 도의회, 교육청 등 행정 기능을 이전하였다. 진천과 음성은 혁신 도시로 지정되어 정부 기관의 이전 및 산학 협력을 바탕으로 수준 높은 주거 환경을 갖춘 도시로 성장하고 있다. 충주는 기업 도시로 지식 기반형 산업이 발달하고 있다. 따라서 A는 ㄱ, B는 ㄴ, C는 ㄷ에 해당된다.
바로알기 ㄹ. 수도권의 교외화 과정에서 수도권 전철은 충청남도의 천안과 아산까지 연장되어 지역 발전에 큰 영향을 미쳤다. 따라서 수도권의 베드타운에 해당되는 도시는 천안, 아산 등이다.

**06** A는 김제, B는 전주, C는 남원, D는 해남, E는 광양이다. 남원에서는 춘향제가 열리고 있으며, 광양은 제철 공업이 발달하여 철강 생산 공장을 볼 수 있고 매화 축제가 열린다.
바로알기 갑. 한옥 마을과 세계 소리 축제로 유명한 곳은 전주이다. 을. 산비탈을 따라 펼쳐진 푸른 녹차 밭의 장관을 볼 수 있는 곳은 보성이다. 정. 람사르에 등록된 습지를 볼 수 있으며, 낙안 읍성으로 유명한 곳은 순천이다.

**07** ㉠ 한라산은 전체적으로 경사가 완만한 방패형 화산이지만, 중앙부는 경사가 급한 종 모양 화산체를 이루고 있다. ㉢ 기생 화산은 용암의 소규모 분출이나 화산 쇄설물의 퇴적에 의해 형성되었다. ㉣ 용암동굴은 유동성이 큰 용암이 흐르는 과정에서 표면과 내부의 냉각 속도 차이에 의해 형성된다. 따라서 용암이 흐르기 위해서는 유동성이 큰 용암이어야 한다. ㉤ 제주도는 바다로 둘러싸인 섬으로, 기온의 연교차가 작고 강수량이 많은 해양성 기후가 나타난다.
바로알기 ㉡ 한라산의 완만한 사면은 점성이 약하고 유동성이 큰 현무암질 용암이 분출하여 형성된 것이다.

**주관식+서술형 문제**

**08** 경주는 신라의 수도로 각종 문화 유적이 풍부하며, 부산은 우리나라에서 인구가 두 번째로 많으며, 우리나라 제1의 항구 도시이다.

**09** (2) 예시답안 제주도의 전통 취락은 식수를 구하기 쉬운 용천을 따라 해안가에 주로 분포한다. 그리고 제주도는 지표수가 부족하여 논농사보다는 밭농사가 발달하였다.

| 채점 기준 | 배점 |
| --- | --- |
| 제주도의 전통 취락 분포와 농업 특징을 모두 정확히 서술한 경우 | 상 |
| 제주도의 전통 취락 분포와 농업 특징 중 한 가지만 서술한 경우 | 하 |